U0382866

港珠澳大桥岛隧工程

外海保障系统

尹海卿　等　著

科学出版社

北京

内 容 简 介

本书详细介绍了沉管施工的外海保障。依托港珠澳大桥岛隧工程，通过工程区水文气象的观测、深槽海流“齿轮”现象形成机理的分析和无缝隙天气预报技术的应用，建立了海上施工作业窗口管理系统、外海沉管安装对接窗口预报保障系统、异常波预警系统，为沉管的浮运、安装提供了常规预报保障、施工窗口预报、预警保障及泥沙淤积预测，填补了海上工程施工作业窗口的理论空白，对近海海洋工程建设具有重要的参考价值。

本书可供高等院校道路工程、桥隧工程、土木工程等专业师生及相关专业技术人员参考使用。

审图号：GS 京（2022）0253 号

图书在版编目（CIP）数据

港珠澳大桥岛隧工程外海保障系统 / 尹海卿等著. —北京：科学出版社，2022.10

ISBN 978-7-03-072555-4

Ⅰ. ①港… Ⅱ. ①尹… Ⅲ. ①跨海峡桥－桥梁工程－中国 ②水下隧道－隧道工程－中国 Ⅳ. ①U448.19 ②U459.5

中国版本图书馆 CIP 数据核字（2022）第 101055 号

责任编辑：郭勇斌 邓新平 / 责任校对：杜子昂

责任印制：师艳茹 / 封面设计：黄华斌

科 学 出 版 社 出版

北京东黄城根北街 16 号

邮政编码：100717

http://www.sciencep.com

中国科学院印刷厂 印刷

科学出版社发行 各地新华书店经销

*

2022 年 10 月第 一 版 开本：787×1092 1/16

2022 年 10 月第一次印刷 印张：13 插页：12

字数：297 000

定价：118.00 元

（如有印装质量问题，我社负责调换）

港珠澳大桥岛隧工程外海保障系统

主　　编　尹海卿

副 主 编　王彰贵　卢永昌　黄维民

编写人员（以姓氏笔画排序）

王　强　王先桥　王利恒　王盛安　尹朝晖
伍绍博　刘　馨　李　欣　李本霞　李哈汀
杨幸星　汪　雷　张　彤　张　炜　邵新慧
罗　冬　周自力　徐润刚　高　潮　唐晨海
黄焕卿　梅　山　宿发强　潘　丰　魏立新

前　言

港珠澳大桥东连香港，西接珠海、澳门，是集桥、岛、隧为一体的超大型跨海通道，是我国继三峡工程、青藏铁路、南水北调、西气东输、京沪高铁之后又一重大基础设施项目。其中岛隧工程是大桥的控制性工程，包括一座长 6.7 km 的沉管隧道和两座各 10 万 m^2 的外海人工岛，采用设计施工总承包模式，由中国交通建设股份有限公司联合体承建。沉管工法是一项综合了水工工程、地下工程、隧道工程的复合性技术，实施难度和风险非常大，因而在隧道建设中应用不多。到目前为止，全世界建成的沉管隧道只有一百多条，主要集中在美国、日本、欧洲等发达国家和地区。中国的沉管隧道建设起步较晚，在 20 世纪 90 年代初才建设了第一条沉管，至 2010 年，全国也只在内河、江湖中修建过十多条沉管隧道，长度也都在几百米。

港珠澳大桥沉管隧道是目前世界最长、国内首条外海公路沉管隧道。沉管隧道总长 5664 m，由 33 节管节组成，标准管节长 180 m，宽 37.95 m，排水量约 7.8 万 t。沉管隧道基槽开挖近 50 m 深，且深槽段与伶仃洋主航道交叉，海底地形和槽内流态异常复杂，类似外海环境下的深水深槽安装是世界范围内首次实施。施工海域气象条件复杂，冬季受东亚冬季风控制，经常出现大于 6 级的大风，夏秋季又是台风多发季。复杂的海上作业环境，深水、深槽沉管对接具有水流条件复杂、可能存在回淤、施工精度要求高等特点，导致水下稳定控制难度大，管节在波浪条件下的垂荡运动，给外海沉管施工保障提出新的挑战。为满足港珠澳大桥沉管隧道施工保障需求，首次开发了一套集监测、预报和信息显示于一体的综合保障系统，解决和攻克了长历时高精度作业窗口选择、深槽水流动力机理、外海沉管对接精细化预报、异常波预警等关键技术难题，提升了我国在复杂海洋水文环境下的保障水平，为港珠澳大桥岛隧工程科学、快速、安全施工提供了强有力的科学支撑。

本书结合港珠澳大桥沉管隧道工程实践，对工程区水文气象观测、深槽流态分析和“齿轮”现象的形成机理、无缝隙天气预报技术、珠江径流对工程区水文环境的影响、海上施工作业窗口管理系统、外海沉管安装对接窗口预报保障系统、异常波预警系统、深槽泥沙精细化数值预报等进行了详细的介绍。通过提炼总结港珠澳大桥岛隧工程外海保障系统的经验，以期为后续国内外类似工程提供有益的借鉴。由于水平有限，本书难免有疏漏之处，还望读者不吝赐教，对此表示深深的感谢。

作　者

2022 年 6 月

目　　录

第1章 绪　论

近海海洋工程预报保障是多学科交叉的应用学科，涉及气象、物理海洋、计算流体力学、泥沙运动力学、海洋环境监测与预报等。本书将重点介绍外海沉管施工的海上环境保障，它可以推广到海上油气资源开发、海上平台安装及风电场建设等海上施工安全保障。

1.1 海底沉管隧道建设的概况

目前国内外穿越江、河、海的沉管隧道超过百条，其中国际上著名的海底沉管隧道有哥本哈根凯斯楚普机场与马尔默之间的厄勒海峡沉管隧道、韩国釜山—巨济沉管隧道及博斯普鲁斯海峡沉管隧道。港珠澳大桥跨越伶仃洋，东连香港，西接珠海、澳门，采用桥、岛、隧组合方案，总长约 35.6 km。其中，沉管隧道总长 5 664 m，是目前世界上最长的海底沉管隧道。图 1-1 为港珠澳大桥总平面布置示意图。

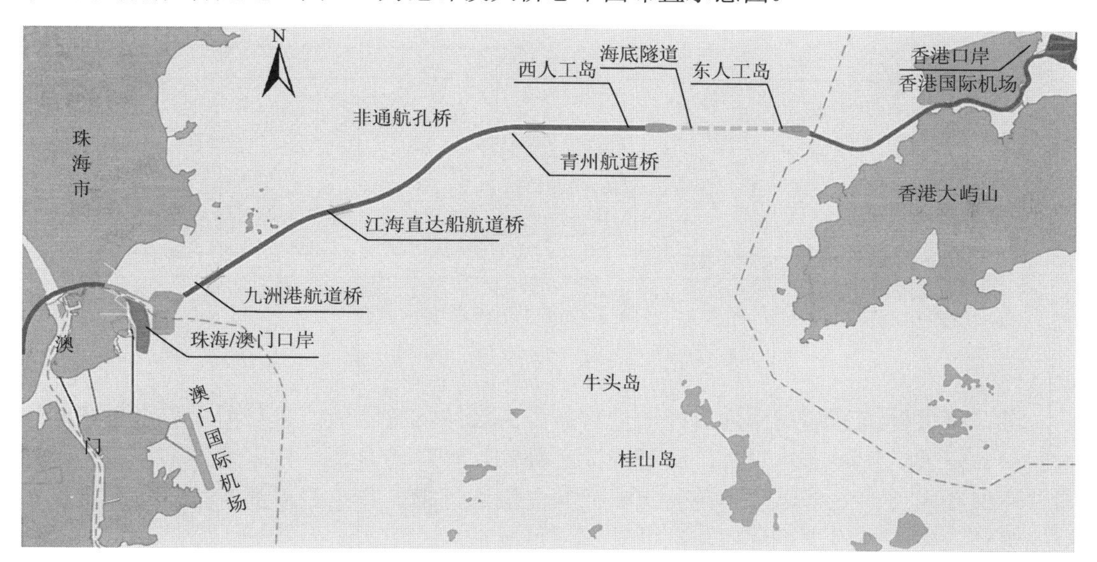

图 1-1　港珠澳大桥总平面布置示意图

港珠澳大桥沉管隧道由 33 节管节组成，标准管节长 180 m，宽 37.95 m，排水量约 7.8 万 t。图 1-2 为港珠澳大桥岛隧工程平面和纵断面示意图。其中，E9～E27 管节基槽开挖底标高为–50～–45 m，基槽深度为 35～40 m（图 1-3），且深槽段与伶仃洋主航道交叉，海底地形和槽内流态异常复杂，外海环境下的深水基槽沉管安装是在世界范围内首次实施的。

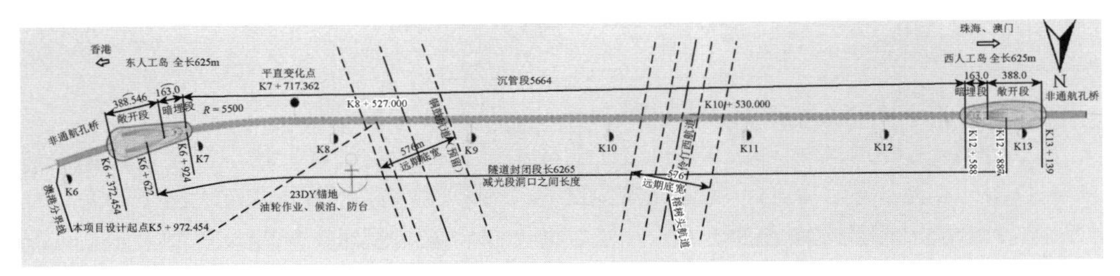

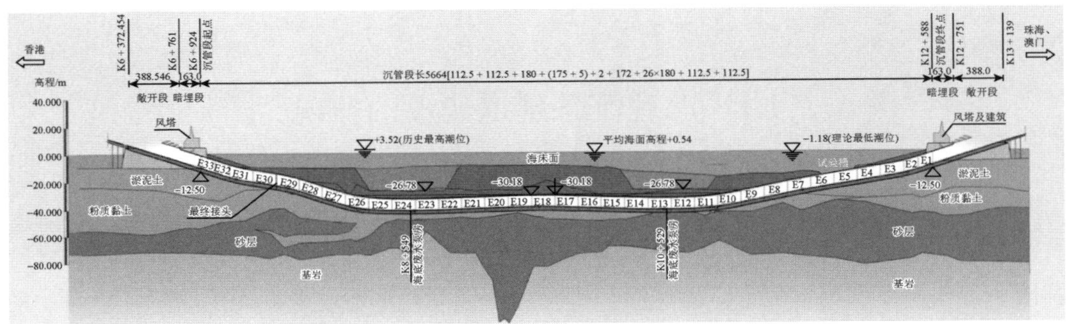

图 1-2　港珠澳大桥岛隧工程平面和纵断面示意图（单位：m）

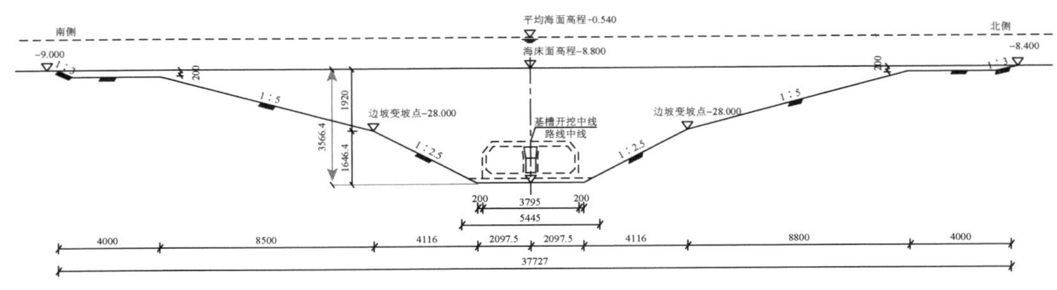

图 1-3　岛隧工程沉管基槽深度示意图

注：标高单位为 m，其他尺寸标注单位为 cm

港珠澳大桥沉管隧道作为目前国内首条外海公路沉管隧道，是目前世界上首条深埋大回淤节段式沉管隧道，具有工程规模大、外海作业环境复杂、技术难点多、施工工期紧、环保要求严、安全风险高等特点，尤其是深水深槽的特点带来的管节浮运和沉放对接等难题，使综合施工难度居于当前该领域世界前列。

该工程建设的技术难点与特点是：

第一，由于广州港远期30万t油轮出海航道建设需要，有别于一般浅埋沉管，港珠澳大桥沉管隧道采用深埋方案，沉管安装最大作业水深近50 m，世界范围内仅次于博斯普鲁斯海峡沉管隧道（60 m），且岛隧工程天然水深最大仅20 m左右，沉管安装将在深水、深槽条件下进行，沉管安装的作业安全和精度控制都将面临巨大挑战。

第二，岛隧工程地处珠江口，为我国最繁忙的航运线路之一。岛隧工程穿越伶仃主航道、龙鼓西航道、伶仃临时航道，施工区通航条件极为复杂，且由于伶仃洋为“三汉两浅滩”的地貌格局，海流在深水航道、浅滩区域均呈现不同的规律，沉管隧道与多条深水航道正交，且靠近铜鼓浅滩，海流条件更趋复杂。

第三，岛隧工程标准管节重约7.8万t，体量居世界之首，且采用半刚性设计方案，在深水、深槽条件下，实施如此大体量的沉管安装在世界范围内属于首次，无相关经验可借鉴，且由于沉管安装精度要求高，水平向定位相对误差为2 cm，竖向定位相对误差为3.5 cm，受大体量、复杂环境的影响，沉管最终对接精度控制难度和风险巨大。

第四，岛隧工程沉管管节数量达33节，为目前世界上最长的沉管隧道，总体工期十分紧张，海上气象条件复杂，易受台风、季风影响，施工窗口选择存在不确定性，一旦沉管安装进度受阻，沉管预制生产线将受到极大影响，甚至影响整个港珠澳大桥的建设进度。

深水、深槽沉管对接具有水流条件复杂，缆绳柔性大，可能存在回淤，施工精度要求高等特点，导致水下稳定控制难度大，管节在波浪条件下的垂荡运动，对基床破坏等施工风险。为规避风险，采取有效措施，客观上需要开展沉管隧道安装技术及风险管控体系研究。

港珠澳大桥沉管隧道建设由众多工序环节组成，沉管安装的前期准备包括碎石基床的铺设、基床清淤等，这些工序需要花费 7～10 d 的时间。完成管节基床准备工作后，将开始沉管的安装工序，主要包括管节浮运、管节沉放对接等。沉管预制厂与沉管安装基槽相距 7 km 以上，沉管通过大型拖轮拖航至基槽位置后进行沉放和对接，安装工序需要36 h左右的时间。在管节安装之后，进行后续的锁定回填工作，如此循环进行下一节管节的安装工作。

1.2 海洋工程面临的环境风险

大型沉管隧道管节的沉放和对接是施工中的一个重要环节，同时也是最危险的环节。与河流中浮运沉放管节的施工过程有所不同，在复杂的海洋环境下实施管节沉放时，水文（海浪、海流、潮汐）和气象（风速、风向）等因素的影响，决定了海上沉放施工具有更大的困难。沉管结构在海底受到的流体作用与在河流中也会有很大差别，较差的海洋动力环境条件不利于管节的沉放施工作业，因此管节的浮运和沉放对海洋环境有着特殊的要求。众所周知，当管节漂浮在海面时，主要驱动外力来自海浪、海流对结构的作用。当管节逐渐下沉，海浪的影响会逐步减小，而海流的作用会逐渐加大，成为主要的外力。

（1）天气风险

珠江口海域北靠亚洲大陆，南临热带海洋（南海），地形地貌复杂，水文气象环境多变，灾害性天气频繁，影响该海域的主要灾害性天气系统有台风、冷空气、暴雨及强对流天气带来的短时雷雨大风等。复杂的海洋环境条件无疑会给沉管隧道的施工增加难以预知的不确定因素，也对施工技术提出了更高的要求。面向海洋工程的海洋环境预报，与其他常规预报在预报精度和技术要求上是完全不同的。港珠澳大桥沉管隧道的施工要考虑风、海浪、海流等各种恶劣气象、水文环境的影响，以有效规避风险，提高施工安全性。

（2）海浪风险

港珠澳大桥岛隧工程沉管浮运安装大部分时间都在海面上进行，海浪直接影响沉管、沉放驳和其他操作船只的稳定性。首先，浪高大于一定阈值会导致沉管和沉放驳大幅度晃动，影响沉管的稳定性；其次，如果海浪波长尺度与沉管尺度接近，会导致沉管大幅度晃动，难以控制姿态；最后，海浪周期与沉管自运动周期紧密相关，当两者周期相近时容易引起共振，加剧沉管的晃动。

（3）海流风险

港珠澳大桥岛隧工程总体规模宏大，沉管浮运安装的施工海域位于珠江口径流与外海海水的交汇处，海流情况异常复杂。沉管进入深槽后，受槽内复杂流态及缆系刚度弱化影响，安装、对接面临以下问题：第一，管节重约 7.8 万 t，运动中管节动能大，运动响应敏感；第二，沉管安装作业全过程位于水下，基槽深度超过 35 m，最深处达 48 m，管节运动及姿态监测和控制难度大；第三，随着基槽深度的增加，缆系刚度弱化严重，对沉管运动的约束能力迅速下降；第四，受潮流、径流、海底地形综合影响，槽内流态极为复杂，海流观测发现槽底存在高速水流，对沉管对接精度及安全将造成较大影响。

由于管节质量和体积巨大，即使在静止水流环境下拖航也会受到巨大的阻力，而珠江口为显著的潮流分布，超过一定速度的水流将给管节带来巨大冲击，影响管节浮运安全；在珠江口海域，涨落潮时，水流分布一般为上层流速较大，随深度减小，但最新观测发现，深水基槽的水流分布具有独特规律，这给管节的沉放对接工作带来新的环境风险。

（4）异常波风险

港珠澳大桥岛隧工程的沉管基槽横贯伶仃航道和铜鼓浅滩滩尾，该海域多次观测到异常波，严重威胁沉管作业和施工船只的安全。沉管在安装前需要解除锚系的保护，由于沉管体积巨大，异常波会引起安装船及沉管的晃动。例如，E20 管节遭遇异常波给沉管安全及安装过程带来极大风险，严重影响安装精度，凸显了沉管基槽异常波观测、预警技术的重要性和必要性。由于异常波问题受到诸多局地因素如潮流、波浪、水体性质及南海内波传入等因素的影响，目前其形成机理尚不清楚，故无法对其进行预测。沉管隧道的精度是实现无缝对接的前提条件，必须克服异常波等诸多海洋环境因素的挑战，因此，需要建立异常波预警系统，为沉管安装提供科学的预警信息。

（5）水下姿态的风险

港珠澳大桥沉管隧道采用深埋方案，沉管安装最大作业水深近 50 m，沉管安装将在深水、深槽条件下进行，沉管安装的作业安全和精度控制都将面临巨大挑战；另外，受海水能见度及海流冲刷的影响，难以在管节外面建立参考点直接测量管节运动姿态。水下超低频、微振幅管节姿态测量目前没有成熟的技术和设备。惯性测量不受外界条件限制、不怕干扰，惯性测量系统所提供的数据又十分全面，它不仅能提供管节的加速度、速度、位移幅值，还能给出管节横摇、纵摇、艏摇的角度幅度，而且具有短期精度和稳定性好的优点。

1.3 海洋工程的预报保障

1.3.1 常规预报保障

常规预报包括中短期天气预报、延伸期天气预报、长期天气预报及热带气旋警报。

1. 中短期天气预报

1～3 d 预报，每日发布两次（8：00 和 16：00），间隔 8 h，主要内容包括天气现象、风向、风速、阵风风速、能见度、有效波高、周期、波向等要素预报。

4～7 d 预报，每日 8：00 发布一次，主要内容包括天气系统及风向、风力概述。

2. 延伸期天气预报

10 d 预报，对于可能造成保障区域大风的天气系统及过程，根据其活动的时间及强度给出风力、风向、有效波高、波向等预报。

提供未来 10 d 内西北太平洋热带气旋生成情况及形成后移动路径预报。另外，提供未来 10 d 内工程区海雾预报。

每周五发布预报。

3. 长期天气预报

长期天气预报是指结合海洋工程施工流程及预报精度，预报时效为一个月。提供未来一个月可能给工程区造成大风的天气系统及过程次数预测，并根据其活动的时间及强度给出对应的风力、风向、有效波高及波向等。提供未来一个月内西北太平洋热带气旋的生成情况及对工程区影响可能性的预测。每月一次，于 26 日发布下月预报。

4. 热带气旋警报

当在 0°N 以北，180°E 以西的西太平洋海域内有热带气旋活动时，开始发布热带气旋消息、警报及警报解除。每次警报内容为未来 3 d 热带气旋状况，即中心位置、中心气压、最大风速、移速移向、8 级和 10 级大风半径。

1.3.2 施工窗口预报

施工窗口是指一个施工周期内的水文气象条件满足施工要求的一段连续时间。常用的水文气象要素包括海流速度、波高、波周期、风速、能见度等。为充分利用该“窗口”，通常分为优先作业窗口和备用作业窗口。

需要作业窗口的工程有：港珠澳大桥岛隧工程沉管安装施工，对海洋环境的要求高，连续 3 d 风力小于 5 级，有效波高小于 0.8 m，流速小于 0.6 m/s；南海文昌海域 14-3A 和 8-3A 导管架和组块安装工程，导管架长约 136 m，重约 3400 t，作业水深超过 120 m，要求风力小于 4 级，有效波高小于 1.2 m；我国载人潜水器 1000 m、3000 m 级海上试验，要求试验期间风力小于 4 级，有效波高小于 1.2 m。

1.3.3 预警保障

外海海域海洋工程施工过程中，时常会遇到不可测的海洋环境风险，如海洋内波、异常波及短时强对流等，为海上施工带来不安全因素，需要对该类风险进行管控。由于该类海洋大气现象形成机理不清，并且具有突发性、随机性，目前主要的手段依靠实时监测、预警，无法提前开展预测预报。我国南海东北部海域，海洋内波发生频率高，内波对该海域的石油开采平台影响大。当前通用的办法是，在内波传播路径上，布放 1 个内波浮标阵列（大于 3 个浮标）。根据各浮标监测到的内波强度、出现时间及位置，判断内波到达石油开采平台的强度与时间，采取相应的工程应对措施。

在港珠澳大桥施工海域发现的异常波，由于缺乏监测资料，其波动特征及形成机理不清楚。工程上常用的做法是，在保障目标区周围布设高频波浪仪，实时监测海面的变化，并通过数据采集系统发送到指挥中心，实时自动分析异常波的发生及传播特征，发布异常波预警等级。

1.3.4 泥沙淤积预测

在从碎石基床铺设到沉管安装施工周期内，碎石基床上的泥沙淤积将影响沉管的精准对接及造成不均匀沉降，对沉管安全造成极大风险。因此，泥沙回淤的预测是外海沉管施工安装中重要的保障内容之一。

考虑沉管安装的泥沙预测对高精度、长时效的要求，泥沙预测由两部分构成，即泥沙的实时监测与预报模型。实时监测包括海水浊度、含沙量、淤积厚度及海流。预报模型包括统计模型、三维泥沙数值模型。

第2章　工程区水文气象观测

工程区水文气象观测设备包括海上气象观测平台、海流和海浪观测浮标等，通过公共无线通信网，实时收集风、浪、流等海洋监测数据，为海上工程施工提供海洋环境安全保障。

2.1　气 象 观 测

为了满足岛隧工程施工作业海洋气象保障的需求，提供预报保障模式研制和预报结果验证所必需的高密度实时数据，分别在岛隧工程施工关键区域（西人工岛）和沉管预制厂（牛头岛）建立气象观测站，实时观测风速、风向、气温、湿度、气压、能见度和降雨量，通过无线通信网将实测数据传送至岛隧工程海洋气象数据系统，并实现实时显示。

2.1.1　观测系统

观测系统由系统硬件和系统软件组成，系统硬件包括当前主流的气象传感器、数据采集器、系统电源、通信接口等，系统软件有数据采集软件、数据处理软件、数据传输软件和系统监控软件。系统采用集散式体系结构，通过数据采集器集中采集和处理分散配置的各个传感器信号，作预处理后，通过CDMA/GPRS无线传输到客户计算机，再经过分析处理形成最终数据产品，供预报保障系统使用（图2-1）。

1. 系统硬件

气象观测站示意图见图2-2。

（1）气象传感器

气温和相对湿度：采用HMP系列一体式的温度、湿度传感器，含一个铂电阻温度传感器和一个聚合电容薄膜传感器的湿度传感器。

气压：采用膜盒式电容气压传感器。

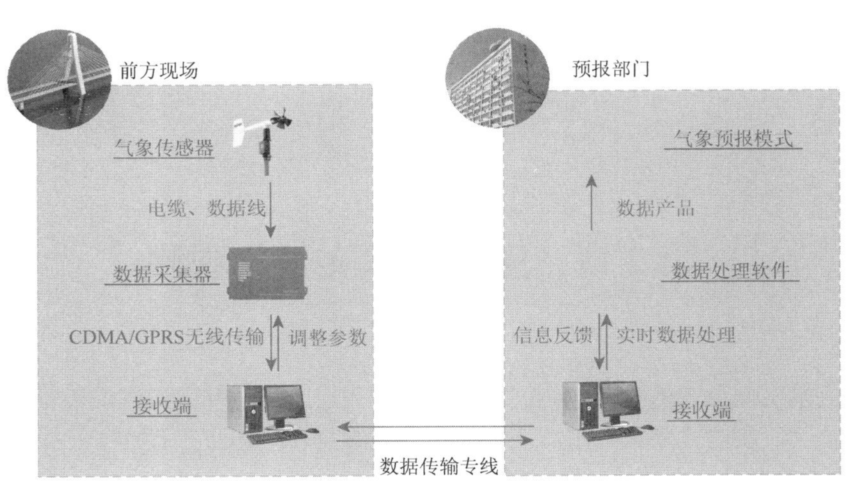

图 2-1　气象系统工作方式

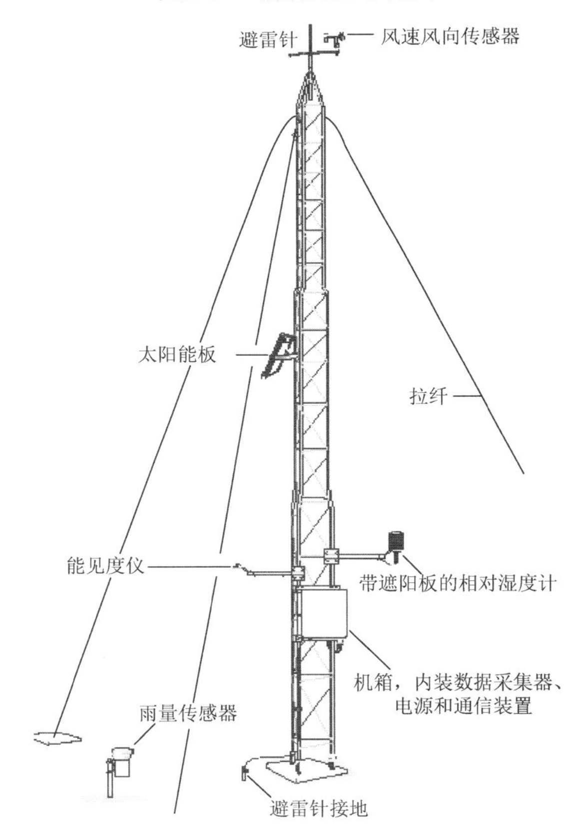

图 2-2　气象观测站示意图

风速和风向：风向标和螺旋桨一体的风速风向传感器。

雨量：翻斗式雨量传感器。

海表温度：精密红外温度传感器。

能见度：高性能前向散射能见度仪。

各传感器主要性能指标见表2-1。

表2-1　各传感器性能指标

气象传感器	测量要素	测量范围	分辨力	准确度
温度、湿度传感器	气温	−80～+60℃	0.1℃	±0.2℃
	相对湿度	0～90%	1%	±2%
		90%～100%		±3%
气压传感器	气压	600～1060 hPa	0.1 hPa	±0.50 hPa
风速风向传感器	风速	0～60 m/s	0.1 m/s	±0.5 m/s
	风向	0°～360°	1°	±3°
雨量传感器	降水量	0～4 mm/min	0.1 mm	±1%（≤10 mm） ±3%（>10 mm）
红外温度传感器	地面温度	−10～+60℃	0.1℃	±0.2℃
能见度仪	能见度	10 m～75 km	1 m	±2%（≤2 km） ±20%（>30 km）

（2）数据采集器

数据采集器是自动气象站的核心，其主要功能是负责数据的采样、处理、存储及传输。此外，其内部有温度补偿、实时时钟。模拟输入通道配有气体放电保护管。当外部电源断电后，内部电池支持静态随机存储器内存和时钟，可以确保数据、程序不丢失。

（3）系统电源

系统配备大容量的蓄电池组，可选择市电或太阳能充电器对蓄电池组进行充电。蓄电池组充满电后可满足整个观测系统连续15 d的工作用电。即在没有市电或太阳能供电的情况下，系统仍可以维持15 d的连续观测。

（4）通信接口

通信接口是系统与客户端的通信连接设备，可实现系统与客户端的双向通信。通过通信接口可向客户端发送现场观测数据和状态信息，或者接收客户端的指令，改变系统工作模式、升级系统软件。

2. 系统软件

系统软件包括数据采集软件、数据处理软件、数据传输软件和系统监控软件。

①数据采集软件：数据采集软件定时采集各传感器的输出信号，经计算、处理形成各气象要素值。

②数据处理软件：数据处理软件完成各气象要素值的统计计算，形成所需的统计报表及数据产品。

③数据传输软件：数据传输软件将数据产品通过通信接口及时发送到客户端。

④系统监控软件：系统监控软件实现对观测系统状态的监控。

2.1.2 系统运行

1. 西人工岛气象站建设及维护

（1）建设

2011 年 6 月 16 日，对西人工岛气象站安装现场进行了实地考察，为后续的观测塔、仪器、电源购置奠定基础。

2011 年 10 月 14 日，气象站建成，并正式投入使用（图 2-3）。

2012 年年初，建成气象数据实时显示及预警平台（图 2-4）。

2017 年 9 月下旬，将气象站从原来的测量平台迁移至西人工岛上。

图 2-3　西人工岛气象站建设

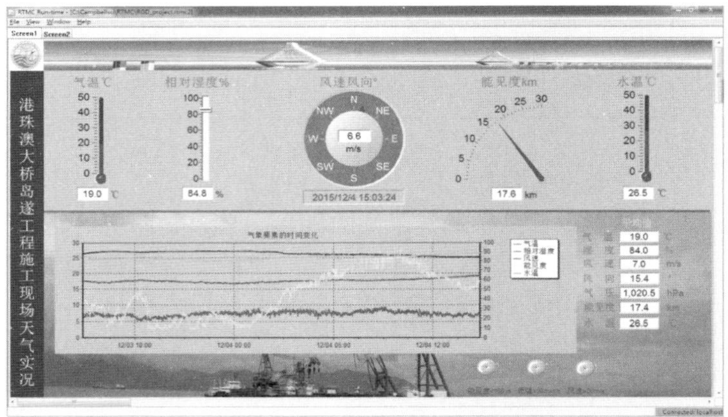

图 2-4　气象数据实时显示及预警平台

图 2-5　气象站检修

（2）维护

2013 年 5 月，对气象站进行了一次大的全面检修，更换了部分传感器、传输电缆及钢丝绳、法兰螺丝、支架、卡子等紧固件（图 2-5）。

2014 年的常规例行维护对太阳能板底座进行了加固，对蓄电池进行了清洁、保养，并进行了防潮保护。

2015 年年初，对气象站进行了常规维护。

2015 年年中，风速风向数据出现异常，在基本确定是传感器的问题之后，立即采购了一套新的风速风向传感器，并紧急赶往现场进行了更换，确保最关键的风速风向数据能实时、准确地传输到气象值班室。此外，年底还对损坏的雨量传感器进行了更换。

2017 年 2 月，针对数据传输时有中断的情况，更换了数据传输模块。

2. 牛头岛气象站建设及维护

（1）建设

2012 年 5 月 9 日，对牛头岛气象站进行了选址。

2012 年 8 月 31 日，气象站建成。

2013 年 5 月 27 日，对气象站进行迁址（图 2-6），5 月 30 日完成并投入使用。

图 2-6　牛头岛气象站迁址

（2）维护

2014 年根据沉管施工对气象保障的要求，对牛头岛气象站进行了升级改造，增加了蓄电池容量，加大了太阳能板功率，升级了软件，数据传输由原来的每 15 min 的前 5 min 传输模块通电工作改为实时通电在线、实时传输，提高了数据的实时性，满足沉管施工的需求。

2015 年共进行了三次例行维护，包括清洁太阳能板，加强蓄电池箱防水。

2016 年 8 月得知牛头岛气象站风速风向数据出现异常，紧急购买了一套新的风速风向传感器，于 9 月初对传感器进行了更换，并对太阳能板和蓄电池进行了清洁和维护。

3. 数据备份

对以上两个气象站除了维修和不定时维护之外，还每天进行气象数据接收备份和气象站历史数据整理与服务。人工岛和牛头岛气象数据除了实时传送到珠海预报值班室外，还会每天定时传送给北京的气象观测保障组进行备份，防止珠海预报值班室数据接收终端硬盘损坏而丢失气象数据。另外，对接收到的气象站历史数据进行了整理、统计、分类，为项目管理提供准确、实时的数据服务。

2.1.3　数据获取情况

西人工岛气象站从 2011 年 10 月 14 日开始观测并存储数据，数据采样间隔为 6 s，每天生成 1 个文件，截至 2017 年 9 月 30 日，共生成 2180 个文件，约 3140 万组数据，每组数据包括气温、相对湿度、风速、风向、能见度、海水温度、气压、雨量等要素。除了因为部分传感器如风速风向传感器和雨量传感器出现故障，在更换窗口期无法提供数据外，数据获取率为 98%。

牛头岛气象站从 2012 年 8 月 31 日开始观测并存储数据，数据采样间隔为 6 s，每天生成 1 个文件，截至 2017 年 9 月 30 日，共生成 1789 个文件，约 2860 万组数据，每组数据包括气温、相对湿度、风速、风向、气压等要素。除了因为风速风向传感器出现故障，在更换窗口期无法提供数据外，迁址导致有 7 d 左右不能工作，数据获取率为 97%。

2.2 海洋观测

在岛隧工程施工区海区，建立了海浪、海流及潮位实时监测系统，对海洋环境的变化进行实时监测，同时为海洋数值预报及结果验证实测数据，保障岛隧工程施工作业海洋环境安全。

2.2.1 海洋观测系统

该系统包括 4 套海流剖面和海浪观测浮标、2 套波潮仪、1 套牛头岛坐底海流观测单元，如图 2-7 所示。

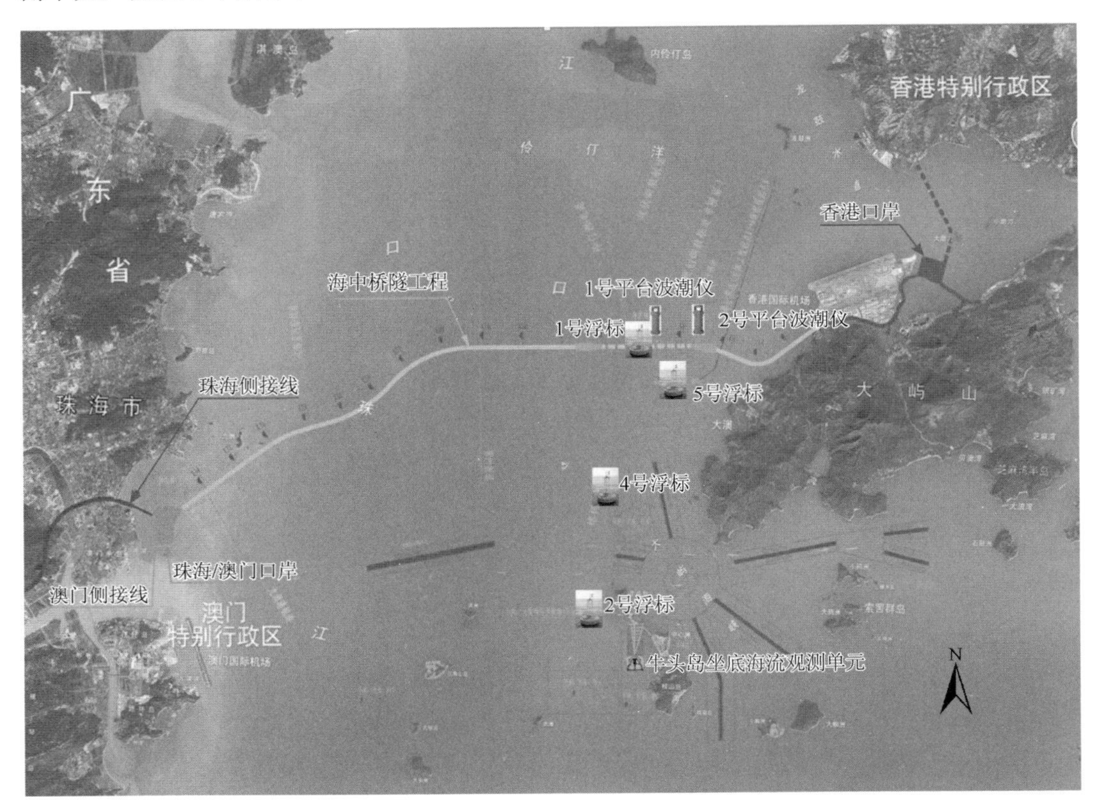

图 2-7 港珠澳大桥工程海区测点示意图

1 号、2 号、4 号和 5 号浮标为海流剖面和海浪观测浮标，海流剖面数据采样间隔为 5 min、海浪数据采样间隔为 30 min。1 号和 2 号平台波潮仪为潮位、海浪（水压）观测单元，数据采样间隔为 1 min。

由于浮标布放位置处于主航道边缘，经常遭遇其他船舶的碰撞，应设置碰撞设施。

由于浮标布放海域靠近港澳地区，同时受香港国际机场影响，不仅通信信号弱，而且信号易受干扰，数据接收率达不到业务化实时观测的要求，因此，数据传输应采用抗干扰措施和国际漫游的方式，以保证系统运行正常。

2.2.2　数据获取情况

观测系统正式运行至结束，历时近 5 年。根据该观测时段内对海洋观测数据的统计，平均数据获取率为 94.58%，满足了沉管浮运安装施工海洋环境保障的需求。

2.2.3　系统维护

每年一次定期对浮标进行维护保养，对突发事件引起的仪器故障和通信故障及时进行抢修。图 2-8 为海上浮标维修作业图。

图 2-8　海上浮标维修作业图

2.3 基槽内海流观测

工程区海流受珠江径流、潮汐潮流及风的影响，这些要素无时无刻不在变化。例如，径流量可能在一场暴雨后突增，潮流以每天一次或两次的频率周期性往复变化，风的变化也会导致珠江口环流的变化。另外，基槽开挖后还会在基槽区产生小尺度的次生环流。为了满足工程作业现场海洋环境精细化保障需求，以作业船只为平台对海流进行实时观测，利用高精度的海流观测设备，实时动态监测浮运安装过程中管节周边、基槽内的海流状况。

从 E11 管节开始，直至岛隧工程全部完成，总共进行了 27 次管节作业现场海流观测，10 次基槽内坐底海流观测。

2.3.1 海流观测点布置

1. 沉管周围海流观测点布置

沉管安装施工期间，现场海流观测设备分别安装在沉管安装船（津安 2 号、津安 3 号）及周围的测量船上（图 2-9）。共布置了 5 个观测点位，分别位于津安 3 号左上角（ADCP5）、右下角（ADCP2）；津安 2 号右下角（ADCP3）；386 潜水船右侧（ADCP1）；1002 测量船船首（ADCP7）。同时，开展了温盐观测（CTD1 和 CTD2）。这样的海流测点布置，一方面监测基槽内及沉管的海流，另一方面监测涨落潮时沉管四周流态的变化。

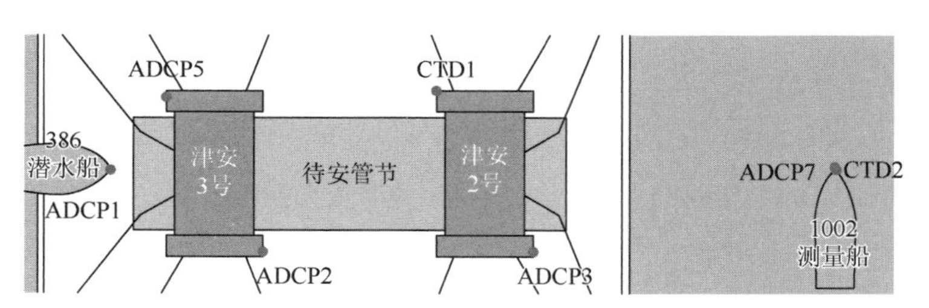

图 2-9　沉管安装施工期间沉管周围海流观测点位示意图

2. 基槽内海流观测点布置

基槽内海流观测一般在沉管施工前进行，主要是了解在没有受任何施工设备影响的情况下，基槽内的海流三维结构及时间变化。根据沉管施工计划进行安排，海流观测点位覆盖当前作业管节区域及前后不超过 500 m 区域，安装坐底式海流计 3～5 个（图 2-10）。

图 2-10　基槽内海流观测点位示意图（横截面）

2.3.2　海流观测仪器

海流观测仪器采用声学多普勒流速剖面仪（ADCP）。由于安装船津安 3 号、津安 2 号及 386 潜水船为沉管施工船，因此，在 1002 测量船上安装了固定观测架和绞车，通过绞车可以把海流计放入水下 1～3 m 处。图 2-11 为 1002 测量船船首安装的固定观测架及绞车。

WHS 300 kHz ADCP 由美国 Teledyne RDI 公司生产（图 2-12），主要参数如表 2-2 所示。

图 2-11　1002 测量船船首安装的固定观测架及绞车

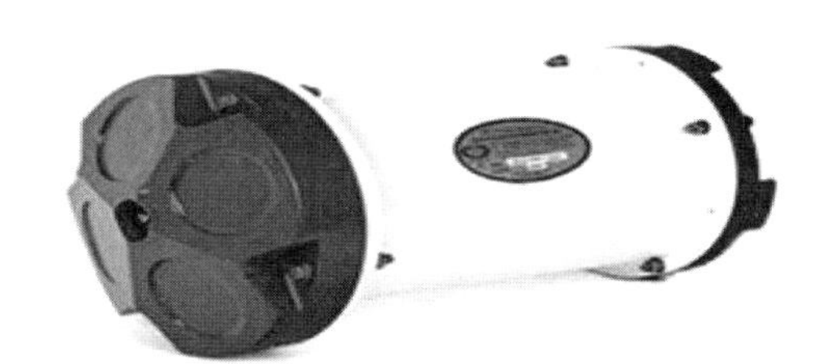

图 2-12　WHS 300 kHz ADCP

表 2-2　ADCP 参数表

指标	参数
声学频率	300 kHz
波束结构	4 波束，波束角 20°
耐压深度	200 m
测量范围	宽带模式 116 m
流速范围	±5 m/s（默认）、±20 m/s（最大）
流速准确度	±0.5%±5 mm/s
流速分辨率	1 mm/s
深度层数	1～255 层

续表

指标	参数
垂直分辨率	等同深度单元
发射频率	2 Hz
数据通信	串行端口 RS-232 或 RS-422，波特率 1200～115 200 波特
工作电压	20～50 V 直流
工作温度	–5～45℃
储存温度	–30～60℃
允许最大倾角	±15°
倾斜准确度	±0.5°
倾斜精密度	±0.5°
倾斜分辨率	0.01°
罗经准确度	±2°
罗经精密度	±0.5°
罗经分辨率	0.01°

2.3.3 观测内容和时间

沉管作业现场海流观测主要有各层流速和流向，观测时间为从沉放准备到压接完成的整个过程。从沉放准备到管节出坞，再到拖运、沉放、拉合和水力压接完成，监测整个施工过程中沉管四周的海流变化，为沉管安装施工提供实时的海流观测数据，也为现场海流临近预报提供数据支持。海流观测采用自动观测方式，数据采样间隔为 1 min，深度单元为 1 m，采样最大层数为 49 层，观测水深为 15～46 m。

基槽坐底海流观测主要有各层流速和流向，观测时间为 3～15 d 不等，主要为随后的管节沉放施工计划的制定及海流临近预报收集基槽海流实测数据。海流观测采用自容式观测方式，数据采样间隔为 5 min，深度单元为 1 m，采样最大层数为 49 层，观测水深为 35～45 m。观测时间及内容见表 2-3。

表 2-3 基槽坐底海流观测时间及内容

序号	观测时间	观测内容	备注
1	2014-07-13～2014-07-23	E11 管节现场海流观测	
2	2014-08-13～2014-08-21	E12 管节现场海流观测	
3	2014-09-06～2014-09-21	E13 管节现场海流观测	
4	2014-10-13～2014-10-19	E14 管节现场海流观测	

续表

序号	观测时间	观测内容	备注
5	2014-11-10～2014-11-20	E15 管节现场海流观测	
6	2015-02-22～2015-02-26	E15 管节现场海流观测	第二次
7	2015-03-21～2015-03-27	E15 管节现场海流观测	第三次
8	2015-04-08～2015-04-18	E16 管节现场海流观测	
9	2015-05-20～2015-06-05	E17～E19 管节基槽坐底海流观测	
10	2015-06-06～2015-06-12	E17 管节现场海流观测	
11	2015-06-23～2015-06-28	E18 管节现场海流观测	
12	2015-06-29～2015-07-04	E19～E22 管节基槽坐底海流观测	
13	2015-07-17～2015-07-21	E19～E22 管节基槽坐底海流观测	
14	2015-07-22～2015-07-26	E19 管节现场海流观测	
15	2015-08-21～2015-08-26	E20 管节现场海流观测	
16	2015-09-17～2015-09-25	E21 管节现场海流观测；E22～E25 管节基槽坐底海流观测	含波浪数据
17	2015-09-28～2015-10-02	E22～E25 管节基槽坐底海流观测	含波浪数据
18	2015-10-14～2015-10-19	E22～E25 管节基槽坐底海流观测	含波浪数据
19	2015-10-31～2015-11-07	E22 管节现场海流观测	
20	2015-11-15～2015-11-23	E23 管节现场海流观测；E24～E26 管节基槽坐底海流观测	含波浪数据
21	2015-12-13～2015-12-25	E24 管节现场海流观测；E25～E27 管节基槽坐底海流观测	含波浪数据
22	2016-03-26～2016-04-04	E25 管节现场海流观测	
23	2016-05-09～2016-05-19	E26 管节现场海流观测	
24	2016-06-05～2016-06-16	E27 管节现场海流观测	
25	2016-06-20～2016-06-24	E29～E32 管节基槽坐底海流观测	
26	2016-06-29～2016-07-31	E28 管节现场海流观测	
27	2016-09-19～2016-10-13	E33 管节现场海流观测	
28	2016-11-18～2016-12-03	E32 管节现场海流观测	
29	2016-12-17～2016-12-27	E31 管节现场海流观测	
30	2017-02-12～2017-02-21	E29 管节现场海流观测	
31	2017-03-02～2017-03-08	E30 管节现场海流观测	
32	2017-03-15～2017-03-23	最终接头基槽坐底海流观测	最终接头南北
33	2017-04-01～2017-04-22	最终接头演习现场海流观测	
34	2017-04-21～2017-05-06	最终接头现场海流观测	

2.3.4 数据传输与显示

为了保障沉管施工作业，需将各个观测点的海流观测数据进行实时处理并传输至津安 3 号指挥平台。根据各个测点的实际条件，现场采用有线接收和无线接收两种方式进行数据传输（图 2-13）。其中，ADCP2 号测点使用室外网线直接连接，ADCP1、3、5 号测点采用无线网桥传输方式，ADCP7 号测点由于位置和距离不固定，使用 CDMA 方式传输。

各测点的数据处理单元实时采集各个传感器的观测数据，并将观测数据进行编码和协议转换，再通过有线或无线传输方式将数据传送至指挥中心的数据接收处理服务器，再由数据处理软件进行自动的原始数据处理和质量控制工作，剔除无效数据后传入显示软件，最终进行实时显示（图 2-14），整个系统随观测频次（1 min）刷新。

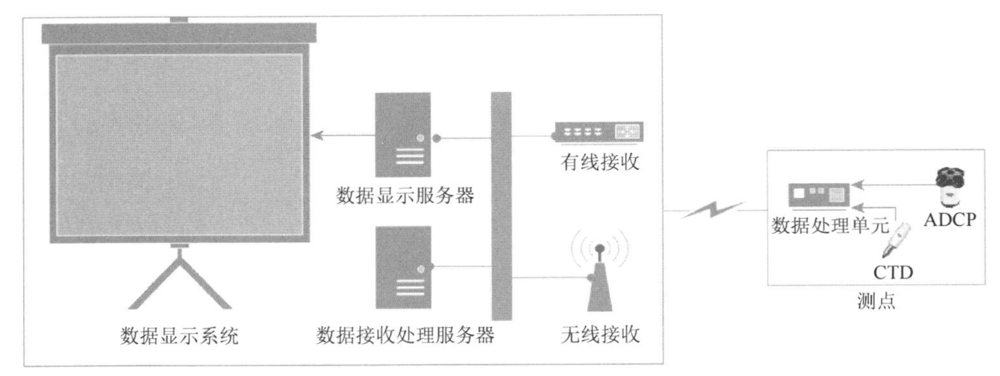

图 2-13　有线接收和无线接收系统结构图

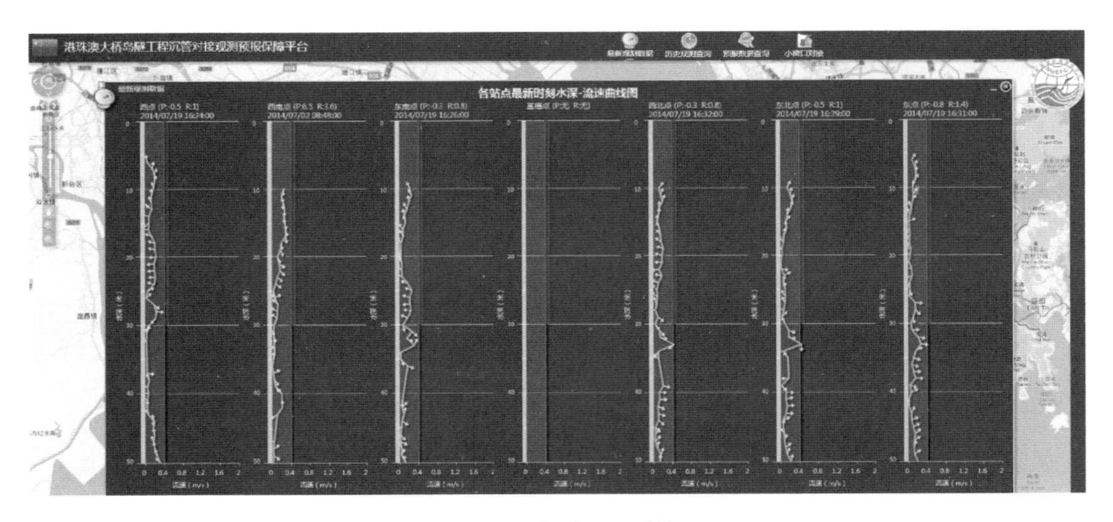

图 2-14　实时显示系统

2.3.5　系统维护

每次沉管施工前 2 d 进行维护，检查仪器设备状态，电池电量是否足够；检查各线缆是否有破损，各接线处是否有松动现象；检查供电设施，保证供电安全；检查监测辅助设备安全状态；每年至少对系统传感器、采集器进行一次现场检查、校验；仪器设备存放于各作业船只，请船上专人协助保管，确保仪器不进水、避免光照和磕碰。

除了定期维护保养外，对突发事件引起的仪器故障和通信故障及时进行抢修，确保作业现场保障工作所需观测数据的连续性。

第3章　基槽流态分析和深槽“齿轮”现象的形成机理

3.1　概　　述

3.1.1　国内外研究回顾与综述

1. 基槽水流研究现状

港口、航道、沉管、输油管道及防波堤等许多工程都需要在河道或河口基床上挖槽，为了上述工程需要，有必要分析人工开挖的基槽内的水流规律和特征及相应的泥沙分布与沉降规律。Van Rijn（1982）最早在水池试验中研究了基槽的水流特性，结果表明当水流流经垂直于水流方向放置的倒梯形基槽时，槽外随深度对数递减的水流进入基槽后依然保持随深度对数递减的特征，槽内平均流速低于槽外，而且在对流加速的边坡区域和基槽底部有稳定次级环流（图3-1）。

之后，Alfrink和Van Rijn（1983）利用完整的雷诺平均N-S方程和κ-ε模型作为湍流闭合方案，分析了深度与流速的关系，计算结果与观测结果基本一致（图3-1）。

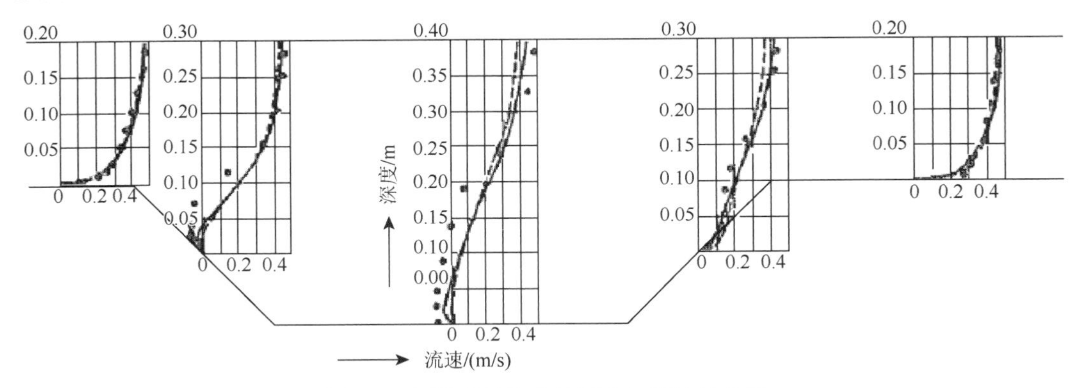

图3-1　倒梯形基槽中的深度与流速的关系

引自（Alfrink and Van Rijn，1983）

后来陆续又有很多学者利用水池试验和数值计算的方法验证了Alfrink和Van Rijn的试验和计算结果。例如，Boer（1985）在水流斜跨航槽的实验中，发现水流进入航槽后，垂线平均流速迅速减小，行进至下坡角后流速又迅速回升。还有学者通过相似的概化水池模型，研究了稳定水流经过基槽时的垂直分布和垂直平均流速的变化，得到了类似的结果（李安中等，1986；曹民雄等，1997；刘光臣，1990；李青云，1991；孙桂生，1992；王垚等，2017）。

用数值计算方法研究基槽中的流态分布主要分为两种。一种是在简化的雷诺平均 N-S 方程的基础上，配合不同的湍流闭合方案计算基槽中的水流特征，例如，Basara 和 Younis（1995），Stansby 和 Zhou（1998），Lee J W 等（2006），Lee K S 等（2011），Christian 和 Corney（2004），研究了稳定水流状态下基槽水流分布，模拟结果都与 Alfrink 和 Van Rijn 的试验结果基本一致。图 3-2 是 Christian 和 Corney（2004）绘制出的水流流线示意图。另一种是利用完整的海流数值模型，建立简单的理想区域和个例，研究基槽中的水流特征和泥沙输运情况。利用多种数值模式，如 Delft3D-FLOW 模式（Lesser et al.，2004）、ROMS 模式（Warner et al.，2008）、MORSELFE 模式（Pinto et al.，2012）、MOHID 模式（Franz et al.，2017），研究基槽水流分布、悬浮物浓度和基床变化，也得到了与 Alfrink 和 Van Rijn 的试验基本一致的结果。图 3-3 是 Warner 等（2008）利用 ROMS 模式的研究结果。

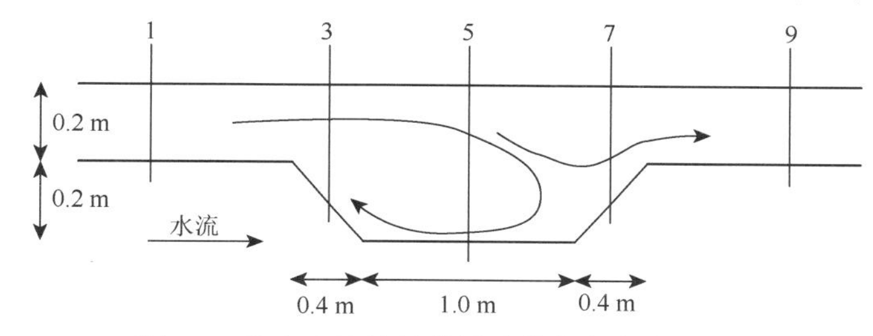

图 3-2　稳定水流流经基槽时的水流流线示意图

引自（Christian and Corney，2004）

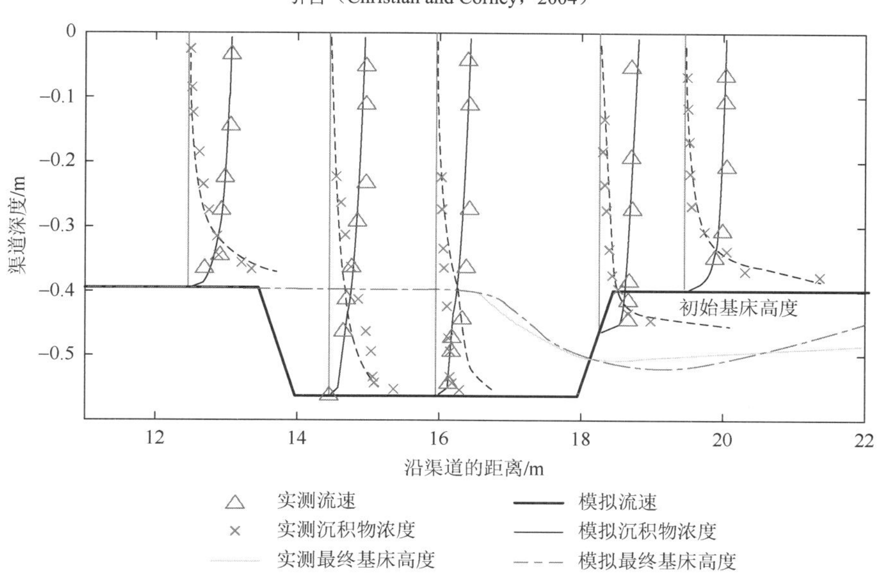

图 3-3　正压水流过槽试验

引自（Warner et al.，2008）

2. 河流基槽水流研究现状

在研究河流时，通常认为距离河床越远河水流速越大（Gasparini，2014）。但是Venditti等（2014）使用船载ADCP观测加拿大弗雷泽河不同断面水流时，发现与传统认识完全不同的现象。当河流流入峡谷基槽后，上层高速流动的水流会向下潜入下层，上层的水流流速减小。同时还伴随着大流速下潜，产生了两个由下层回到表层的次级环流，Venditti等（2014）认为正是这种次级环流产生的辐合使上层流速减小。

之后，Tomas等（2018）于2015年在巴西Tocantins河的河床内也观测到了与Venditti等（2014）一致的水流特征。Vermeulen等（2015）在印度尼西亚Mahakam河也观测到了类似的水流特征，而且采用三维有限元模型模拟出了这种现象。Hunt等（2018）针对峡谷基槽中的这种水流现象进行了水槽实验，还原了实际观测到的水流特征，而且通过设置不同的水槽参数，发现峡谷基槽下层水流流速增大的现象与峡谷宽度、峡谷基槽深度、基槽坡度等因素都有关系，峡谷宽度直接决定了这种现象能否产生，基槽深度和坡度会影响下层大流速水流出现的深度和强度。

在内河建设沉管隧道时，需要在较为平坦的河床上开挖基槽。对于人工开挖的基槽内水流变化特征，在我国建成的沉管隧道典型工程如广州珠江隧道、宁波常洪沉管隧道、宁波甬江水底隧道、上海外环隧道、广州仑头—生物岛沉管隧道、舟山沈家门港海底沉管隧道、广州洲头咀隧道中没有见到公开的文献提及。

3. 外海基槽海流研究现状

在远离河口的外海海域，流速垂向分布符合从表层到底层单调递减的分布规律，表现为上下层均匀的正压往复流；流速垂向分布从表层到底层单调递减，不同海域和不同深度符合指数递减或对数递减规律。描述这种分布规律的有指数公式、对数公式和改进公式。为了建设海底沉管隧道而开挖的基槽中，海流流速垂直分布也基本满足上述递减规律。例如，在韩国釜山—巨济沉管隧道基槽中，现场实测表明基槽底部流速为上层流速的60%。

在受河流径流影响明显的河口海域，从上游来的淡水经河口区泄入海中，而含有一定盐分的海水会向河口上溯，从而产生盐水楔。由于盐水楔造成的显著密度差异，此时海水密度的斜压效应显著，会改变原有的流速垂向分布特征，形成涨落潮时上下层不一致的斜压流。比较正压和斜压流发现，斜压效应会使涨潮流增大，而落潮流减小。南京水利科学研究院（简称南科院）的研究表明珠江口在涨潮时盐水楔随涨潮流从底层潜入，密度坡降与水面坡降一致，加大了涨潮流速，特别是由于底层密度坡降显著大于表层，会导致底层流速大于表层，2007年8月大屿山观测站在中潮和大潮期间都观测到了底层盐度和流速明显大于表层的现象。

珠江口海域基槽内的海流将同时受到地形、潮汐和咸淡水交汇的影响，情况更加复杂。国外已建成的外海沉管隧道中还没有这种环境条件下的基槽海流特征观测和研究。

3.1.2　港珠澳大桥沉管安装风险

港珠澳大桥沉管隧道在水深 13 m 左右的海底基床上向下挖出一条东西长 5664 m，南北底宽 41.95 m，顶宽约 200 m 的梯形基槽；基槽底标高–48.5～–16.3 m，横向按 1∶2、1∶2.5、1∶3、1∶5 等不同比例放坡，基槽底最浅处距水面 16.3 m，最深处距水面 48.5 m，开挖深度最深超过 35 m，相比开挖之前的水深，极大地改变了原始海底地形。基槽走向基本与伶仃洋的潮流流向垂直，加上沉管安装的施工海域位于珠江口径流与外海海水的交汇处，基槽内涨落潮有明显的密度差，容易形成基槽异重流，使得槽内流态异常复杂，类似外海环境下的深水基槽安装是世界范围内首次实施的（尹海卿，2014）。

港珠澳大桥岛隧工程规模宏大，沉管浮运安装的施工海域位于珠江口径流与外海海水的交汇处，水流情况异常复杂。进入基槽以后，受槽内复杂流态及缆系刚度弱化影响，沉管安装、对接面临巨大挑战。因此外海基槽海流特征特别是基槽底流特征和机理的研究对沉管施工安全至关重要（林鸣等，2018）。

3.2　基槽流态分析

3.2.1　资料处理

为研究外海基槽海流特征与机理，首先需要在基槽不同位置、水深、潮位和时段进行大量海流观测，在上述大量水流观测资料的基础上，分析基槽水流在不同环境条件下的分布变化规律。

得益于施工方对海洋环境的高度重视，港珠澳大桥岛隧工程的海洋环境观测无论从时间上还是空间上都是史无前例的，基槽海流现场观测最早从 2012 年 8 月开始，持续到 2017 年 2 月，整个基槽内共进行了 25 期、超过 70 个站位观测，总观测超过 2 万个时次，涵盖了各个季节、槽深、潮期及各种环境下的海流情况。

1. 观测站位

在港珠澳大桥岛隧工程 E1～E33 共 33 节管节中，除了 E7、E8、E21～E23 和 E25 共 6 节管节外，在其余 27 节管节所在的基槽位置都做了海流观测，如图 3-4 所示。

考虑基槽东西长 5664 m，槽深最浅处 16.3 m，最深处 48.5 m，南北底宽 41.95 m，顶宽约 200 m，边坡有 1∶2、1∶2.5、1∶3、1∶5 等不同比例，在空间上变化很大。为了同时研究基槽内外海流特征，在条件允许的情况下同时在基槽中部及南部两侧分别设置观测站位，采用坐底式海流观测的方法同时观测。

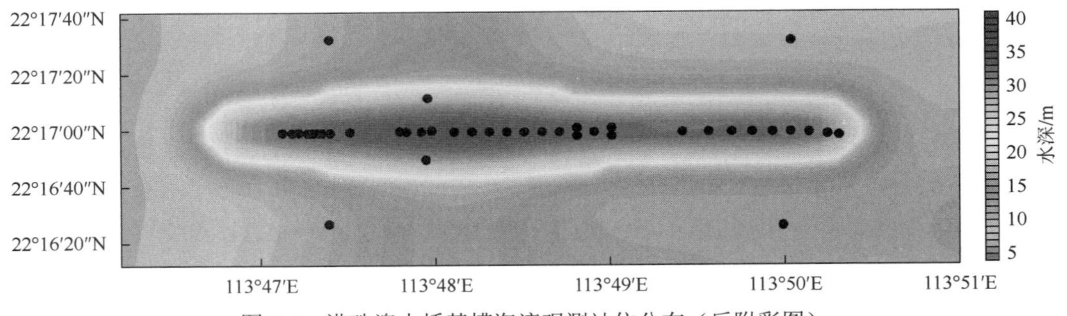

图 3-4　港珠澳大桥基槽海流观测站位分布（后附彩图）

为了研究横跨基槽海流变化，在 E5、E10 和 E30 同时进行了基槽内部和基槽南北两侧滩地的海流观测，如图 3-5 所示。

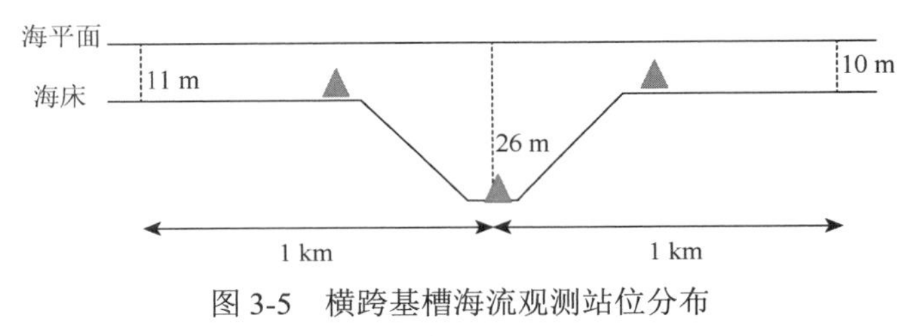

图 3-5　横跨基槽海流观测站位分布

注：▲表示站位

2. 观测时间

基槽海流现场观测最早从 2012 年 8 月开始，持续到 2017 年 2 月，所有观测的时间汇总在图 3-6 中。

由于观测仪器有限，采用每次 1～3 个观测点位重复进行的方式，每次观测都在现场观测条件允许的情况下尽量包含一个完整的小潮、中潮和大潮周期。整个基槽的观测覆盖各个季节、槽深、潮期及各种环境下的海流情况。

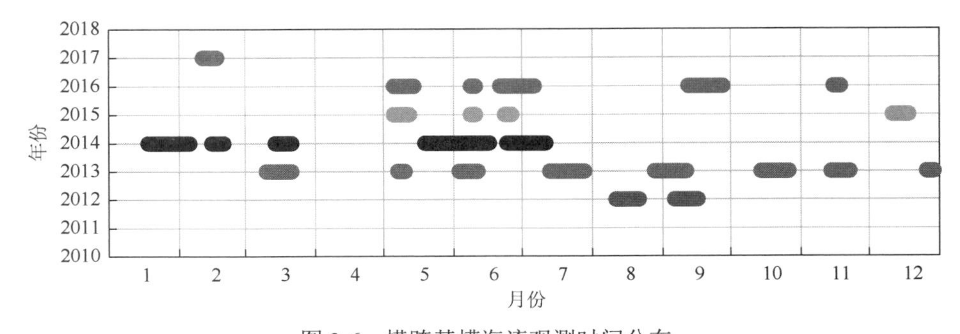

图 3-6　横跨基槽海流观测时间分布

注：⬬表示观测时段

3. 观测数据质量控制

坐底式海流观测由于垂直方向上深度设置和涨落潮水面波动会产生虚假的观测信息，为此在分析海流规律前首先要对观测数据进行质量控制，结合实际水位剔除虚假信息。

3.2.2 特征分析

为了分析海流跨过基槽时的变化和分布，分别在港珠澳大桥沉管隧道西段 E5 及南北两侧滩地，靠近主航道的中段 E10 及南北两侧滩地，东段 E30 及南北两侧滩地三个位置做了三期同步坐底式海流观测。下面以这三个位置的观测为重点分析跨沉管深槽的海流变化。

1. 基槽西段海流特征

为了解跨越沉管隧道基槽西段海流的结构特征和变化规律，以便为港珠澳大桥岛隧工程的沉管施工提供必要的水文参数，2013 年 3 月 10～21 日在基槽 E5 中间（E5）和南北两侧各 1 km（E5-S 和 E5-N）处设置了 3 个海流观测站，进行了连续 11 d 的逐时海流剖面观测。观测期间的潮位变化如图 3-7 所示，其中 3 月 10～12 日为大潮期，3 月 18～20 日为小潮期。

从上述三个测点的东西向与南北向海流分量随时间变化来看（图 3-7），整个观测周期内以南北向海流分量为主，涨急、落急流速超过 1 m/s，而东西向流速分量总体较小，但是在基槽内部涨潮时中上层有 0.4～0.5 m/s 的东向流。此外，无论涨潮还是落潮，基槽外的大流速都在中上层，而基槽内的大流速落潮时位于上层，涨潮时则位于下层。

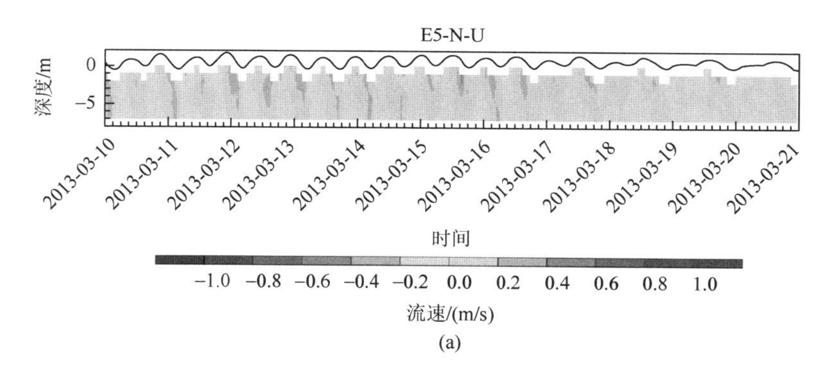

(a)

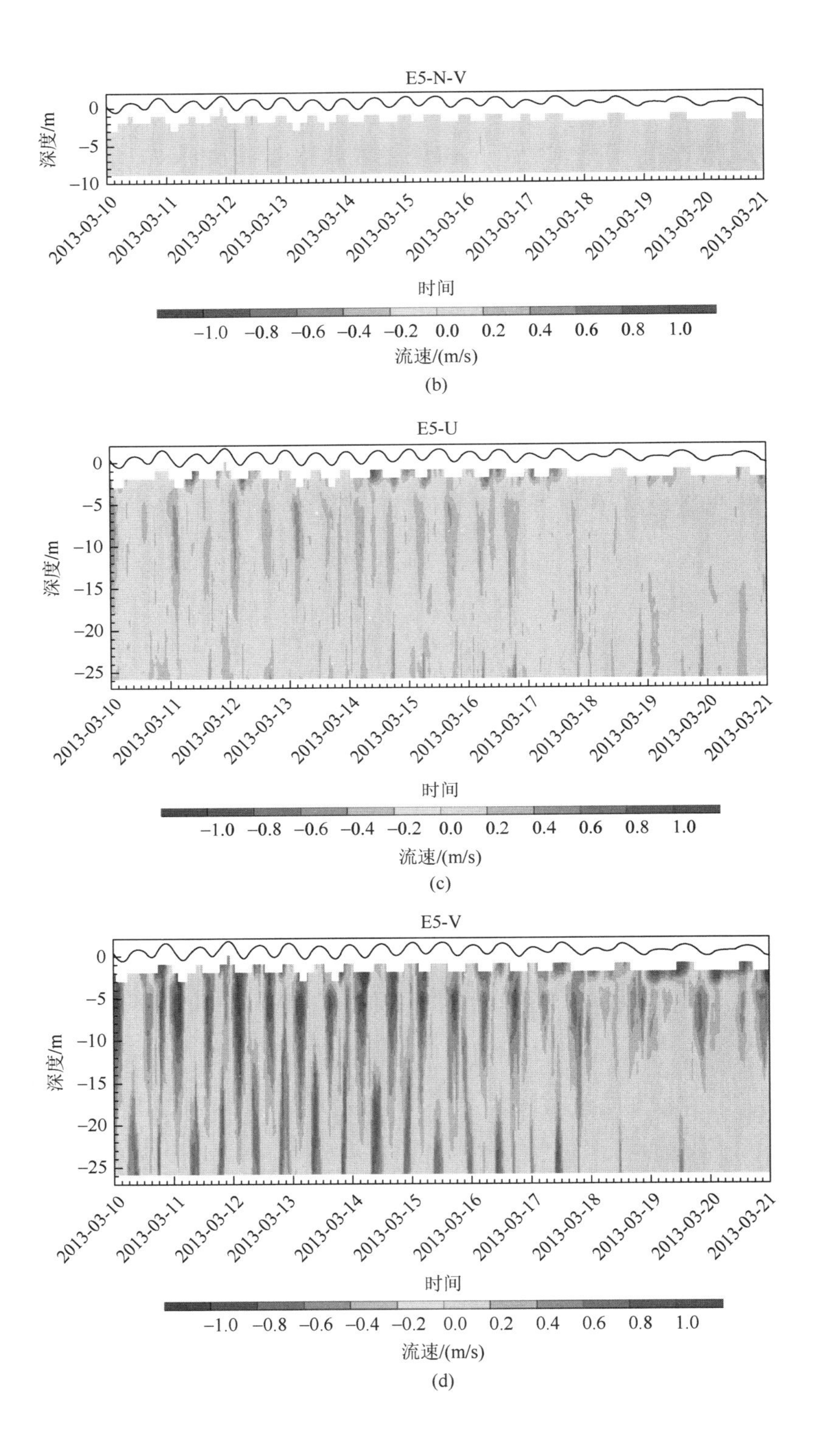
E5-N-V
深度/m
0
−5
−10
2013-03-10
2013-03-11
2013-03-12
2013-03-13
2013-03-14
2013-03-15
2013-03-16
2013-03-17
2013-03-18
2013-03-19
2013-03-20
2013-03-21
时间
−1.0 −0.8 −0.6 −0.4 −0.2 0.0 0.2 0.4 0.6 0.8 1.0
流速/(m/s)

(b)

E5-U
深度/m
0
−5
−10
−15
−20
−25
2013-03-10
2013-03-11
2013-03-12
2013-03-13
2013-03-14
2013-03-15
2013-03-16
2013-03-17
2013-03-18
2013-03-19
2013-03-20
2013-03-21
时间
−1.0 −0.8 −0.6 −0.4 −0.2 0.0 0.2 0.4 0.6 0.8 1.0
流速/(m/s)

(c)

E5-V
深度/m
0
−5
−10
−15
−20
−25
2013-03-10
2013-03-11
2013-03-12
2013-03-13
2013-03-14
2013-03-15
2013-03-16
2013-03-17
2013-03-18
2013-03-19
2013-03-20
2013-03-21
时间
−1.0 −0.8 −0.6 −0.4 −0.2 0.0 0.2 0.4 0.6 0.8 1.0
流速/(m/s)

(d)

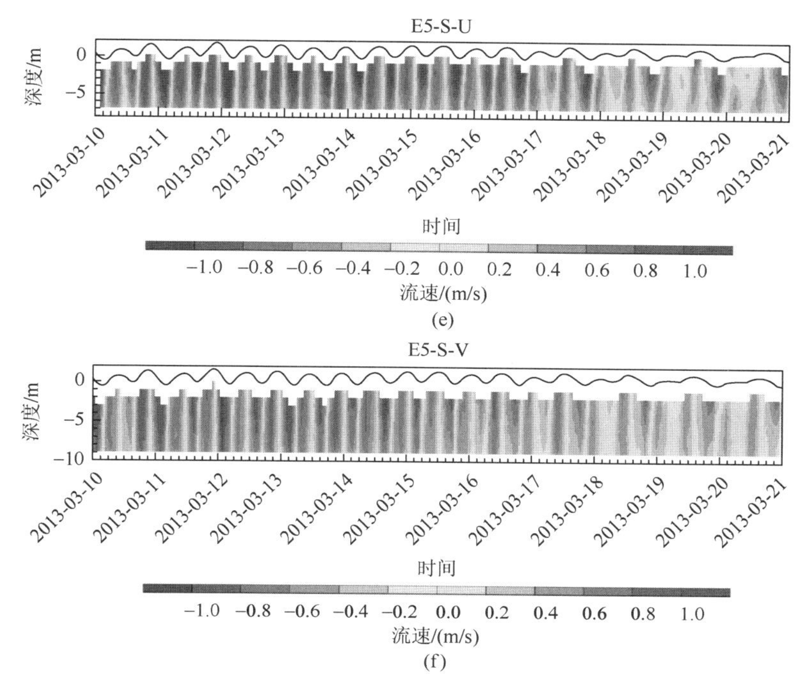

图 3-7　E5 管节观测期间的东西向（a）、（c）、（e）和南北向（b）、（d）、（f）流速的深度-时间剖面图（后附彩图）

注：曲线为工程区潮位实测值

为了比较大小潮期间 E10 基槽流速的分布及其变化，分别计算 3 月 10～12 日大潮平均的流速和 3 月 18～20 日小潮平均的流速，并绘制如图 3-8 所示的海流矢量分布图。从大潮期间基槽内海流矢量可以看出，落潮时以正南向海流为主，涨潮时底层以北偏西海流为主，而中上层以西北方向海流为主；涨潮前半段大流速在中上层，涨潮后半段移到下层。

从涨急、落急流速在大潮期间和小潮期间的垂直分布来看（图 3-9），小潮期间涨潮大底流不明显，而大潮期间涨潮大底流非常显著，最大流速接近 0.9 m/s。

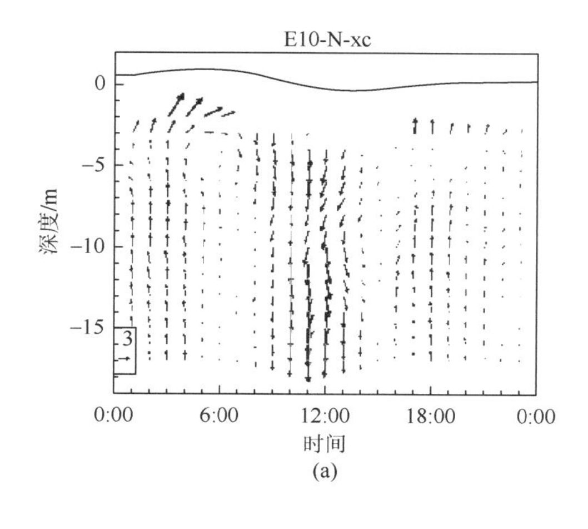

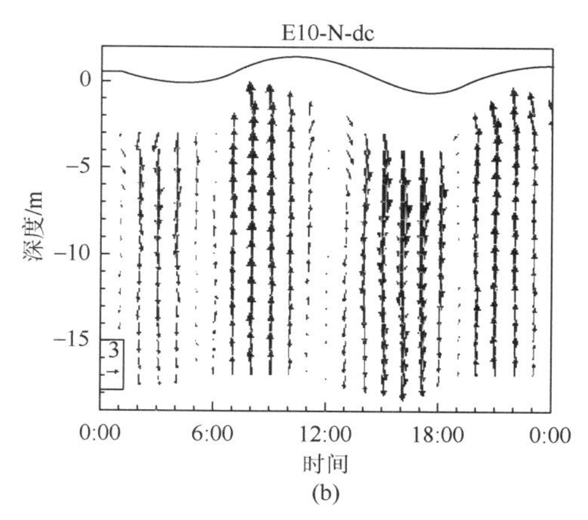

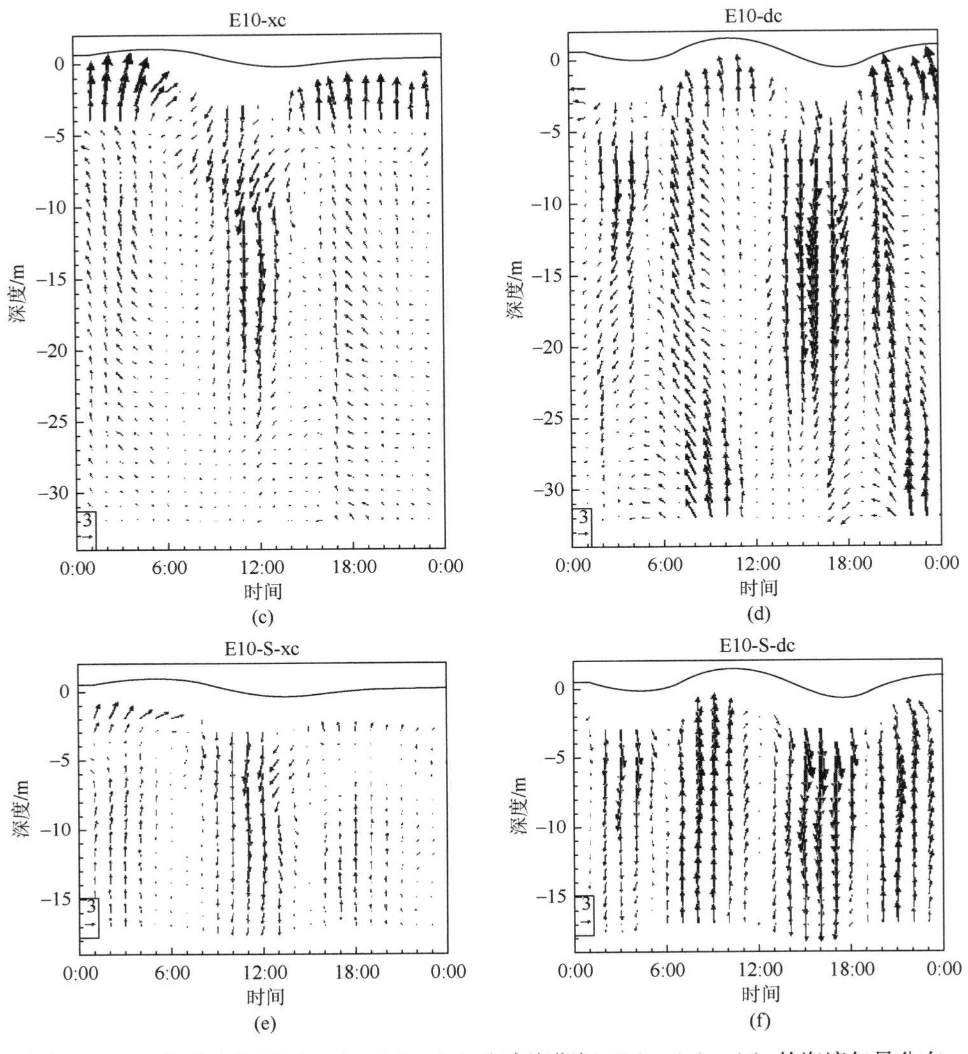

图 3-8　E10 管节小潮期间（a）、（c）、（e）和大潮期间（b）、（d）、（f）的海流矢量分布

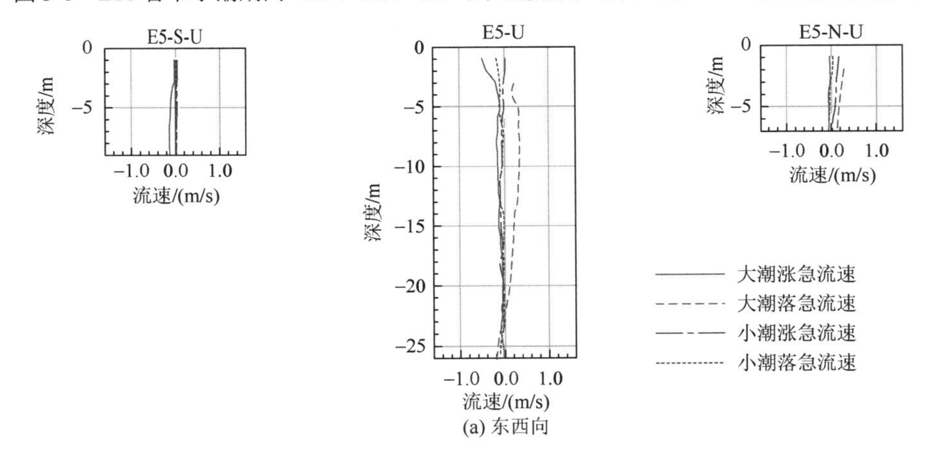

(a) 东西向

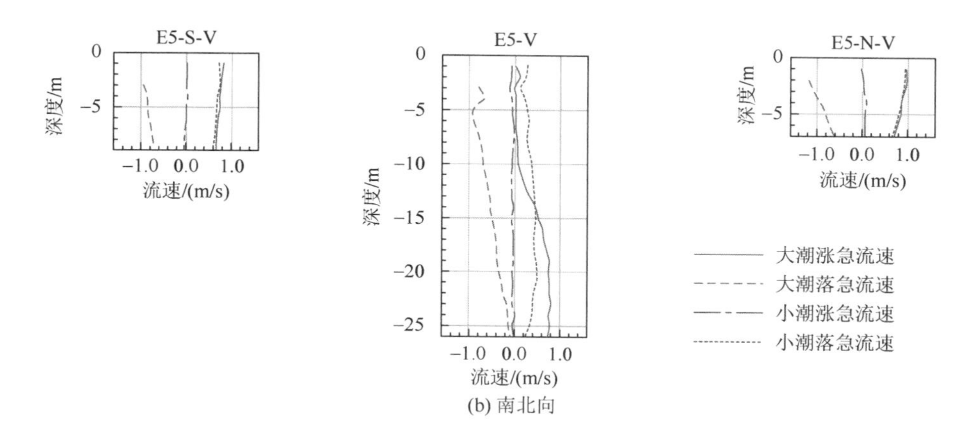

(b) 南北向

图 3-9　E5 管节小潮期间和大潮期间的涨急、落急流速垂直分布

2. 基槽中段海流特征

为了解跨越沉管隧道基槽中段海流的结构特征和变化规律，2012 年 8 月 11～21 日在基槽 E10～E11 交接处中间及其南北两侧各 300 m 处设置了 3 个海流观测站，进行了连续 10 d 的海流剖面观测。观测期间的潮位变化如图 3-10 所示，其中 8 月 11～13 日为小潮期，8 月 17～19 日为大潮期。

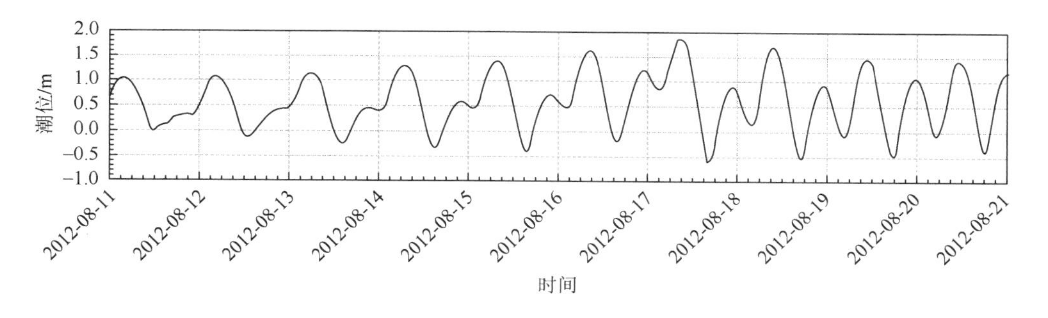

图 3-10　观测期间 E10～E11 交接处的潮位变化

分别分析东西向海流和南北向海流，从图 3-11 中东西向海流与南北向海流随时间的变化来看，整个观测周期内以南北向海流为主，涨急、落急流速超过 1 m/s，而东西向海流流速基本都在−0.2～0.2 m/s。此外，无论涨潮还是落潮，基槽外的大流速都在中上层，而基槽内的大流速落潮时位于上层，涨潮时则位于下层。

为了比较大小潮期间基槽流速的分布及其变化，分别计算 8 月 11～13 日小潮平均的流速和 8 月 17～19 日大潮平均的流速，并绘制如图 3-12 所示的海流矢量分布图。从大潮期间基槽内海流矢量可以看出，落潮时以正南向海流为主，涨潮时以北偏西海流为主；涨潮前半段大流速在中上层，涨潮后半段移到下层。

从涨急、落急流速在大潮和小潮期间的垂直分布来看（图 3-13），小潮期间涨潮大底流不明显，而大潮期间涨潮大底流非常显著，流速可以达到 1 m/s 左右。

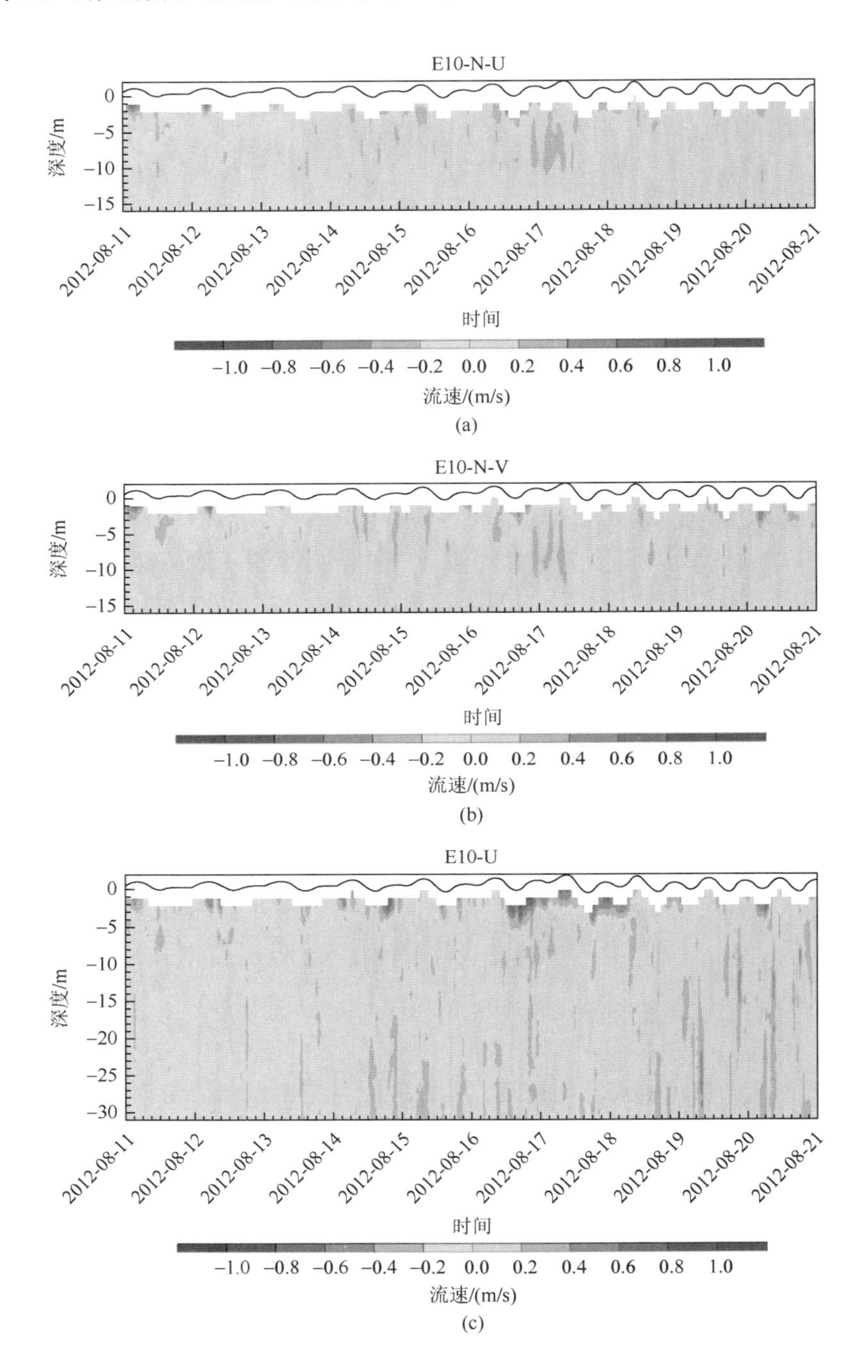

(a)

(b)

(c)

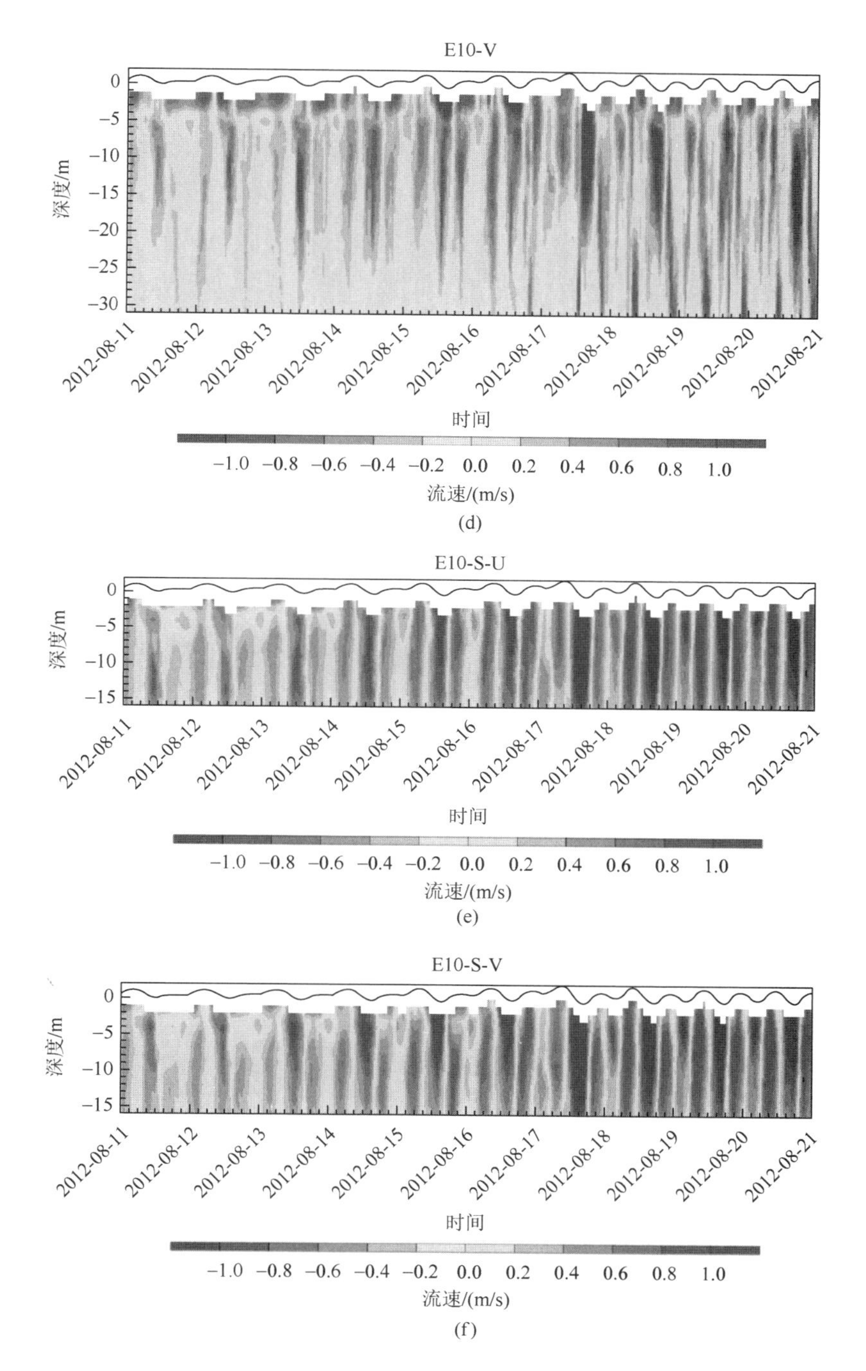

图 3-11 E10 管节观测期间的东西向（a）、（c）、（e）和南北向（b）、（d）、（f）流速的深度-时间剖面图（后附彩图）

注：曲线为工程区潮位实测值

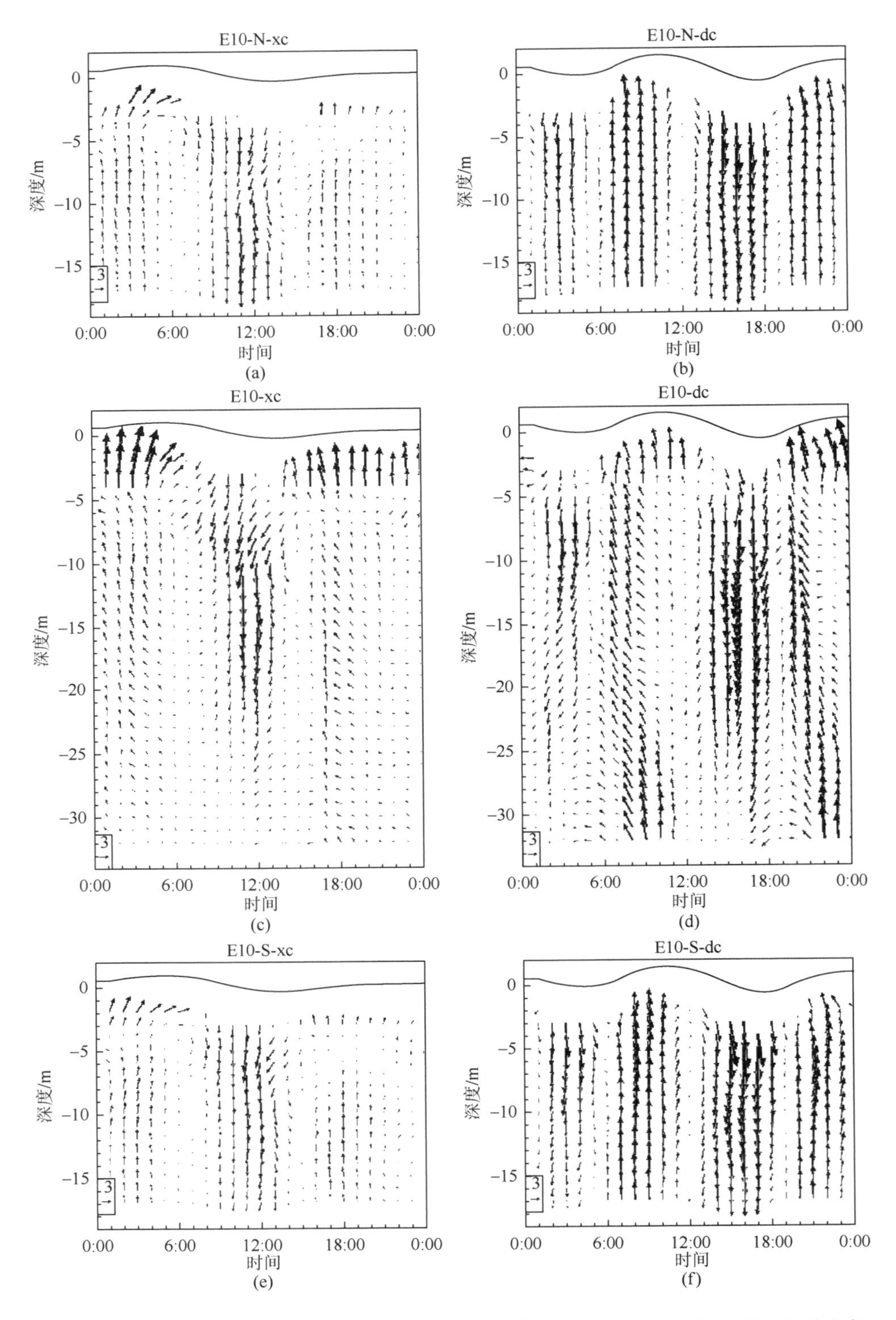

图 3-12 E10 管节小潮期间（a）、（c）、（e）和大潮期间（b）、（d）、（f）的海流矢量分布

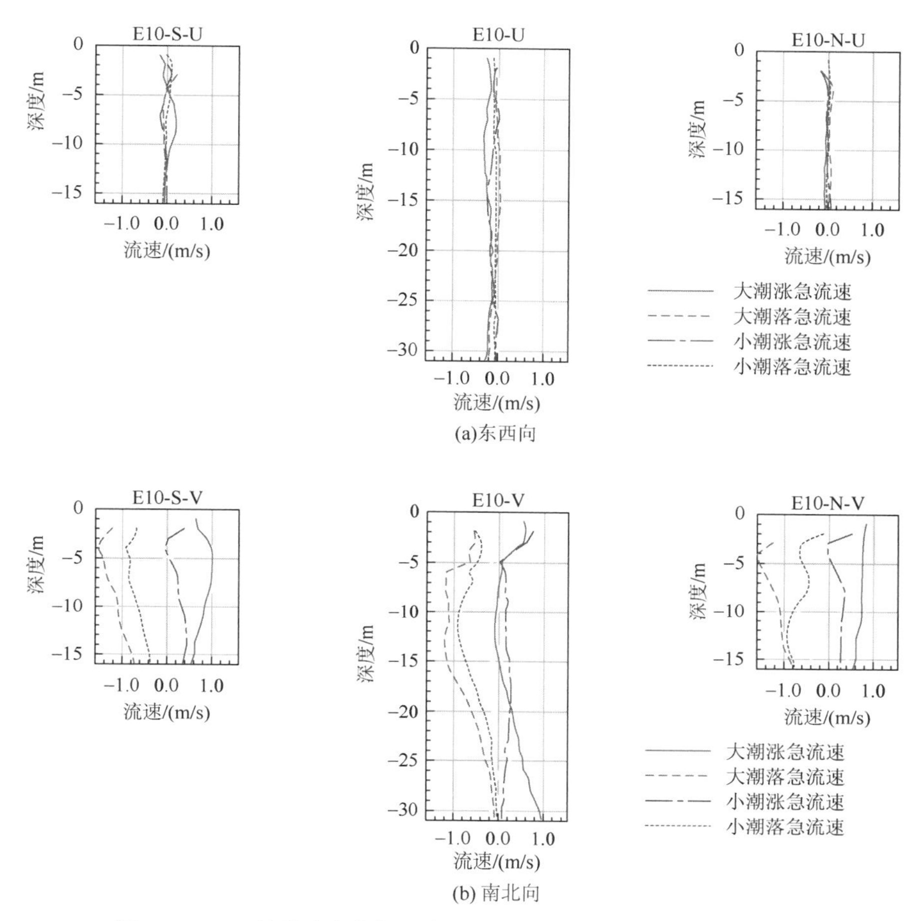

图 3-13　E10 管节小潮期间和大潮期间的涨急、落急流速垂直分布

3. 基槽东段海流特征

为了解跨越沉管隧道基槽东段海流的结构特征和变化规律，2012 年 9 月 6～21 日在基槽 E30 中间及其南北两侧各 1000 m 处设置了 3 个海流观测站，进行了连续 15 d 的海流剖面观测，其中 9 月 8～10 日为小潮期，9 月 16～18 日为大潮期。

分别分析东西向海流和南北向海流，从图 3-14 东西向海流与南北向海流随时间变化来看，在基槽东段，基槽外以南北向海流为主，基槽内落潮时以东西向海流为主，而涨潮时东西向海流与南北向海流同样显著。此外，无论涨潮还是落潮，基槽外的大流速都在中上层，而基槽内的大流速落潮时位于上层，涨潮时则位于下层。

为了比较 E30 管节大小潮期间基槽流速的分布及其变化，分别计算 9 月 8～10 日小潮平均和 9 月 16～18 日大潮平均的流速，并绘制如图 3-15 所示的海流矢量分布图。从大潮期间基槽内海流矢量可以看出，落潮时基槽外以南偏西向海流为主，而基槽内以西偏南向海流为主，涨潮时则以东北方向海流为主。结合图 3-4 中的观测站位分布，落潮时基槽内偏西方向的海流应该与东人工岛附近特殊的地形有关。

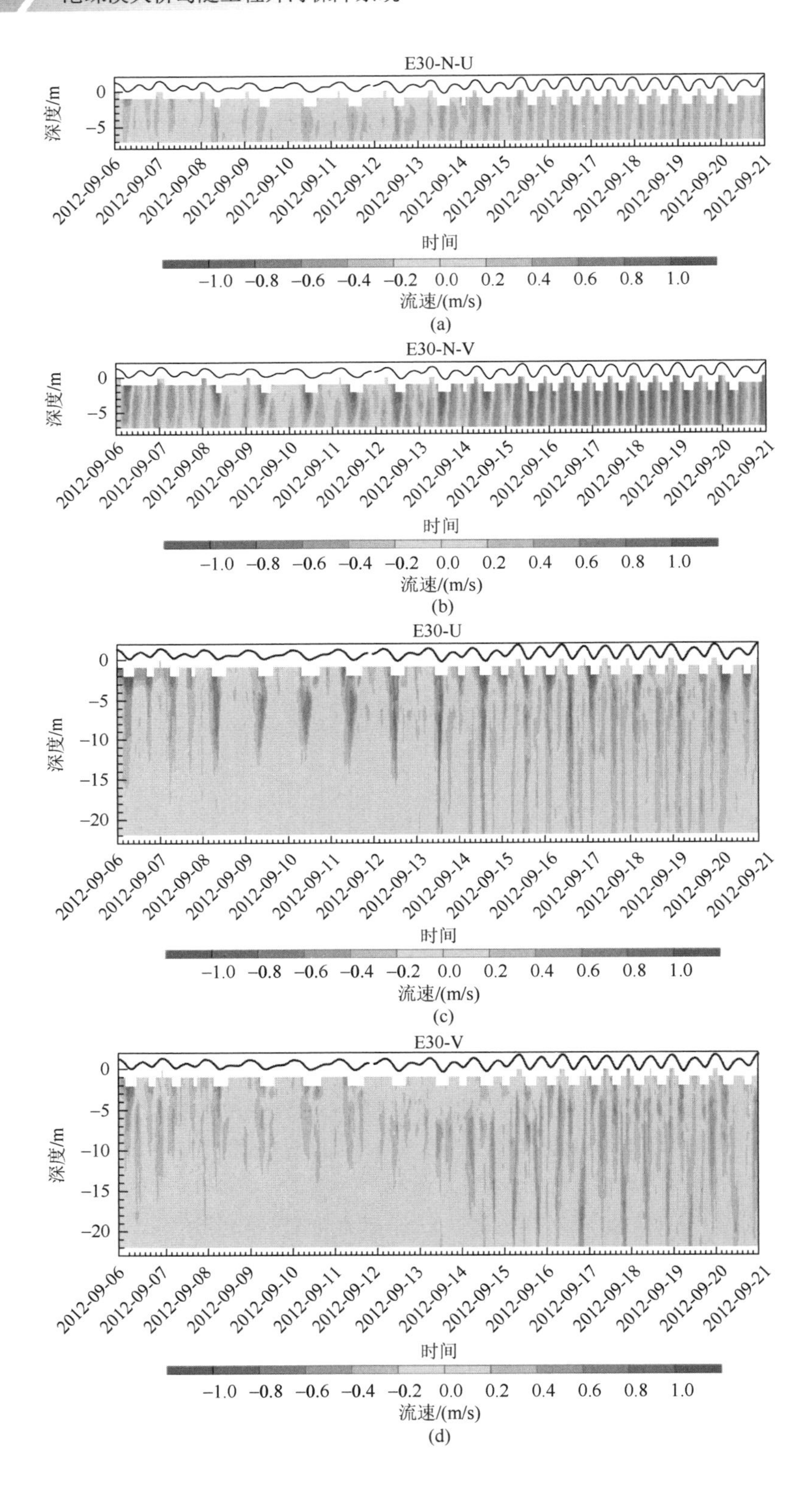
E30-N-U
深度/m
0
−5
2012-09-06
2012-09-07
2012-09-08
2012-09-09
2012-09-10
2012-09-11
2012-09-12
2012-09-13
2012-09-14
2012-09-15
2012-09-16
2012-09-17
2012-09-18
2012-09-19
2012-09-20
2012-09-21
时间
−1.0 −0.8 −0.6 −0.4 −0.2 0.0 0.2 0.4 0.6 0.8 1.0
流速/(m/s)
(a)
E30-N-V
深度/m
0
−5
时间
−1.0 −0.8 −0.6 −0.4 −0.2 0.0 0.2 0.4 0.6 0.8 1.0
流速/(m/s)
(b)
E30-U
深度/m
0
−5
−10
−15
−20
时间
−1.0 −0.8 −0.6 −0.4 −0.2 0.0 0.2 0.4 0.6 0.8 1.0
流速/(m/s)
(c)
E30-V
深度/m
0
−5
−10
−15
−20
时间
−1.0 −0.8 −0.6 −0.4 −0.2 0.0 0.2 0.4 0.6 0.8 1.0
流速/(m/s)
(d)

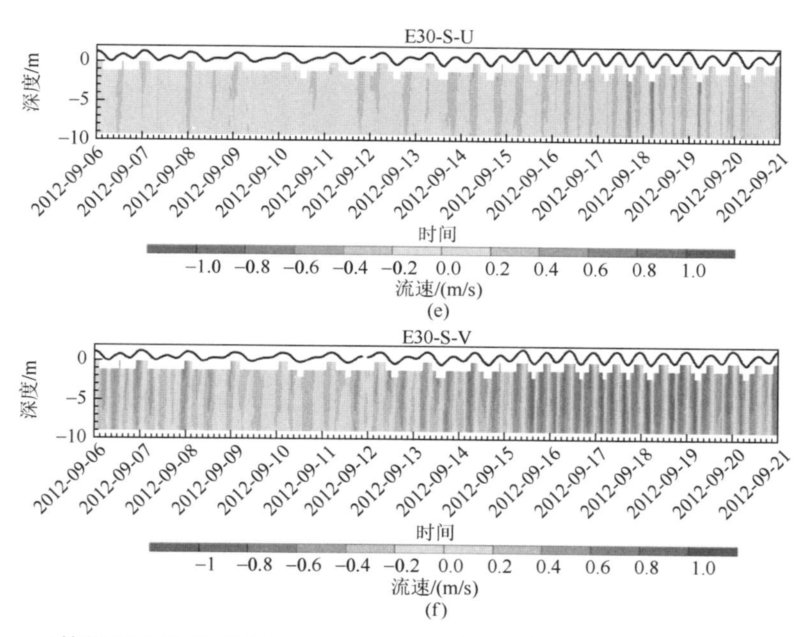

图 3-14　E30 管节观测期间的东西向（a）、（c）、（e）和南北向（b）、（d）、（f）流速的深度-时间剖面图（后附彩图）

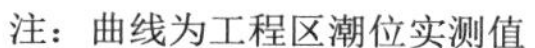
注：曲线为工程区潮位实测值

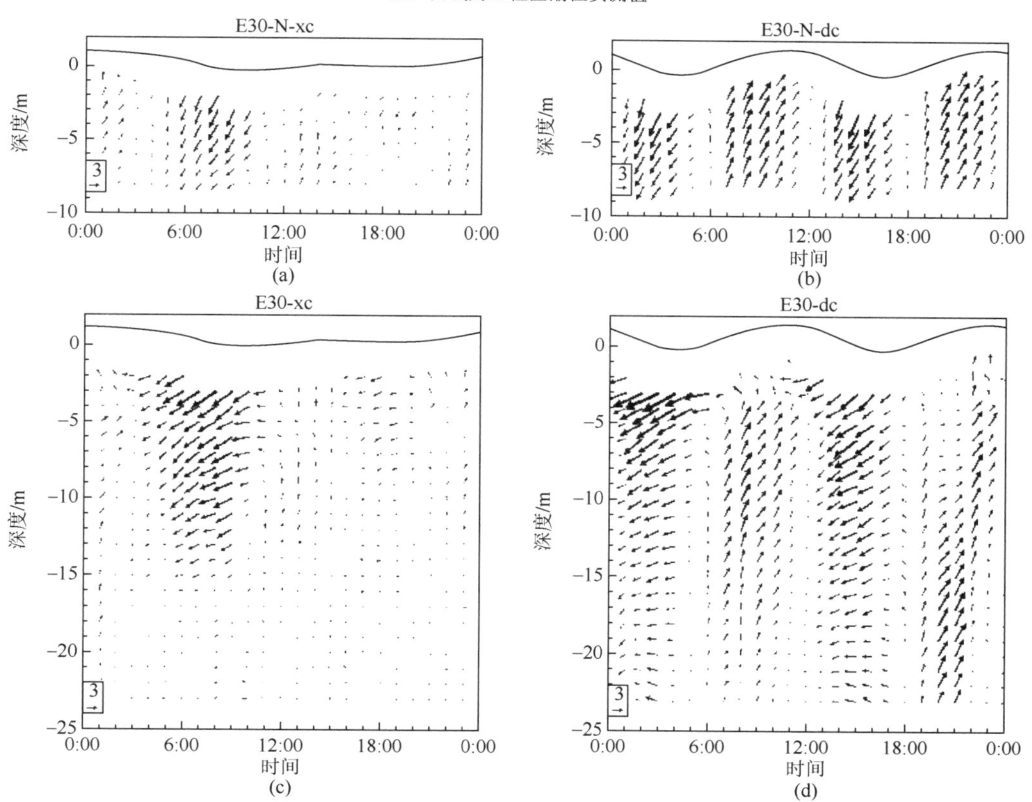

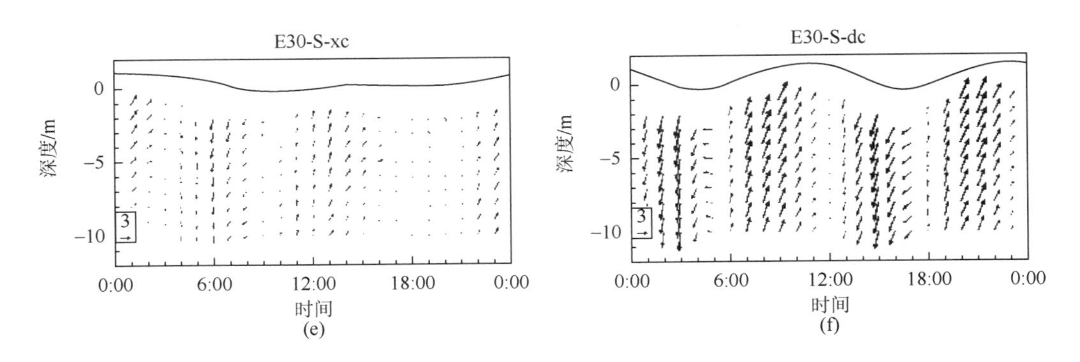

图 3-15　E30 管节小潮期间（a）、（c）、（e）和大潮期间（b）、（d）、（f）的海流矢量分布

从涨急、落急流速在大潮期间和小潮期间的垂直分布来看（图 3-16），小潮期间涨潮大底流不明显，而大潮期间涨潮大底流非常显著，流速可以达到 1 m/s 左右。深槽内外落急和涨急时刻水流流线示意图如图 3-17 所示。

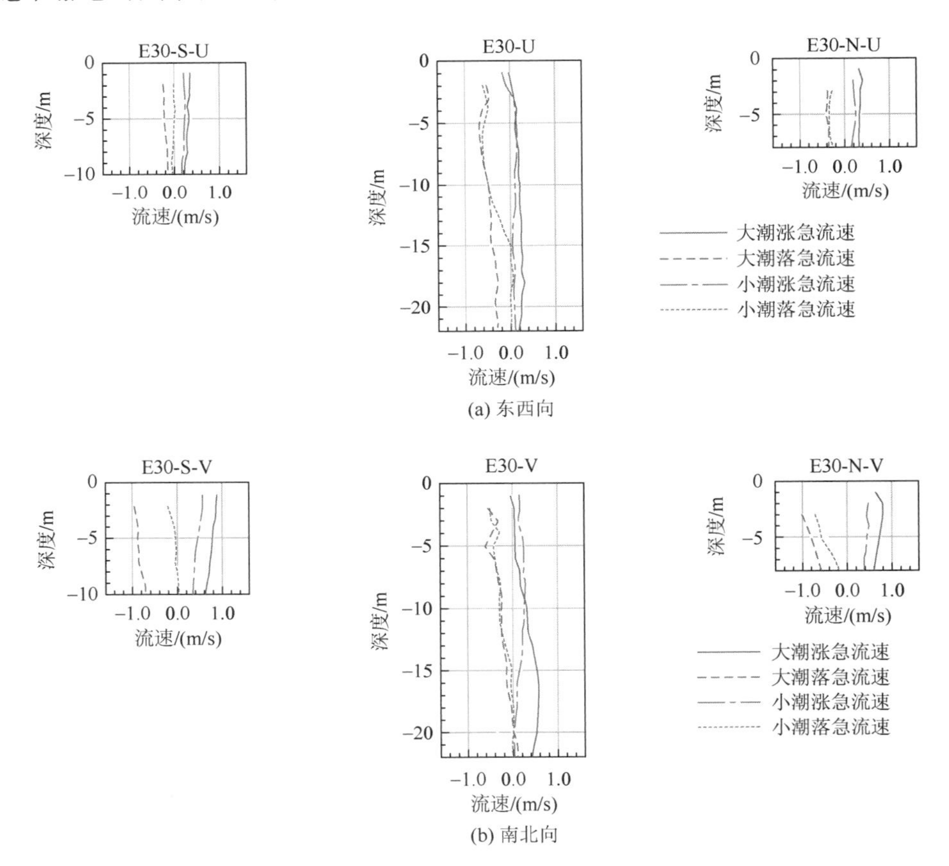

图 3-16　E30 管节小潮期间和大潮期间的涨急、落急流速垂直分布

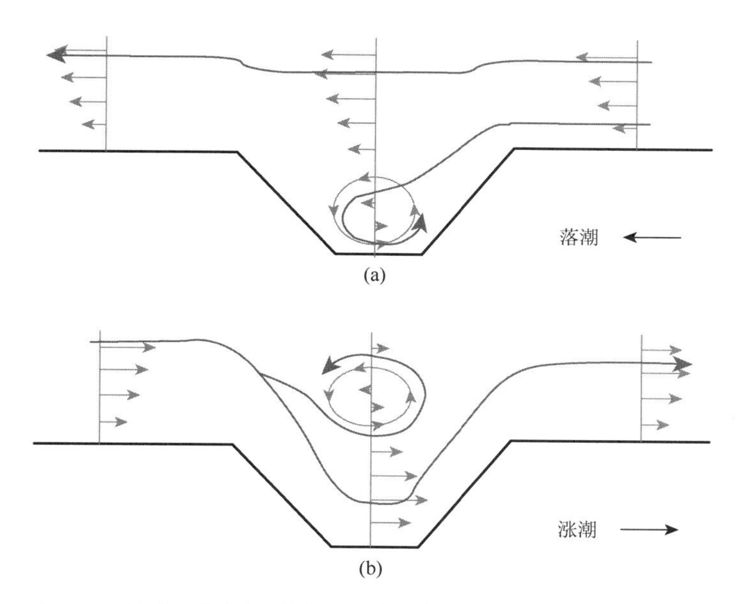

图 3-17　深槽内外落急时刻（a）和涨急时刻（b）水流流线示意图

4. 基槽流速结构与槽深的关系

西人工岛岛头区域于 2013 年 3 月 10 日 0 时～2013 年 3 月 21 日 0 时进行了 5 个测点的海流观测。这 5 个观测点分别标注为 E1、E2、E3、E4 和 E5，所在位置的水深依次为 17.5 m、19 m、21 m、22 m 和 26.5 m。

图 3-18 是 E1～E5 测点南北向海流随时间变化的示意图，对于水深 17.5 m 的 E1 测点，在 3 月 10～21 日时段，涨潮位相海流上下层基本一致，并随深度增加逐渐减小，无底层流速加强现象。E2 测点水深 19 m，在涨潮时开始零星出现下层流速增强现象。从水深 21 m 的 E3 测点开始，出现底层流速增强现象。水深 22 m 的 E4 测点和水深 26.5 m 的 E5 测点，明显出现了底层流速增强的现象，表现为落潮时上层流速大、下层流速小，而涨潮时下层流速大、上层流速小的不对称特征。

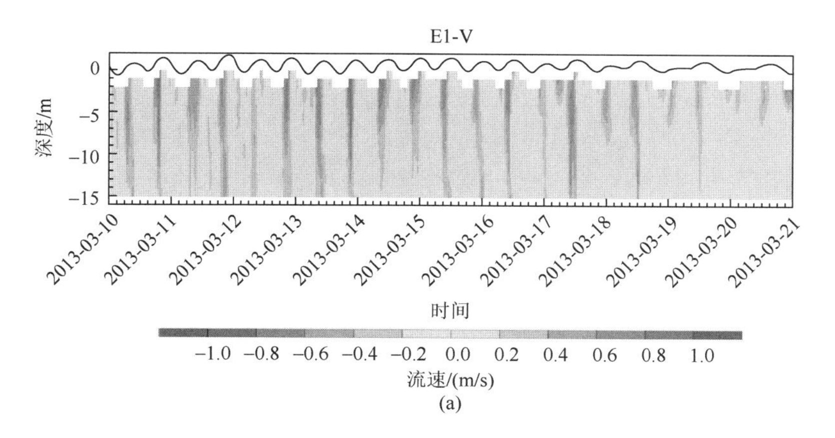

(a)

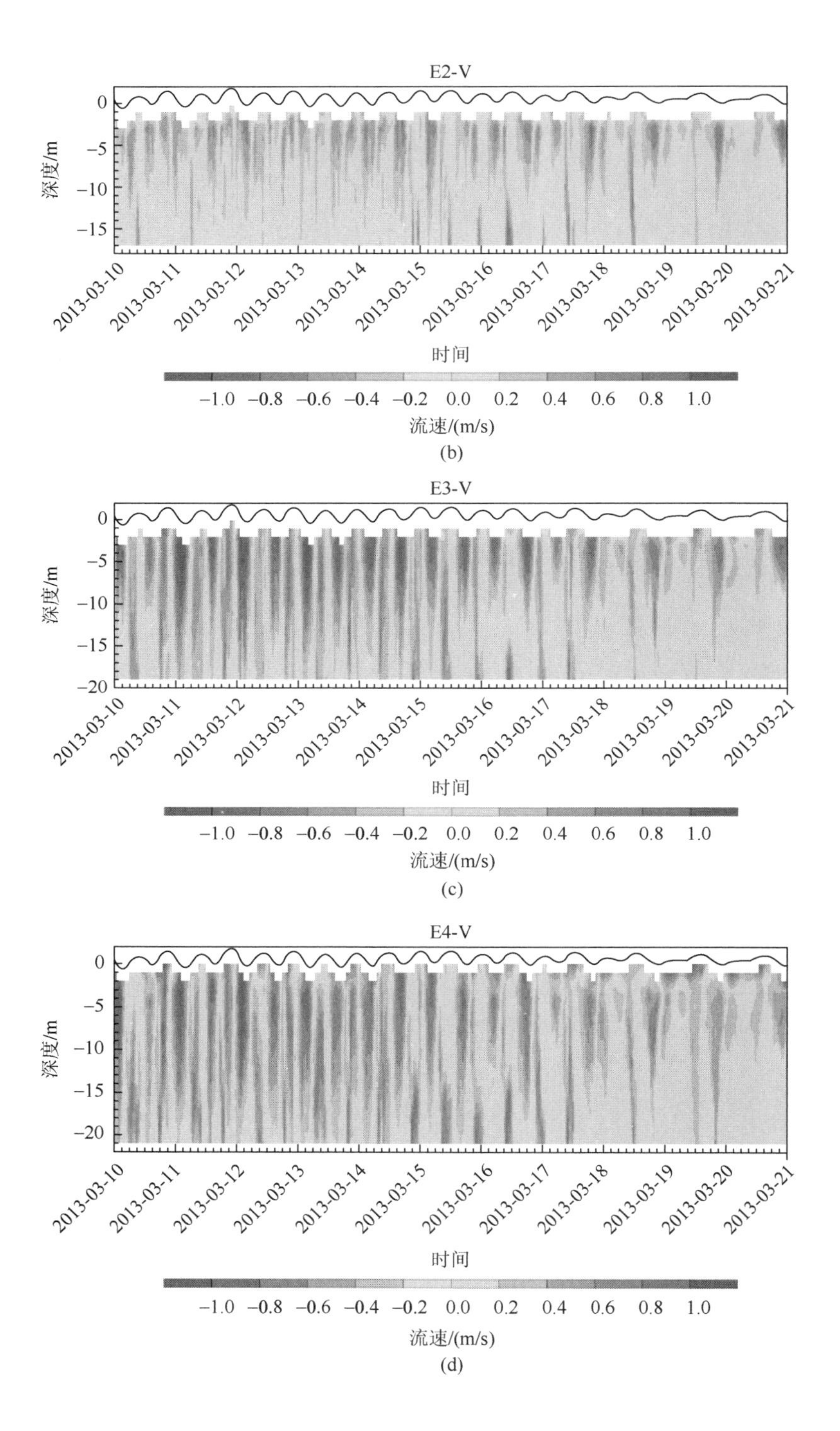

E2-V
深度/m
0
−5
−10
−15
2013-03-10
2013-03-11
2013-03-12
2013-03-13
2013-03-14
2013-03-15
2013-03-16
2013-03-17
2013-03-18
2013-03-19
2013-03-20
2013-03-21
时间
−1.0 −0.8 −0.6 −0.4 −0.2 0.0 0.2 0.4 0.6 0.8 1.0
流速/(m/s)

(b)

E3-V
深度/m
0
−5
−10
−15
−20
时间
流速/(m/s)

(c)

E4-V
深度/m
0
−5
−10
−15
−20
时间
流速/(m/s)

(d)

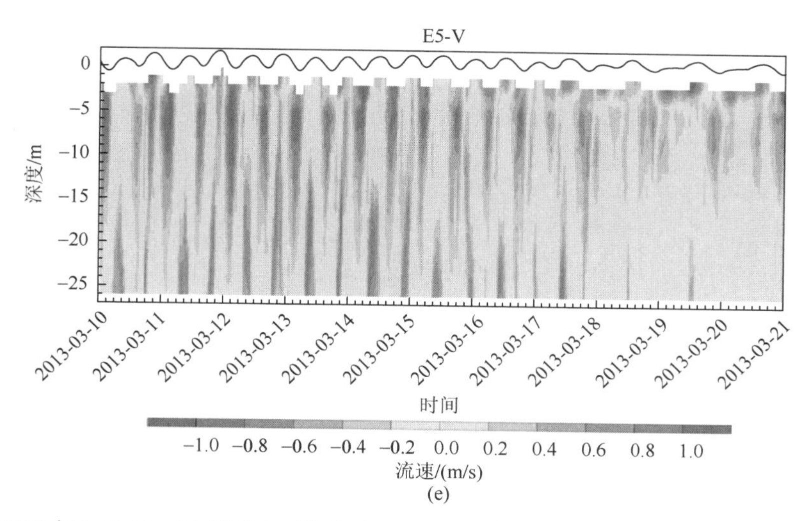

(e)

图 3-18　2013 年 3 月 10～21 日西人工岛岛头 E1～E5 测点海流的深度-时间剖面图（后附彩图）

注：曲线为工程区潮位实测值

从上述 5 个测点同一时段的海流观测资料分析来看，下层海流增强的现象与水深有关。水深在 20 m 以浅时（E1，E2），无下层海流增强现象，水深超过 20 m 后开始出现下层海流增强现象（E3），而且越往深处该现象越明显（E4，E5）。

5. 基槽海流与潮位的关系

伶仃洋海域以不规则半日潮为主，每月有两次大潮期、中潮期和小潮期。潮差不同，深槽内的海流结构也不同。为了研究不同潮差条件下的深槽海流特征，选取 2014 年 1 月 18 日 14 时～2014 年 2 月 5 日 16 时在 E9 管节深槽中部的一次观测进行分析。该观测时段覆盖了小潮期（1 月 22 日 0 时～1 月 25 日 23 时）、中潮期（1 月 18 日 14 时～1 月 21 日 23 时）和大潮期（1 月 30 日 0 时～2 月 1 日 23 时）一个完整的潮期过程。不同潮期情况下海流情况如图 3-19 所示。

在小潮期，落潮时大流速区在 10 m 以浅的上层，并随深度增加逐渐减小。涨潮时，除 1 月 24 日和 1 月 25 日的第一个涨潮外，深槽中下层都会出现大流速区，为 20～30 m 层，流速可达 0.6～0.9 m/s，而上层的流速较小，小于 0.4 m/s。可见涨潮时只有当潮差超过一定临界值时，才会在深槽中下部出现大流速。

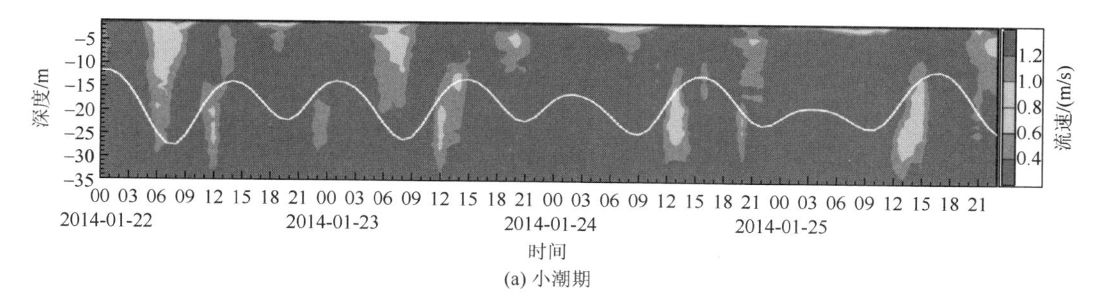

(a) 小潮期

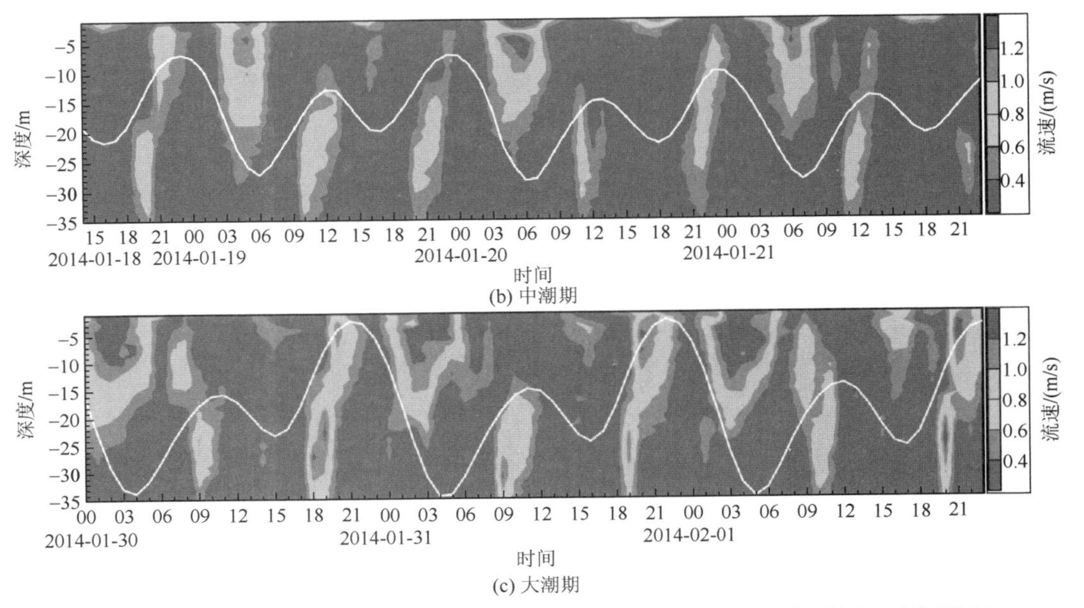

(b) 中潮期

(c) 大潮期

图 3-19 E9 管节测点 2014 年 1 月 19 日～2 月 1 日水流的深度-时间剖面图（后附彩图）

中潮期与小潮期类似，当涨潮潮差大于一定临界值时深槽中下层会出现大流速，而且与小潮期相比流速更大，持续时间更长，大流速出现深度比小潮期深。

在大潮期，上下层流速更大、持续时间更长。当潮位由高高潮落到低低潮时，上层流速明显大于下层。当由高低潮落到低高潮时上层流速略大于下层，相反涨潮时无论由低低潮涨到高低潮还是由低高潮涨到高高潮都有下层流速明显大于上层的现象。相比中、小潮期，大潮期下层流速更大，出现深度更深。此外，在大潮期低高潮到高高潮的涨潮过程中，前半段大流速在下层，后半段大流速由下层转移到上层。这可能与涨潮开始后深槽内盐淡水混合有关。

上述分析表明，深槽内下层流速增大的现象与潮差有关，潮差小的情况下深槽下层水流增大很小或几乎不增大，而当潮差大的时候深槽下层水流增大明显。

6. 基槽海流与径流量的关系

2013 年 3 月是伶仃洋的枯水期，5 月是丰水期。总体上看，在枯水期涨潮时下层流速都比较大，但是在丰水期无论涨落潮大流速都集中在上层。

为了尽可能在潮差接近的条件下比较不同径流对海流的影响，分别在 3 月和 5 月的两个观测周期内选择 3 月 17～19 日和 5 月 15～17 日进行比较，这两个时段的潮位变化与潮差接近（图 3-20），其中 3 月 17～19 日的平均径流量为 3244 m^3/s，5 月 15～17 日的平均径流量为 16 167 m^3/s，约为前者的 5 倍，因此可以通过对比研究径流对深槽海流的影响。

由图 3-21 可以看出，两次观测结果存在明显的不同之处，在 5 月大径流背景下落潮时表层的大流速和底层的次级环流都比小径流时强，而涨潮时的大流速不会下沉到槽底，依然维持在表层。而 3 月的观测结果显示，靠近底部常出现较强的涨潮流，而 5 月的观测结果则没有出现此现象。

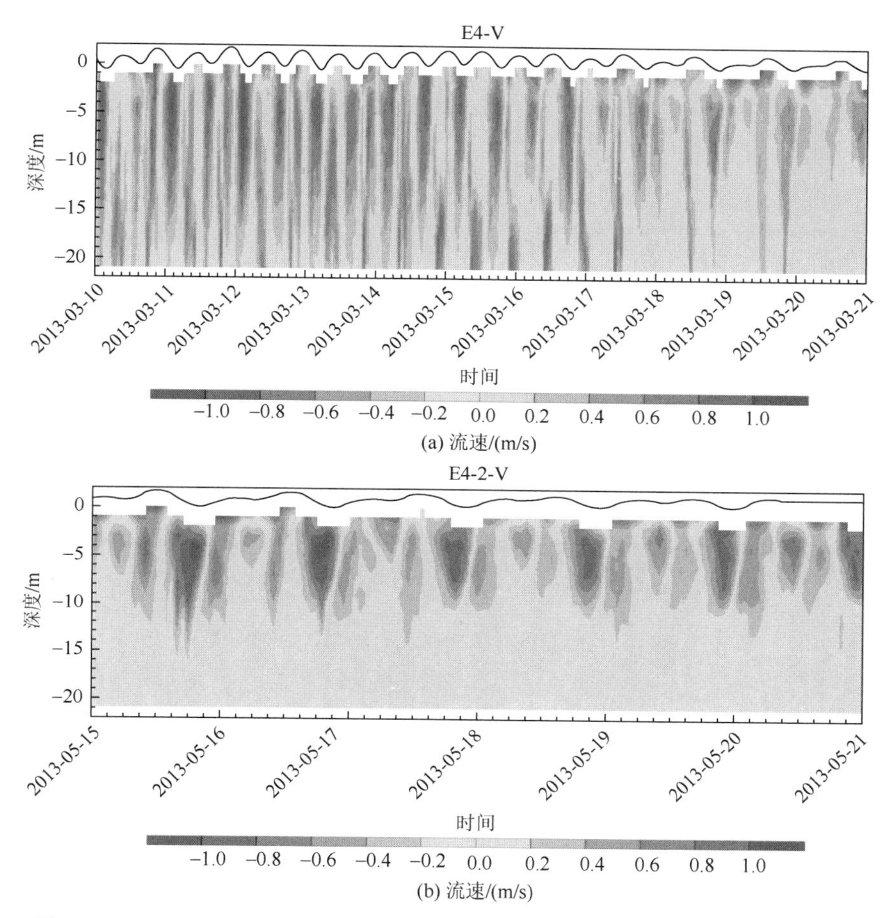

图 3-20 2013 年 3 月和 5 月 E4 管节区域海流的深度-时间剖面图（后附彩图）

注：曲线为潮位实测值

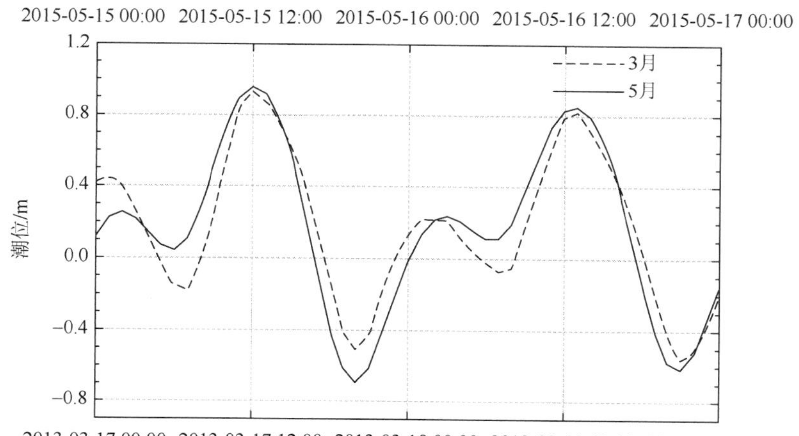

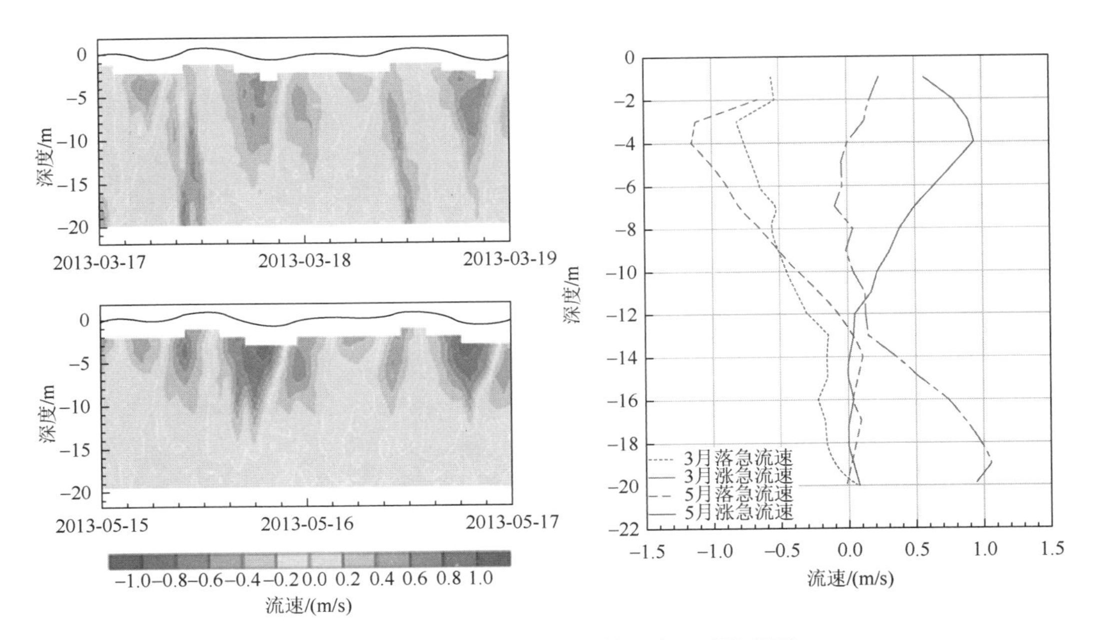

图 3-21　径流对外海深槽海流的影响（后附彩图）

3.3　深槽“齿轮”现象的形成机理

3.3.1　数值模式介绍

对基槽水流的研究除了水池试验观测和经过简化的雷诺平均 N-S 方程数值求解外，也有不少学者利用基于完整雷诺平均 N-S 方程的数值模式模拟基槽水流。其中 Lesser 等（2004）利用 Delft3D-FLOW 模式、Warner 等（2008）利用 ROMS 模式、Pinto 等（2012）利用 MORSELFE 模式、Franz 等（2017）利用 MOHID 模式分别重现了 Van Rijn（1982）的实验，研究基槽水流分布、悬浮物浓度和基床变化。本章也基于成熟的海流数值模式模拟了外海深槽内的海流分布和变化。

Delft3D 是由荷兰代尔夫特理工大学水力研究所开发的一套功能强大的软件包，主要应用于自由地表水环境。该软件具有灵活的框架，能够模拟二维和三维的水流、波浪、水质、生态、泥沙输移及床底地貌，以及各个过程之间的相互作用（Roelvink，2003）。虽然 Delft3D 适用于多个场景，但是 Dykes 等（2003）认为它的最佳使用范围是离岸 1 km 以内。

ROMS 模式是由 Arango（2006）提出的一个自由表面原始方程海洋模式。ROMS 包含准确、有效的物理和数值算法，以及一些对生物地球化学、生物光学、沉积物和海冰等方面应用的耦合的模式，它可以模拟不同尺度的运动，如全球尺度的环流模拟、中尺度涡旋和河口环流等。它也包含一些垂向的混合方案，以及多能级的嵌套和组合网格。

在水动力学应用中，MORSELFE 建立在半隐式欧拉-拉格朗日有限元（semi-implicit Eulerian Lagrangian finite element，SELFE）基础上，而 SELFE 是三维非结构网格模式，用于模拟河流-海洋尺度的三维斜压环流（Zhang and Baptista，2008）。

MOHID 模式也是对 N-S 方程采用静水压强假定及 Boussinesq 和 Reynolds 近似得到一个三维水模式，由葡萄牙里斯本大学高等技术学院（IST）的海洋和环境技术研究中心开发。MOHID 模式包含物理和生物地球化学过程，可以使用嵌套方法研究河口环流。MOHID 包含不同组件（MOHID water，MOHID land and MOHID soil），可以分别用于模拟水环境、陆面和土壤环境，并使用集成的方法研究水循环。MOHID 已被应用到不同的研究案例中，例如，沿海和河口地区及水库的水动力过程，具备模拟水流复杂特征的能力（Neves，1985）。

Pinto 等（2012）对比上述模式对深槽水流的模拟结果发现，在模拟深槽水流方面 ROMS 模式的性能优于 MORSELFE 和 Delft3D 模式。

Lesser 等（2004）利用 Delft3D-FLOW 模式、Warner 等（2008）利用 ROMS 模式、Pinto 等（2012）利用 MORSELFE 模式、Franz 等（2017）利用 MOHID 模式对深槽水流的数值模拟都是建立在单向均匀水流的基础上，环境比较简单，不考虑由于水体温度或盐度差异导致的密度差异使异重流流经深槽时形成的水流变化。伶仃洋是珠江口最大的喇叭形河口湾，在潮汐上表现为弱潮河口，以不规则半日混合潮为主，最大潮差可达 2.5 m；本章的深槽海流观测分析表明当涨潮时槽内下层流速大，上层流速小，而落潮时上层流速大，下层流速小，结合温盐观测表明，涨潮时深槽下层流速增大与涨潮时形成的水平方向盐度梯度（进而影响密度梯度）有密切关系。因此，本章的模拟需要同时考虑潮汐变化和海水盐度的空间、时间变化及其对海流的影响。

此外，伶仃洋位于珠江口上，受珠江口径流影响大，而珠江口的径流量有很明显的季节变化，干季径流量在 300 m^3/s 左右，而汛期 5～6 月为 3000 m^3/s 左右，比干季径流量大一个量级。因此本章的模拟也要考虑不同径流量对深槽海流的影响。

综上，在考虑上述因素和比较了多个海洋模式特性之后，为突出横跨深槽海流和简化海流模拟，本章基于 ROMS 模式建立一个潮汐和径流强迫下的简化二维模型，来研究潮汐和径流作用对深槽内海水盐度梯度的改变，进而研究深槽内涨落潮期间海流变化特征和机理。

3.3.2　二维模型

1. 模型的构建

（1）区域设置

港珠澳大桥沉管隧道基槽深最浅处 16.3 m，最深处 48.5 m，铺设碎石后南北底宽约 60 m，顶宽约 300 m，边坡有 1∶2、1∶2.5、1∶3、1∶5 等不同比例，在空间上变化很大（图 3-22）。

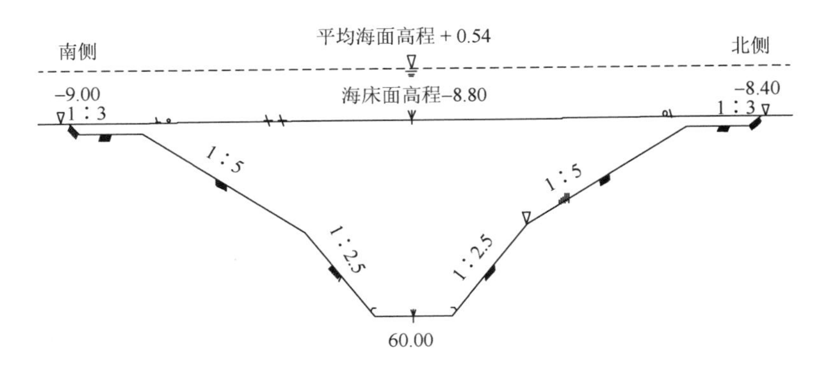

图 3-22　典型的港珠澳大桥沉管隧道基槽纵断面示意图（单位：m）

为了研究深槽东西方向不同深度、槽内南北不同位置、槽内与边坡海流特征及差异，模拟区域设置为一个南北向 y-z 二维区域，如图 3-23 所示。区域南北长 1 km，深槽位于区域中心，槽内水深 30 m，槽外水深 10 m，槽底宽约 60 m，槽顶宽约 300 m。y 方向的网格数为 200，分辨率为 5 m，垂向采用地形跟随坐标，分为 30 个 σ 层，分辨率为 0.33～1m。

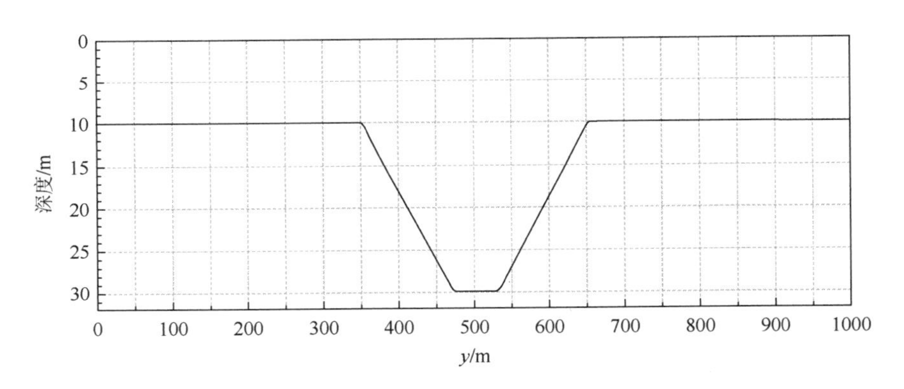

图 3-23　模式区域设置

（2）初始条件

模式需要分别给温度、盐度、三维流场、海平面高度一个起算场，即初始条件。由于三维流场和海平面高度对海洋动力强迫的响应迅速，因此将其均设为零值。初始时刻海水处在静止状态，流速为 0，海平面水平，温度为 10℃。初始时刻的盐度垂直方向上均匀混合，水平方向上北侧（近河口侧）为 20‰，南侧（近海一侧）为 30‰，如图 3-24 所示。

（3）边界条件

海底采用无滑移边界条件，而且不考虑盐度的扩散，假设没有湍流能量的扩散。

海表采用自由面边界条件，无表面应力和盐度扩散通量。海表潮流湍动能通量为 0。

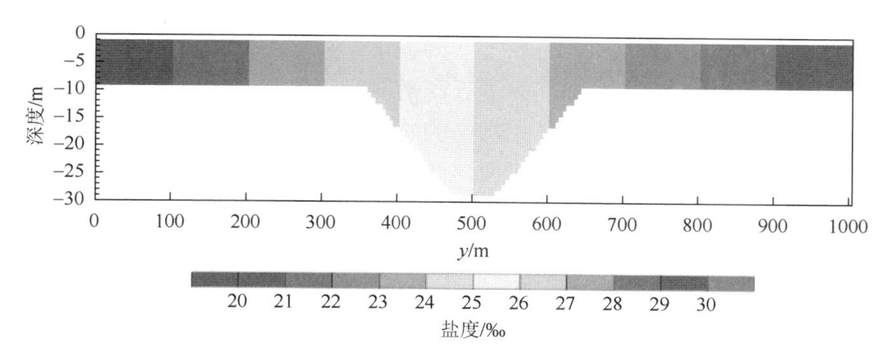

图 3-24　初始时刻的盐度分布（后附彩图）

简化的河口二维模型由径流、潮汐驱动，计算理想河口的盐度、潮位、海流。考虑伶仃洋海域以不规则半日潮为主，潮汐驱动也设为半日潮，区域内的盐度分布和演变主要由混合过程控制。盐度分布结果对给定的平均潮流和径流非常敏感，同时不同湍流闭合方案也会带来一定差异。海平面高度采用 Chapman 边界条件；二维正压流场采用 Flather 边界条件；三维盐度和斜压流场则采用 Radiation 边界条件，即辐射边界条件，并且每 3 h 分别向海洋一侧的 30‰和河口一侧的 20‰逼近，温度取为均匀常值 10℃。河口两侧连接着河流淡水和海洋咸水，其中近河口侧使用深度平均的河流作为边界条件，近海一侧使用深度平均的潮流作为边界条件。底边界粗糙度取 $K_s = 0.15\ \text{m}$ 。

近河口侧边界条件：

$$\bar{H}_{\text{river}} = 10$$

$$\bar{V}_{\text{river}} = 0.4$$

$$q_{\text{river}} = \bar{V}_{\text{river}} \bar{H}_{\text{river}}$$

$$\bar{v}_{\text{river}} = q_{\text{river}} / (\bar{H}_{\text{tidal}} + \eta_{\text{north}})$$

近海一侧边界条件：

$$\bar{H}_{\text{tidal}} = 10$$

$$\bar{V}_{\text{tidal}} = 1.2$$

$$q_{\text{tidal}} = \bar{V}_{\text{tidal}} \bar{H}_{\text{tidal}} \sin(\omega t) = \bar{V}_{\text{tidal}} \bar{H}_{\text{tidal}} \sin\left(\frac{2\pi}{T} t\right)$$

$$\bar{v}_{\text{tidal}} = (q_{\text{tidal}} - q_{\text{river}}) / (\bar{H}_{\text{tidal}} + \eta_{\text{south}})$$

式中，ω ——潮汐频率；

T ——潮周期，$T = 12 \times 3600\ \text{s}$；

t ——模式时间；

$\bar{V}_{\text{tidal}}$，$\bar{V}_{\text{river}}$ ——深度平均的潮流速度和径流速度；

q_{tidal}，q_{river} ——潮汐流量和径流流量；

η_{south}，η_{north} ——南侧和北侧模式计算的水位；

H_{tidal}，H_{river} ——潮汐深度和径流深度；

V_{tidal}，V_{river} ——潮流扰动速度和径流扰动速度。

（4）参数化方案

由于模式网格是对连续的物理空间进行离散化处理，并由动力方程式对离散后的时间、空间进行求解，因此那些小于模式网格的物理过程（如扩散、黏性、三维涡流和内波破碎等）需要进行参数化处理，从而使这些过程被引入模式中。

ROMS 模式含有多种方案来求得垂向黏性和扩散系数，包括：①简单地给定数值；②K-剖面参数化（K-profile parameterization，KPP）方案；③通用长度尺度（generic length scale，GLS）方案；④Mellor-Yamada 湍流闭合方案。经过比较，简化河口二维模型采用了 Mellor-Yamada 湍流闭合方案。

边界上的潮流垂直分布采用对数分布规律。

（5）强迫条件

简化河口二维模型不考虑科里奥利力作用，不考虑风场强迫，也不考虑加热和冷却。

（6）模型计算

由于计算区域内地形变化大，模型模拟的时间步长为 1 s，共模拟 36 h（3 个潮周期，图 3-25），模式计算一个潮周期后达到平衡，因此着重分析后 2 个潮周期的模拟结果。

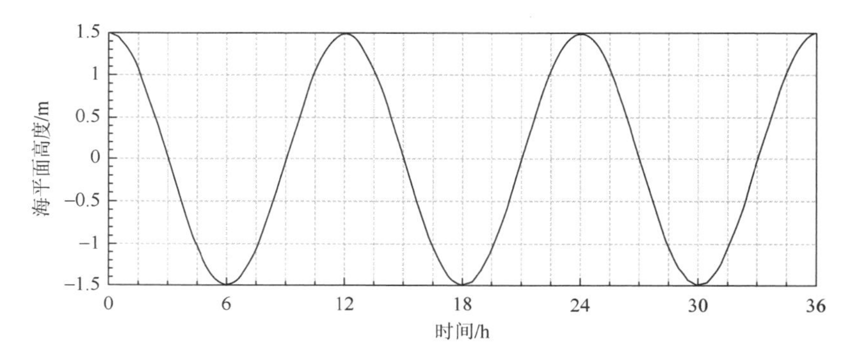

图 3-25　模拟中的潮位边界条件

2. 二维模拟结果

分析深槽内外三个典型位置（槽南侧 100 m，槽中间和槽北侧 100 m）海流随深度-时间变化。如图 3-26 所示，首先无论槽内外，落潮时大流速都在上层，与正压潮流过槽分布基本一致；而涨潮时槽外滩地上大流速在中层，槽内则在下层，与落潮相反。此外，槽内中层有一个次级环流。

从图 3-27 落急时刻和涨急时刻槽内外各点流速垂直分布来看，落潮时流速垂直分布与 Van Rijn 的经典试验和之后的计算结果一致，而涨潮时则全然不同，槽外南侧滩地上位于中层的大流速进入边坡后沉到下层，进入深槽后沉到槽底，到北侧滩地后大的涨潮流才回到上层。此外，与密度均匀水流流经深槽不同，涨潮流经过深槽时，在深槽中上层有一个次级环流。

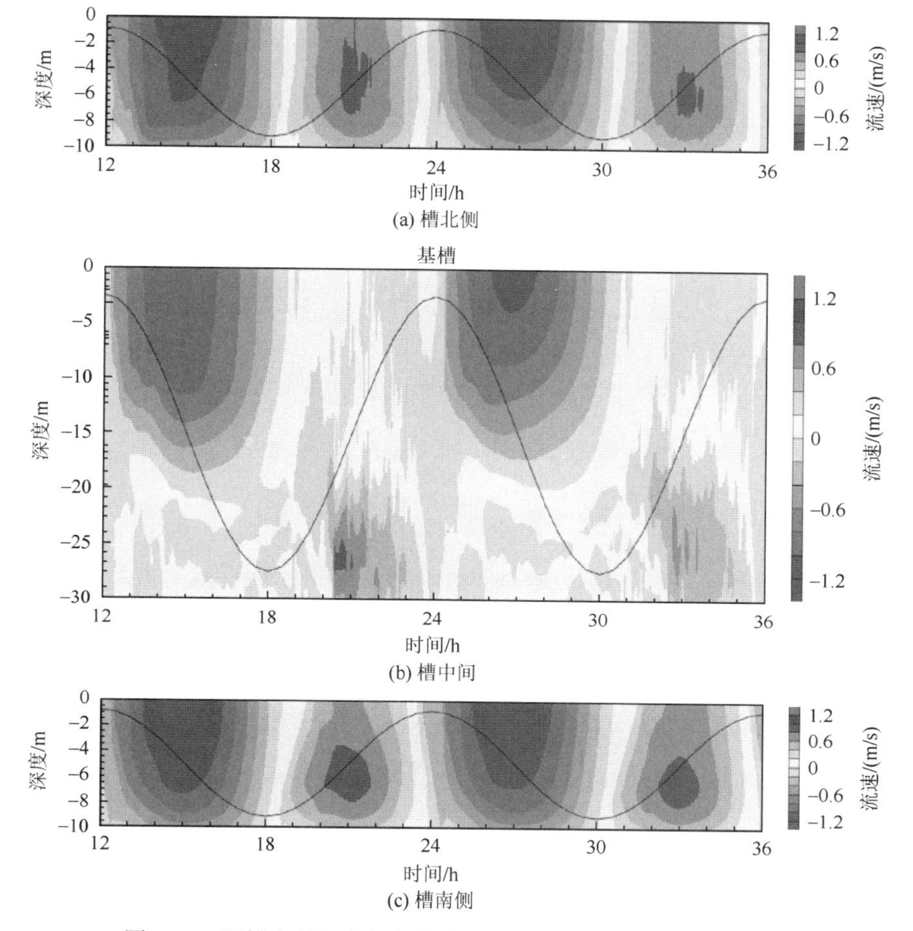

(a) 槽北侧

(b) 槽中间

(c) 槽南侧

图 3-26　深槽内外海流经向流速随深度-时间变化（后附彩图）

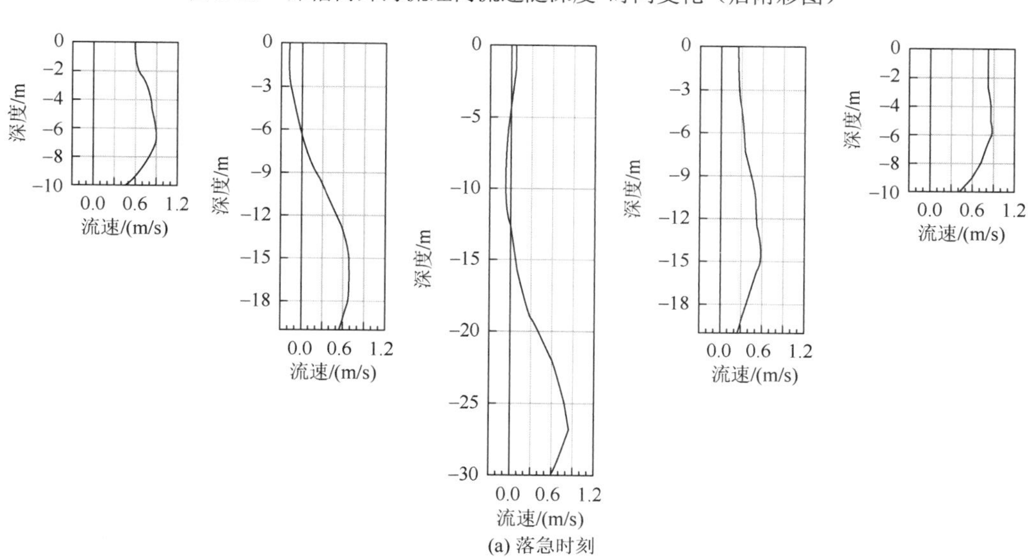

(a) 落急时刻

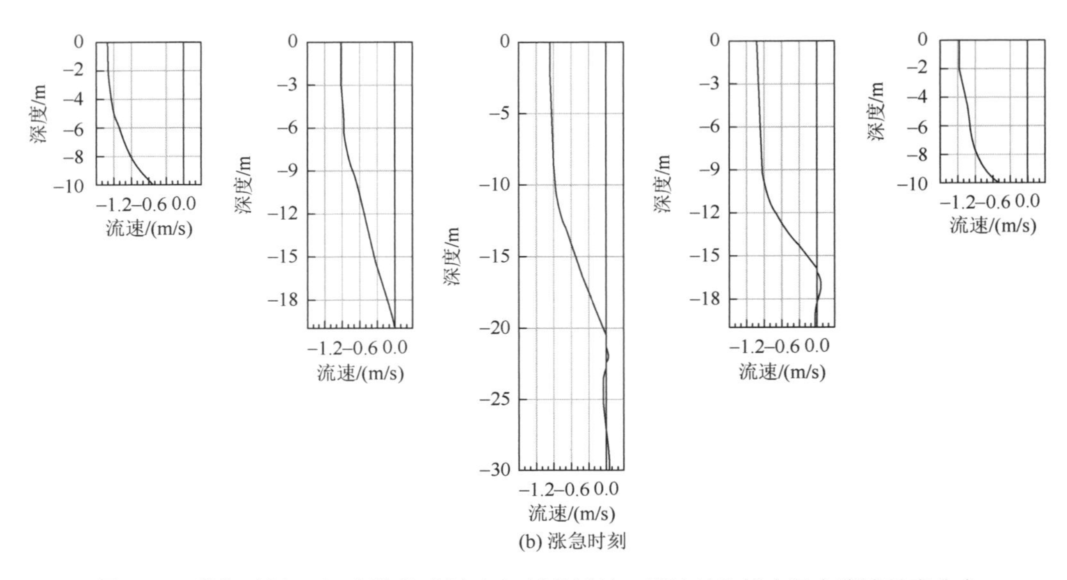

(b) 涨急时刻

图 3-27　落急时刻（a）和涨急时刻（b）槽外滩地、槽边坡和槽内经向流速垂直分布

图 3-28 是落急、落憩、涨急和涨憩四个关键时刻盐度（填色图）和海流矢量空间分布，在落潮时径流和落潮流共同作用下，深槽内的高盐水被冲走，到落憩时只在深槽底部 10 m 左右高度留有一定量的高盐水，而深槽中层和上层都是盐度较低的海水。于是涨潮时南侧随涨潮流北上的高盐水与深槽内盐度偏低的海水之间形成一个密度梯度，在地形坡降的共同作用下涨潮大流速沿着边坡进入深槽，从而形成槽底大的涨潮流速。

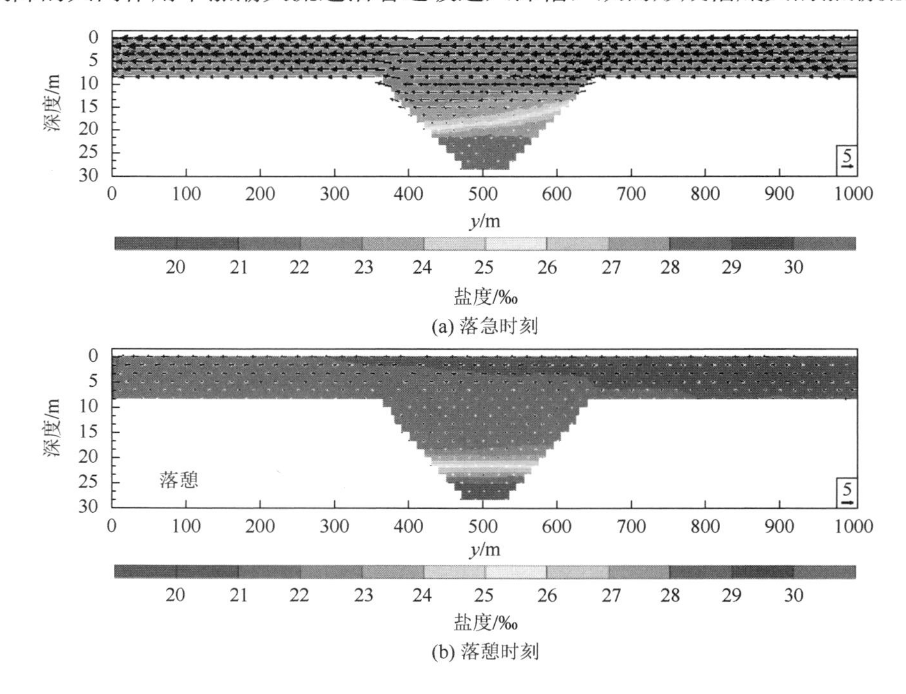

(a) 落急时刻

(b) 落憩时刻

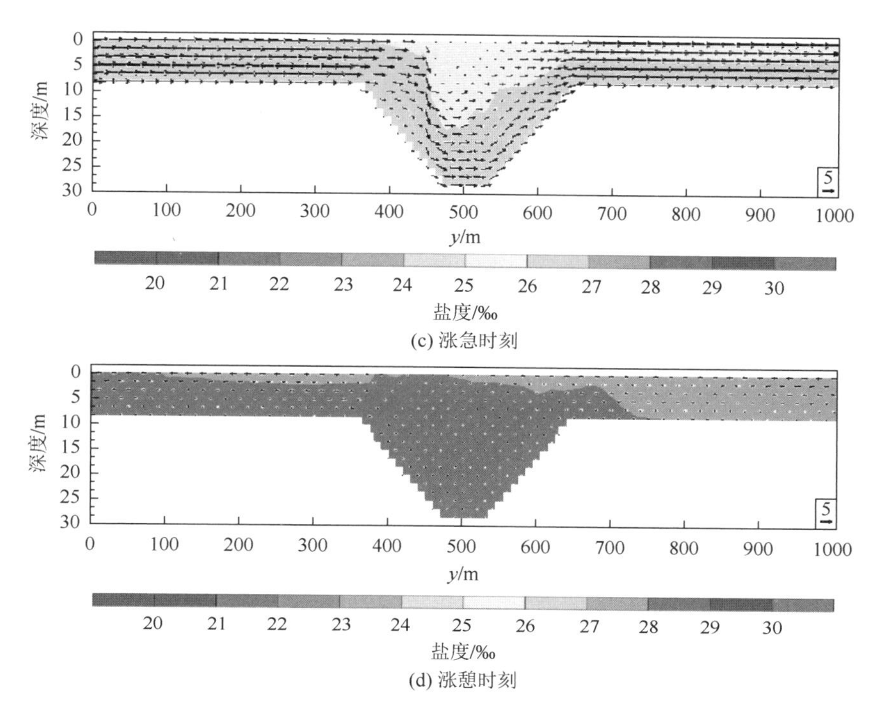

图 3-28　落急、落憩、涨急和涨憩四个时刻盐度（填色图）和海流矢量（后附彩图）

3. 深槽几何尺度的影响

为了研究深槽边坡坡度对深槽海流流速的影响，分别模拟了 5°、10°、20°和 45°共 4 种边坡坡度况试验，如表 3-1 所示。

表 3-1　边坡坡度对深槽海流流速影响对比试验设置

试验方案	边坡坡度/(°)	槽深/m	潮差/m	边界深度平均潮流流速/(m/s)	径流流速/(m/s)	湍流闭合方案
S1	5	30	3	1.2	0.4	MY25
S2	10	30	3	1.2	0.4	MY25
S3	20	30	3	1.2	0.4	MY25
S4	45	30	3	1.2	0.4	MY25

深槽边坡角对落潮流影响较小，主要影响槽底次级环流出现的高度，而对涨潮流流速影响较大（图 3-29），当边坡坡度从 5°增加到 10°时，槽底涨潮大流速随之增大，但是当边坡坡度增大到 20°时，槽底涨潮大底流不增反降，当边坡坡度增大到 45°时，槽底涨潮大底流不再显著，相反大流速移到了上层。

深槽边坡坡度对落潮流影响较小。无论涨急或落急，深槽边坡坡度对槽内盐度的影响也很小。

4. 潮差的影响

观测表明深槽内下层流速增大的现象与潮差有关。潮差小时，深槽下层水流增大幅度很小或者几乎不增大；而当潮差大时，深槽下层水流增大幅度明显。基于数值模式，可以采用敏感性试验对比的方法，研究潮差对外海深槽海流的影响。试验设置如表 3-2 所示。

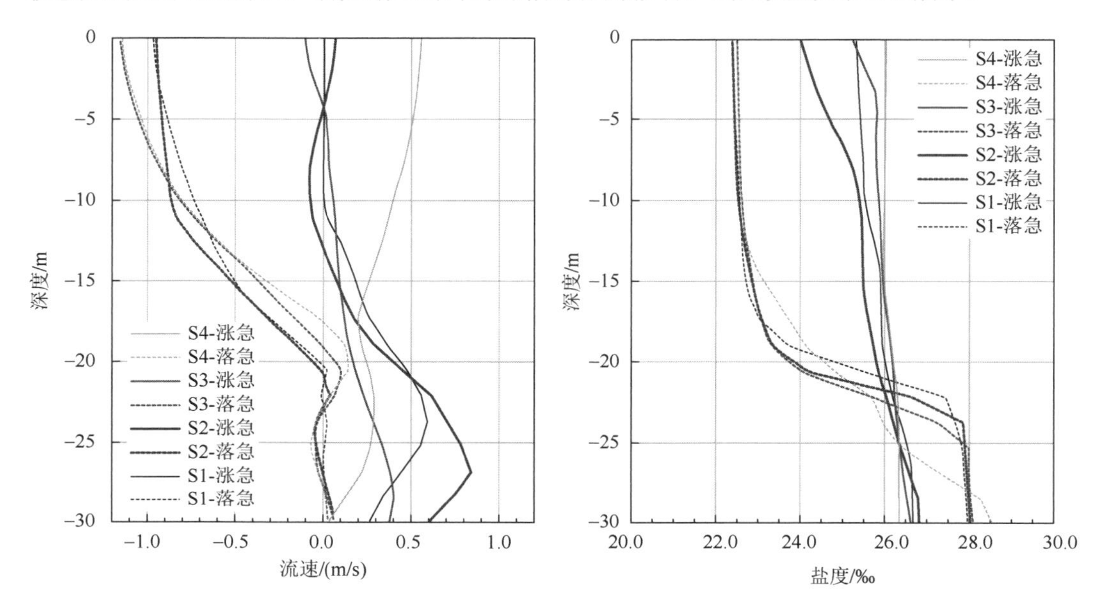

图 3-29　深槽边坡坡度与槽内涨急、落急流速和盐度的关系（后附彩图）

表 3-2　潮差对深槽海流影响对比试验设置

试验方案	槽深/m	潮差/m	边界深度平均潮流流速/(m/s)	径流流速/(m/s)	湍流闭合方案
T1	30	3	1.2	0.4	MY25
T2	30	2	0.8	0.4	MY25
T3	30	1	0.4	0.4	MY25

深槽内涨急、落急时刻流速和盐度廓线如图 3-30 所示。对于河口端垂直平均流速为 0.4 m/s 的径流而言，落潮时深槽内都存在弱的次级环流，但是次级环流高度不同，1.2 m/s 的潮流条件下次级环流高度在 20 m 以下，0.8 m/s 的潮流条件下次级环流高度可以达到 18 m 左右，0.4 m/s 的潮流条件下次级环流高度在 15 m 以浅。

对于涨潮情况而言，只有当潮流大到一定程度的时候才会出现下层大的涨潮流。1.2 m/s 的潮流条件下 20～30 m 有一个明显的大流区，流速最大出现在 27 m 左右，最大超过 0.8 m/s；在中上层 5～13 m 有个次级环流层，5 m 以浅是弱的涨潮流。0.8 m/s 的潮流背景下大的涨潮流在中层和表层，0.4 m/s 的潮流背景下大的涨潮流也在中层，但是比 0.8 m/s 潮流时浅，而且表层有一个弱的次级环流。

从盐度垂直分布来看，T1 和 T2 落潮时都有一个明显的盐度跃层，涨潮时盐度垂直分布比较均匀，表现为强潮河口特征，但是 T3 无论涨潮还是落潮都存在盐度跃层，表现为弱潮河口特征。根据以上分析可以得出结论：只有在潮流和径流共同作用下才会出现涨潮下层流速大的情况，特别是强潮河口容易出现该特征，而弱潮河口不会出现该特征。

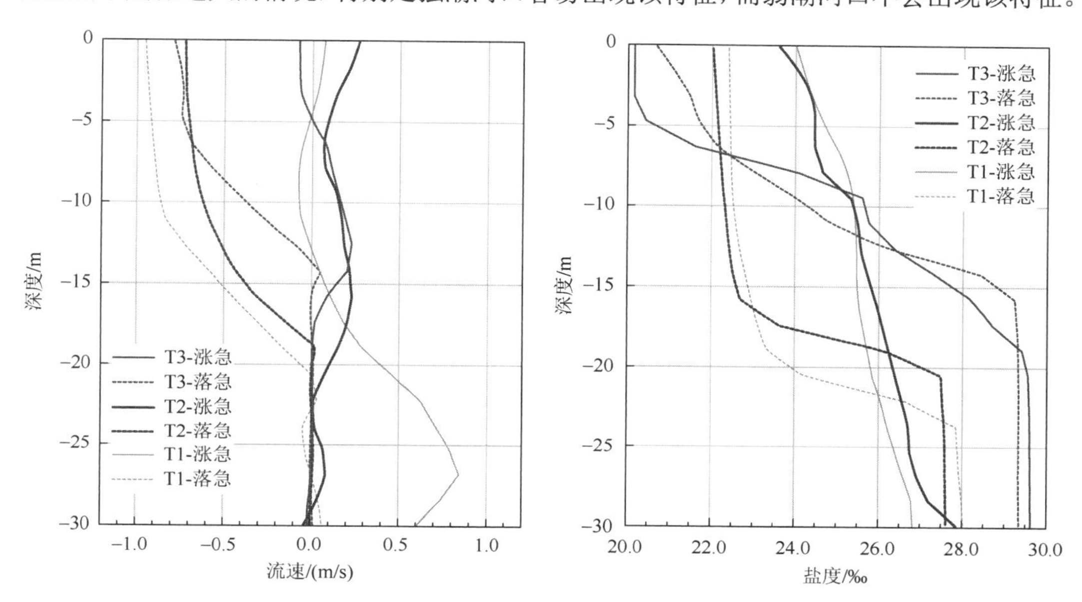

图 3-30　不同潮差条件下深槽内涨急、落急时刻流速和盐度关系（后附彩图）

5. 径流流速的影响

在潮差（潮流）和其他条件一致的情况下，研究不同径流流速对深槽海流的影响，对比试验设置如表 3-3 所示。

表 3-3　径流流速对深槽海流影响对比试验设置

试验方案	槽深/m	潮差/m	边界深度平均潮流流速/(m/s)	径流流速/(m/s)	湍流闭合方案
R1	30	3	1.2	0	MY25
R2	30	3	1.2	0.2	MY25
R3	30	3	1.2	0.4	MY25
R4	30	3	1.2	0.8	MY25

从深槽中点涨急、落急时刻流速廓线来看，落潮时径流变化对深槽海流影响不大（图 3-31 中的虚线），区别仅在于下层次级环流上，大径流条件下（R4）25 m 附近有一个强的次级环流，而流速为 0～0.4 m/s 的径流条件下在底层和 20 m 附近分别有一个弱的次级环流。

涨潮时径流对基槽中流速的影响则不同（图 3-31 中的实线）。当径流流速较小时（≤0.2 m/s），从表层到底层涨潮流呈现递减，主要表现潮流的特征；当径流流速达到 0.4 m/s 时，涨潮流大流速中心移到了下层，5～13m 之间出现次级环流，表层是弱的涨潮流；当径流流速达到 0.8 m/s 时，下层涨潮流比 R3 小，而上层涨潮流比 R3 大，次级环流强度与 R3 接近，但是深度更深。可见，下层的大流速中心与径流流速有关。径流量太小或太大，都会影响下层大流速的量级及位置。

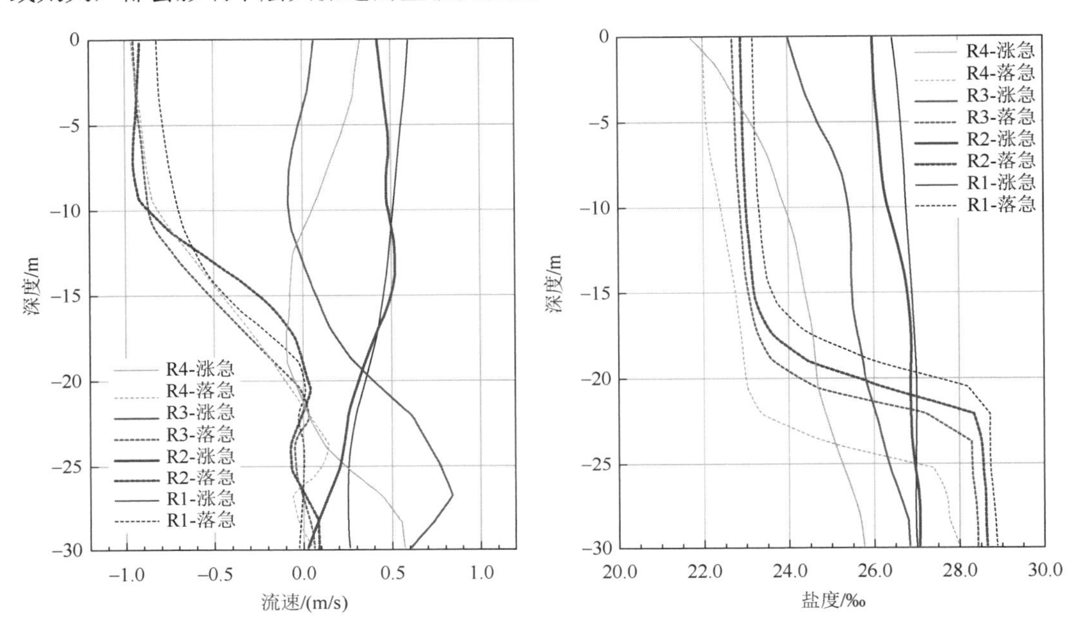

图 3-31　不同径流流速条件下深槽中点处涨急、落急时刻流速和盐度垂直分布（后附彩图）

6. 小结

由以上的数值试验可以发现，外海深槽海流同时受潮流、径流、密度流和深槽地形影响。涨潮大底流的出现需要潮流、径流、密度流和深槽地形满足一定条件，缺一不可。径流和潮差影响咸淡水混合，从而影响深槽的盐度分层和深槽内的盐度分布。落潮时增强盐度层结，而涨潮时强的垂直混合作用会使落潮时深槽底部留存的高盐度水变淡，从而和南侧随涨潮进入深槽的海水形成一个盐度梯度，增强深槽底部的涨潮流。

第4章 无缝隙天气预报技术

港珠澳大桥沉管施工区位于东亚季风区，季风气候显著。冬季，中高纬度的强冷空气南下带来大风降温过程，夏季受强盛的西南季风和南海台风的冲击。影响该海域的主要灾害性天气系统有：台风、冷空气、暴雨及强对流天气带来的短时雷雨大风等。当前国内外预报机构对于台风等高影响天气的预报技巧有限，尚不能完全满足港珠澳大桥沉管施工对于天气预报时空精度和时效的需求。

港珠澳大桥岛隧工程沉管浮运安装需要满足特定的气象要素条件，比如，500 m×500 m 范围的施工海域风力 5 级或以下、能见度大于 5 km 等，满足特定气象条件的时间段，简称为“作业窗口”。由于施工工艺的限定，基床铺设及沉管安装需要 10 多天，施工区的强回淤环境使铺设好的基床晾置时间有严格限制。因此，需要提前 2 周进行海洋环境预测并给出沉管施工的作业窗口，以决定是否进行管节安装前各项工序的准备工作。

基于实时海洋观测、数值预报及无缝隙天气预报技术，首次建立了小区域长历时高精度作业窗口管理系统，预报时效从 7 d 延长到 15 d，并成功应用于港珠澳大桥沉管施工。该系统填补了海上工程施工“作业窗口”的理论空白，具有较高的推广应用价值。

4.1 概　　述

4.1.1 无缝隙天气预报的现状

随着大型计算机和大气及海洋探测技术的快速发展，天气预报已演变成一门覆盖多种资料分析和应用的综合学科。天气预报按照时间长短分类大致可分为：几小时的临近天气预报，1～3 d 的短期天气预报，4～9 d 的中期天气预报及 10～30 d 的延伸期天气预报。

自 1950 年世界上第一次成功地做出数值天气预报以来，数值天气预报方法取得了长足的发展。数值解法日益精确，对大气的描述越加精细，从地表到平流层，垂直方向上可划分为 40～50 层网格，水平方向可细化到 10～20 km，预报时效可达 10 d。1981 年，国际上预报未来 7 d 的天气只能报准 40%。通过不断改进数值天气预报模式，近年来，7 d

的预报准确率能达到65%，5 d的预报准确率能达到80%，3 d的预报准确率能达到90%以上。科学界将预报准确率超过60%的预报称为“有用的预报”，即可以对外发布的预报。逐日的数值天气预报受到可预报性的限制（Lorenz，1969a，1969b；丑纪范，1986）。可预报性是指天气预报的时效上限，理论上为两周左右。数值模式研发界普遍认为，预报误差产生的来源是初始条件的误差和预报模式的不完善，另外受制于大气过程的混沌本质（卞建春和杨培才，2003）。初始误差随着预报时效的加长，预报误差呈非线性增大，模式积分3～5 d时，误差增长为初始误差的两倍，对于小的误差增长更快。

我国目前天气预报的有效期能够达到5～7 d的水平。随着预报技术的不断进步，天气预报时效将从7 d逐渐延伸到14 d。丁一汇院士明确地说：“根据现有技术发展速度（有效预报时效每10年增加一天），未来70年内就有望达到这一水平。由于现代科学技术的快速发展，这个期限还会大大缩短。”“如果要再进一步提高预报时效，需要与气候预报相衔接，共同提高两周到数周的天气预报水平，这是未来无缝隙预报和一体化预报的主要趋势。”“未来在天气预报和气候预报的时效之间，还会有一种‘大气-气候关联’研究，这将是进一步延长预报时效的关键领域。”“这个领域的研究成果将和天气预报、气候预报共同组成无缝隙预报系统，并共同使用耦合的数值预报模式，对未来天气实现一体化预报。”（引自2014年4月2日《中国气象报》）

4.1.2 面临的挑战

众所周知，预测时间越长，不确定因素越多，越复杂，因而预测的难度越大，预测结果的准确性也较低。在工程施工安全保障与施工工艺应用方面，即使是3 d平均准确率达90%的数值预报都无法直接使用，一个重要的原因是岛隧工程施工对环境的要求比较苛刻。施工海域位于珠江口外海，是大陆和南海交界的区域，受海陆共同影响，海洋环境变化大，10%的误差就可能影响施工精度，甚至导致施工失败。因此，开发一种新的预报技术，解决岛隧工程沉管施工中的环境安全问题。

不同的天气系统，有不同的天气特征和生命史，因此具有不同的预报时效，如强对流、寒潮、台风，生命史从几小时到十几天。面对施工决策需要的长时效、高准确率的要求，如何把短时效变为长时效，即天气要素预报映射成天气系统预报，再转化为气候背景的预测。首先，进行气候背景（月、季、年及更长时间尺度）的预测。其次，对历史上不同气候背景下的天气系统的发生概率进行统计分析。两者结合，诊断得出当前气候背景下所关注的天气系统的发生概率。进一步，开展集合数值预报的解释应用，锁定天气系统的发生时段和强度范围。再进一步，利用确定性数值预报（7 d），详细追踪天气系统的演变及中小尺度过程，给出具体的海洋气象要素预报。最后，大数据分析结合地面站、雷达和卫星等平台的实时资料，给出滚动更新的准确临近预报（0～12 h）。无缝隙天气预报就是将以上多时间尺度预报方法有机地结合起来，将天气要素的短时效倒推去捕捉天气形势的长时效，同时又是将短期气候的异常信号不断地进行时间分解变成0～3 d的天气要素预报。

虽然近年来随着大型计算机和探测技术的飞跃发展，天气预报无论从预报准确度还是预报时效上都有长足的进步，但是当把天气预报应用于像岛隧工程这样的小区域且需要长时效、高精度预报时，就会发现数值预报精度远远不能满足工程的需求。对工程作业海域开展气象观测，分析该海域气象海洋变化特征，是十分必要的。只有掌握覆盖率较高的卫星、雷达及观测资料，预报员才能在进行天气系统诊断分析时给出正确、全面的预报结论。

4.2　无缝隙天气预报的定义、理论基础及技术分类

4.2.1　无缝隙天气预报的定义

传统意义上，无缝隙天气预报主要是指在预报的时间尺度上具有从几小时的临近预报到一天甚至一周的中短期天气预报和月、季、年及更长时间尺度的气候变化预测。但在本书中，无缝隙天气预报是指将 0～15 d 不同时间尺度预报有机衔接，是一套用于涉海工程作业保障的天气预报系统。

丑纪范曾提出："从有实际意义的定义出发，先解释倒向问题，再解决正向问题的科研思路，会成为解决未来气象问题的可行之路。"港珠澳大桥岛隧工程施工作业窗口的预测，就是一个倒向问题，即以满足气象要素条件为准则去寻找预报思路，预报时效为 15 d、7 d、3 d、0～24 h，在此思路上建立了用于施工保障的无缝隙天气预报系统。

4.2.2　无缝隙天气预报的理论基础

不同的天气过程或天气系统，有着不同的周期和生命史。因此，通过研究和分析天气过程（系统）的演变规律，基于数值预报技术、统计方法及诊断分析，开发多种时间尺度的预报系统和方法，并遵循天气系统演变历程、预报技巧，把不同的预报时间尺度无缝隙地连接起来。

天气预报的方法：一是天气图方法，利用天气图、气象卫星云图和雷达回波图、气象站点观测实况，根据前期的槽脊位置等天气系统外推其移动，预估未来的天气变化；二是数值模式方法，以计算机为工具，通过解析流体力学、热力学方程组等制作天气预报；三是统计预报方法，以概率论数理统计为手段。

由于天气图方法和数值模式方法不能从根本上解决未来几天的天气预报问题，因而人们利用统计预报方法弥补不足，如从观测的天气资料和数值预报模式资料中使用降尺度方法，即统计预报方法的解释应用（Benestad et al.，2008）。因此，天气图方法、数值模式方法和统计预报方法，它们仍然是未来相当长时期内天气预报的主要手段。

4.2.3 无缝隙天气预报技术分类

无缝隙天气预报技术，即从长期、中期到短期，预报时效由长至短，对天气系统进行跟踪预报的一套综合预报方法，其中包括了气候预测方法、中期数值模式集合预报、短期数值模式结果释用方法和临近实测数据判别方法等，可提供 15 d 的中期天气预报产品，使目前的预报时效延长了一倍。

1. 8～15 d 时效的预报技术

前文中提到超过 7 d 时效的预报准确率低于 65%，即 8 d 以上时效的预报就要减少对数值模式的运用。但港珠澳大桥岛隧工程每一次启动沉管安装，必须在 15 d 或更长时间前进行决策。鉴于这两个方面的原因，研发了小区域 8～15 d 时效的预报技术。

气候变化涉及整个大气、海洋、大陆、冰雪和生物圈在内的庞大气候系统。短期气候变化是指时间尺度从月度到季度及年际的大气环流的变化。一般而言，大气运动的时间尺度越长，它的空间尺度也越大。对于长期天气过程和短期气候而言，不仅大气内部动力、热力过程是重要的，大气外部强迫因子如海洋和陆面热状况也是十分重要的。中国地处季风区，气候变化受季风环流影响，由于东亚大气环流和季风的活动年年都有较大差异，造成中国气候年际变化很大，增加了短期气候预测的难度（陶诗言等，2003）。

杨鉴初提出了历史演变法，揭示了气象要素时间序列的五个特性，即持续性、相似性、周期性、最大最小可能性和转折点。持续性、相似性、周期性反映了长期天气演变过程中历史特点的某种重现；最大最小可能性给出了要素历史资料的概率特征；转折点使人们认识到长期天气过程不仅有量的变化，而且还会出现质的飞跃。他强调的气候要素历史演变过程中的“转折点”是非常有创见的，它启示人们将大气过程中历史规律的重现用于预报的同时，还要随时提防转折点出现的可能性，减少预测的失误。

随着探测技术的不断发展，大气、海洋可获取的资料增多，气象学者们对大气内部动力过程有了更多认知，同时也开展了大量大气外部过程与气候异常关系的研究。在短期气候预测方法上，除了传统的数理统计方法外，前期大气环流的诊断与分析、大气外部强迫因子的前期强信号海温和积雪等的综合运用，使得预测工作建立在一定的物理基础上。

气候背景分析就是依据历史演变法，试图从持续性、相似性、周期性来反映施工作业海区的长期天气演变过程，以及用最大最小可能性给出风要素的概率特征。基于再分析气象资料、台风数据，对影响施工区的主要天气系统进行分型，建立多年天气系统及其要素的数据库，如冷空气路径、高压入海回流、西南低压（西南季风）、高空切变线、南支槽、台风、短时强对流天气。利用相似理论，分析施工区 6 级以上大风与天气系统的关系。

在多年海洋气象数据库、气候背景分析的基础上，根据施工前几个月全球海洋大气异常特征，利用短期气候预测方法，如相似年合成、超前相关关系、多因子回归方程等预测施工区域高影响天气系统发生概率是偏高或偏低。

利用国内外预报效果较好的数值模式结果，提取施工区定点天气要素，利用集合预报方法，给出天气系统的过程预报；将窗口期天气系统与历史同期相似过程进行对比分析，加入局地地形影响和日变化因素，订正天气系统过程预报的影响时间和强度；预报员团队结合天气学演变规律进行会商，给出天气系统的过程预报（图 4-1）。

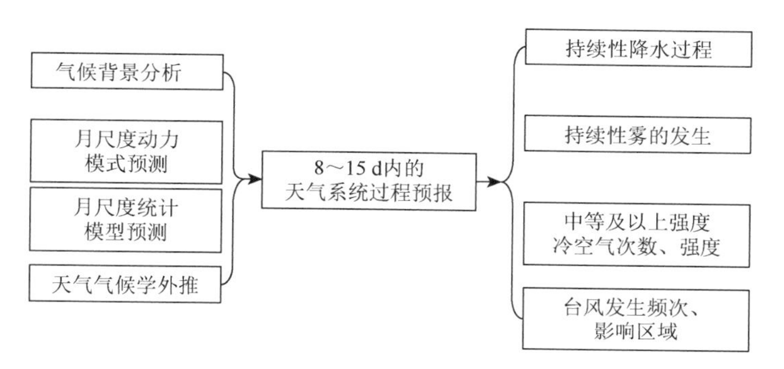

图 4-1　8～15 d 预报流程

2. 1～7 d 时效的预报技术

将数值天气预报、高低层大气环流实况、天气学分析相结合，重点利用施工区上游天气系统实测资料对施工区天气过程进行预报调整，追踪窗口期天气要素的变化（图 4-2）。

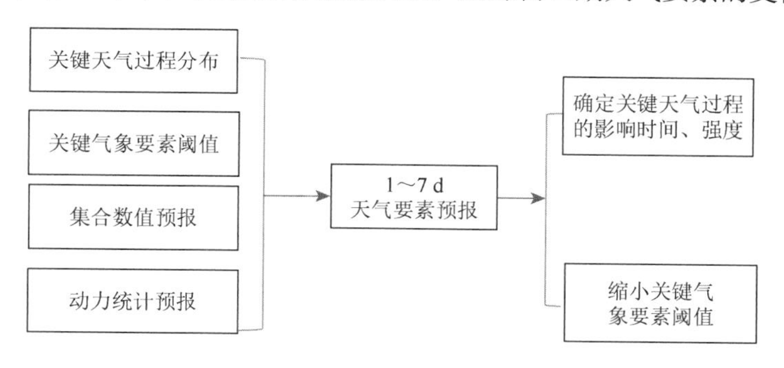

图 4-2　1～7 d 预报流程

3. 0～1 d 时效的预报技术

0～1 d 临近预报，在确定窗口期天气要素基本满足施工条件的基础上，实时观测云图和雷达图等资料，开展施工窗口期细化的天气要素定量预报（图 4-3），重点针对预报时效短的高影响天气，如临近大风、海雾、强对流天气的起始及强度。

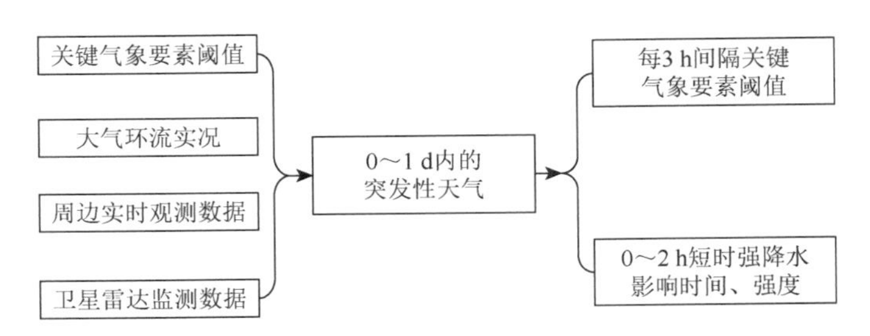

图 4-3　0～1 d 预报流程

4.3　在实际施工中的应用

图 4-4 为无缝隙天气预报技术路线图。首先利用再分析资料、施工区及周边气象测站实测资料，进行气候背景分析，诊断不满足施工条件的高影响天气形势，对天气系统进行分类，如冷空气路径、高压入海回流、西南低压（西南季风）、高空切变线、南支槽、台风、短时强对流天气等，锁定该时段影响施工期区的主要天气系统。根据施工流程，开展长期概率预报、中期过程预报，预测作业窗口，启动相应的沉管施工流程，开展短期数值预报、临近精细化预报，跟踪高影响天气系统的演变过程，修正作业窗口及沉管对接窗口。

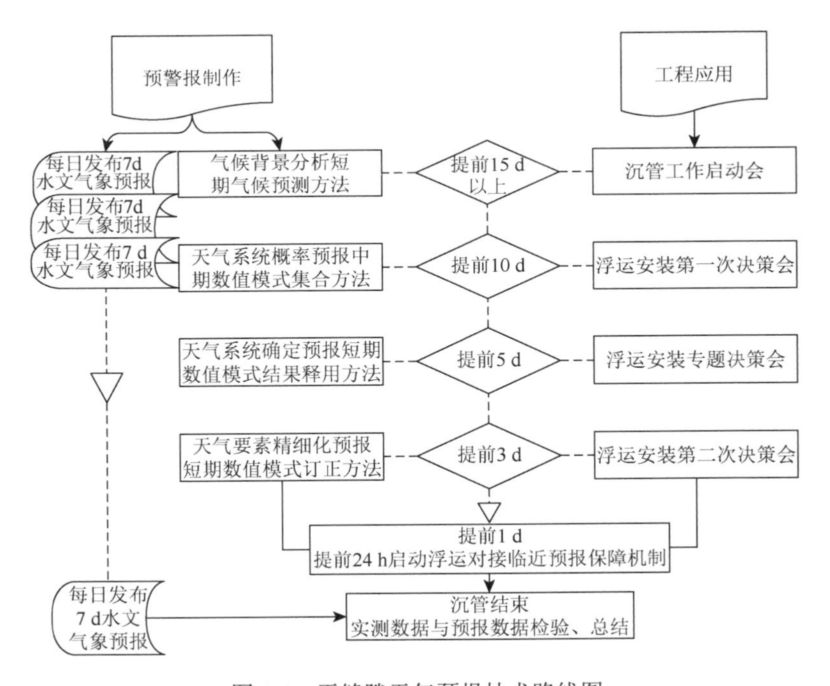

图 4-4　无缝隙天气预报技术路线图

2016 年 12 月下旬，在港珠澳大桥 E33 管节沉放安装前，项目总经理部召开了不同类型的会议，如风险识别、施工窗口预测、安装决策等。由于沉管施工周期长、基槽泥沙淤积及严苛施工条件等，因此施工窗口预测正确与否，直接关系沉管安装的成功与失败。

4.3.1 提前 10～15 d 的预报

提前 10～15 d 的预报，是对天气系统发生的时间、强度区间和不确定性的预测与评估，尤其是对可产生 6 级以上大风天气系统演变规律的研判。

首先分析 12 月的气候特征，以及 2012～2015 年逐年 12 月施工区 5 级以上的大风天气过程，并针对不同类型的冷空气进行分类分析。12 月的气候特征表现为，影响作业区的天气系统为冷空气，没有热带气旋直接对作业区产生影响。冷空气势力逐渐增强，强冷空气影响时，风力平均可达 6～7 级，短时阵风可达 8 级。风向以偏北风为主，持续时间较长。冷空气影响的天气形势比较复杂，表现为高、中、低纬度天气系统相互调制，预报难度加大。例如，东亚冷高压东移出海时，珠江海域施工作业区风力转为东—东北风，受高压底部回流的影响，风力也维持 4～5 级。

第二步，施工窗口预测。2016 年 12 月 9 日，根据前期大气环流系统演变及气候异常、短期气候预测结果，预计 12 月 20～26 日，我国中高纬度地区为弱高压脊控制，无经向西风槽活动；西北太平洋副热带高压强度偏强、位置偏西。位于欧亚地区的北极极涡，强度偏强，但整体位置偏北。从发展趋势分析，预计 12 月下旬中前期有一次明显的东亚大槽东移，其后部冷空气较强，届时施工区将有一次 6 级风以上的冷空气过程。南支槽东移，可对施工区造成 6 级以上大风影响，但该系统可预报时效较短（48～72 h）。

4.3.2 提前 5～10 d 的预报

12 月 16 日距离施工时段（12 月 20～26 日）5～10 d。

自 12 月 9 日以来，位于贝加尔湖以西的冷涡，未来一周内原地少动，其南侧分裂出西风短波槽东移，预计 23 日前后，受槽后弱冷空气的影响，施工区有东—东北风 5 级。由于中旬末和下旬初期，无西风深槽南压，西北太平洋副热带高压有所西伸北抬，控制南海中北部海域。其环流形势有利于南海南部热带云团的活跃和维持。预计 20～21 日，施工区位于高压南部，施工区为多云天气，能见度较好，东—东北风 3～4 级；22～24 日，受弱冷空气的影响，施工区阴有阵雨，早晚有轻雾，能见度较差，东—东北风 4 级转偏东风 5 级；25～26 日，施工区位于高压南部，施工区为多云天气，能见度较好，东—东北风 4 级。施工窗口期的天气预报见表 4-1。

表 4-1　2016 年 12 月 16 日施工海域天气预报（20 日 8 时～27 日 8 时）

时间	天空状况	天气现象	海面风
20 日 8 时～21 日 8 时	少云至多云	—	东—东北风 3～4 级
21 日 8 时～22 日 8 时	多云至阴	—	东—东北风 3～4 级
22 日 8 时～23 日 8 时	多云至阴，19～24℃	雨和轻雾	偏东风 3～4 级， 22 日下午转偏北风 5 级， 23 日凌晨转东北风 5～6 级
23 日 8 时～24 日 8 时	多云，17～21℃	—	东北风 5 级，阵风 6 级
24 日 8 时～25 日 8 时	少云至多云	—	东—东北风 4～5 级
25 日 8 时～26 日 8 时	少云至多云	—	东—东北风 4 级
26 日 8 时～27 日 8 时	多云	—	东—东北风 4 级

4.3.3　提前 0～3 d 的预报

12 月 22 日距离施工时段（12 月 24～25 日）3 d。

根据实测资料，更新了前期的预报结果，对后期施工时段进行了天气趋势分析。受冷空气的影响，施工区已于 22 日凌晨起有北—西北风 5 级。23～24 日，受此次冷空气东移南下和西南低压的配合影响，施工区有偏北风转东—东北风 5～6 级。由于 12 月 24～26 日，西北太平洋副热带高压有所西伸北抬，控制南海中北部海域。其环流形势有利于热带气旋进入南海南部海域活动。密切关注 22 日 2 时在西北太平洋上编号为 1626 号台风“洛坦”的动态，预计其 26～27 日进入南海南部。冷涡主体于 26～28 日在我国高纬度地区上空维持，有两个阶梯槽南下。受其影响，27～29 日施工区有两次较大偏北风过程，可达 6～7 级，阵风 8 级，降温幅度较大，也使得进入南海的“洛坦”逐渐被削弱。

12 月 23 日下午，根据最新资料及调整的施工窗口（23～30 日）进行了精细化的预报（表 4-2）。

表 4-2　12 月 23 日施工海域天气预报（23 日 8 时～30 日 8 时）

时间	天空状况	天气现象	海面风	有效波高
23 日 8 时～24 日 8 时 （农历十一月二十五）	晴间多云 18～22℃	—	东北风 4～5 级 23 日夜间起东—东北风 5～6 级	0.3～0.7 m
24 日 8 时～25 日 8 时 （农历十一月二十六）	多云至阴 18～20℃	阵雨	东—东北风 5～6 级	0.5～0.8 m
25 日 8 时～26 日 8 时 （农历十一月二十七）	多云 19～22℃	—	东—东北风 4～5 级， 25 日下午起偏东风 3～4 级	0.3～0.6 m
26 日 8 时～27 日 8 时 （农历十一月二十八）	少云至多云转阴	阵雨、轻雾	偏东风 3～4 级， 26 日半夜转西北风 6～7 级	从 0.3～0.6 m 增大 到 0.7～1.1 m
27 日 8 时～28 日 8 时 （农历十一月二十九）	多云至阴	—	西北风 6～7 级，阵风 8 级	0.7～1.2 m
28 日 8 时～29 日 8 时 （农历十一月三十）	多云	—	偏北风 5 级，半夜增大为 6 级	0.5～0.8 m
29 日 8 时～30 日 8 时 （农历十二月初一）	晴间多云	—	北—东北风 5～6 级	0.5～0.8 m

4.3.4　预报检验

①提前 10 d 预测了 23 日前后，欧亚高纬长波槽调整，有一次冷空气活动，施工区有 5 级以上风力。

②提前 3 d 准确预测了 24 日冷高压回流形势和 1626 号台风“洛坦”的路径发展，但冷高压主体偏北，回流形势偏弱（图 4-5）。

③提前 5 d 较为准确地预测 27～28 日冷空气强度。

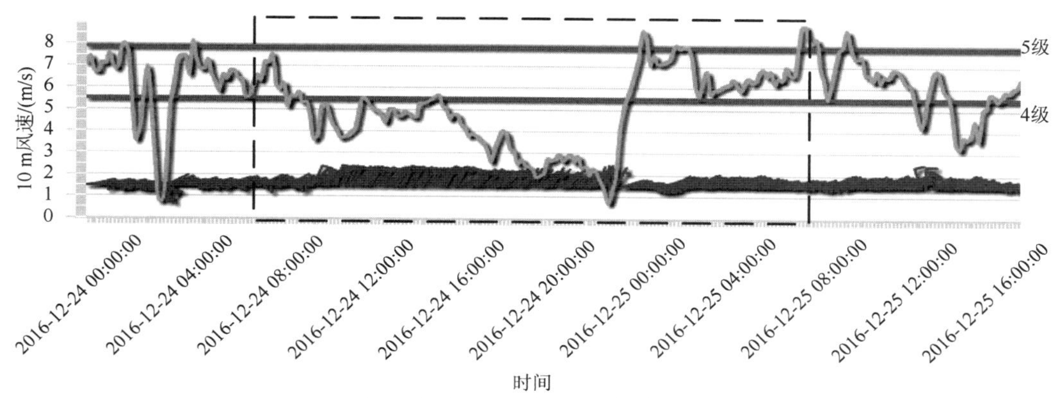

(a) 1号气象站10 m风速-时间序列统计

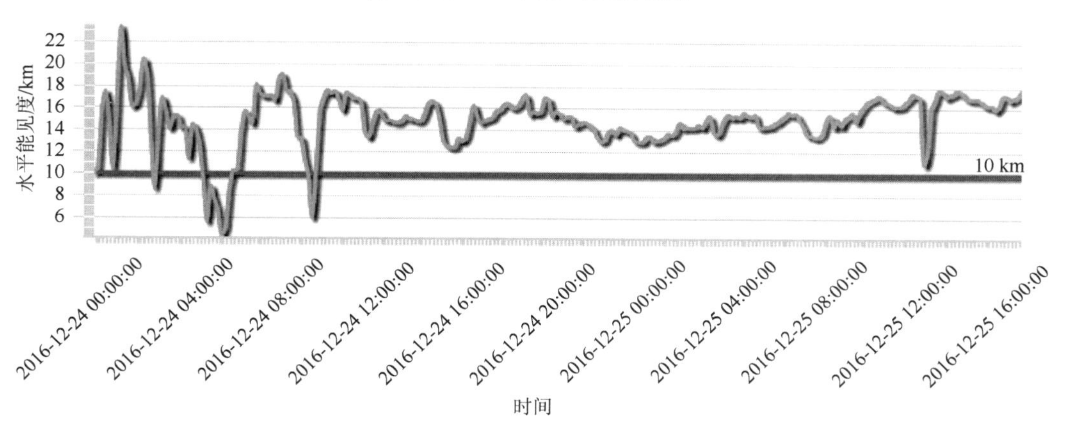

(b) 1号气象站水平能见度-时间序列统计

图 4-5　1 号气象站 10 m 风速和水平能见度实测图

第 5 章　珠江径流对工程区水文环境的影响

5.1　概　　述

珠江径流主要由三大水系组成，即西江、北江和东江。西江、北江两江在广东省佛山市三水区思贤滘汇入珠江三角洲，东江在广东省东莞市石龙镇汇入珠江三角洲，经虎门、蕉门、洪奇门、横门、磨刀门、鸡啼门、虎跳门及崖门八大口门汇入珠江口海域，即我国南海北部长又宽的喇叭状河口湾——伶仃洋。

珠江流域雨量充沛，是河川径流量特别丰富的典型雨型河。据统计，珠江诸河下游进入河口区的年平均水量为 3029.1 亿 m^3，年平均径流量为 9584.3 m^3/s，仅次于长江。珠江径流量的季节变化十分明显，有明显的洪、枯两季。

西江是珠江的主流，它发源于云南省曲靖市沾益区乌蒙山脉中的马雄山，流经云南、贵州、广西、广东四个省区，在磨刀门入南海，全长 2214 km，流域面积 353 120 km^2，占珠江流域面积的 77.8%。受降雨量影响，西江流域 5 月才开始进入汛期。从西江代表站高要站多年月平均径流量来看，西江干流 5～9 月为汛期，汛期径流量约占全年总径流量的 90%以上，其中 6～8 月水量最为集中，7 月径流量达到最大，约占全年总径流量的 18%。

北江发源于江西省赣州市信丰县小茅山，思贤滘以上河长 468 km，流域面积 46 710 km^2，占珠江流域面积的 10.3%。主要支流有武水、滃江、连江、绥江等。北江代表站石角站的监测数据显示，多年月平均径流量 1～3 月较小，4 月径流量开始增大，到 6 月径流量达到最大（月平均径流量超过 3000 m^3/s），7 月径流量又逐月开始减小，12 月径流量达到最小。北江石角站水量主要集中在 4～9 月，约占全年总径流量 70%以上。

东江发源于江西省赣州市寻乌县桠髻钵山，石龙以上河长 520 km，流域面积 27 040 km^2，占珠江流域面积的 6.0%。主要支流有新丰江、西枝江等。东江代表站博罗站，多年月平均径流量在 1～3 月较小，4 月入汛，径流量开始增大，到 6 月达到最大，达到 2000 m^3/s，而后径流量又逐月减小，12 月达到最小。东江水量与北江类似，主要集中在 4～9 月，其径流量之和约占全年总径流量的 70%以上。

珠江海域盐度变化取决于珠江流域降雨强度，即取决于流域来水量的变化。珠江口盐度表层低，底层高，从上游到下游逐渐升高，这与其他入海河口海域盐度分布相同。

由于珠江径流存在年际变化，珠江口盐度也存在明显的年际变化。

5.2 大径流对沉管隧道施工区水文环境的影响

图 5-1 给出了 2012～2015 年珠江总径流量(西江、北江和东江各代表站径流量之和)季节变化。从图中可见，这 4 年珠江径流量有一个共同的特点，5 月和 6 月都会出现径流量的峰值，这归因于华南前汛期的降水。7 月或 8 月的径流量峰值，主要是由台风过程产生的降水所致，因此不是每年都出现大径流。台风对珠江径流量的影响取决于台风云系含水量及东亚的大气环流系统。这 4 年里，总径流量超过 22 000 m^3/s 的过程总共有 7 次，本章主要分析 2013 年 6 月 11～15 日、2013 年 8 月 17～27 日、2014 年 5 月 20～27 日、2014 年 6 月 7～10 日、2015 年 5 月 22～28 日的大径流对沉管隧道施工区水文环境的影响。

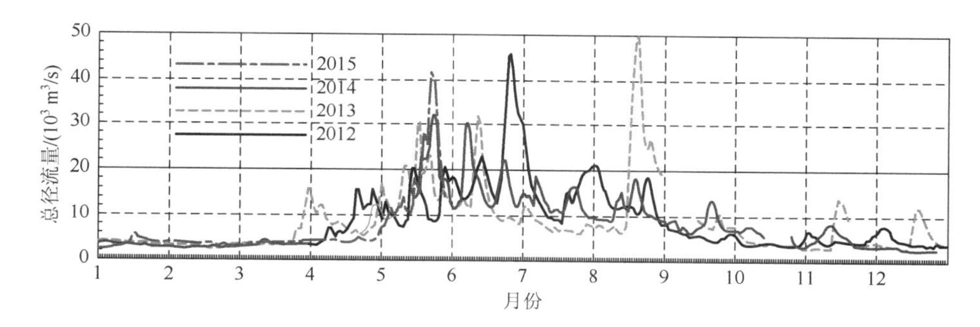

图 5-1 2012～2015 年珠江总径流量的逐日分布（后附彩图）

基于港珠澳大桥岛隧工程施工区的实测数据，分别分析了 5 次径流量超过 22 000 m^3/s 的过程对潮位和海流的影响。潮位资料取自港珠澳大桥西人工岛北侧的潮位观测站，海流资料取自岛隧工程施工区 4 号浮标的海流计。

取由调和常数计算的潮位作为没有受径流影响的标准值（或称标准潮位），流速的标准值取自对应时刻海流数值模拟值，下面逐年分析大径流量对潮位和水流流速的影响。

5.2.1 2013 年 6 月大径流的影响

2013 年 6 月 11～15 日，珠江总径流量超过 22 000 m^3/s，13 日总径流量达到 32 000 m^3/s（图 5-2）。受其影响，6 月 13 日 18 时～6 月 17 日 18 时，不论是涨潮还是落潮，西人工岛潮位都偏高 10～35 cm（图 5-3），6 月 14 日 12 时潮位偏高最多，达 35 cm，大约比最大径流日滞后 1 d。17 日起，施工区的潮位恢复正常值。

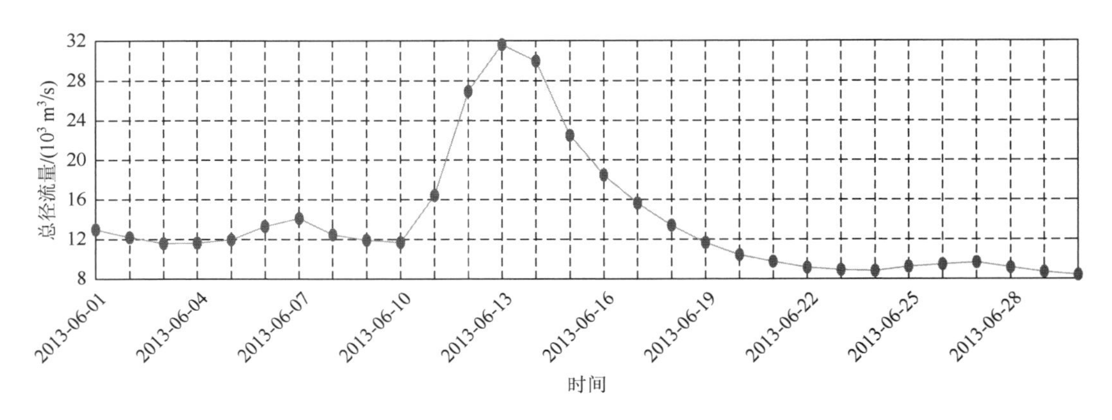

图 5-2　2013 年 6 月珠江总径流量变化

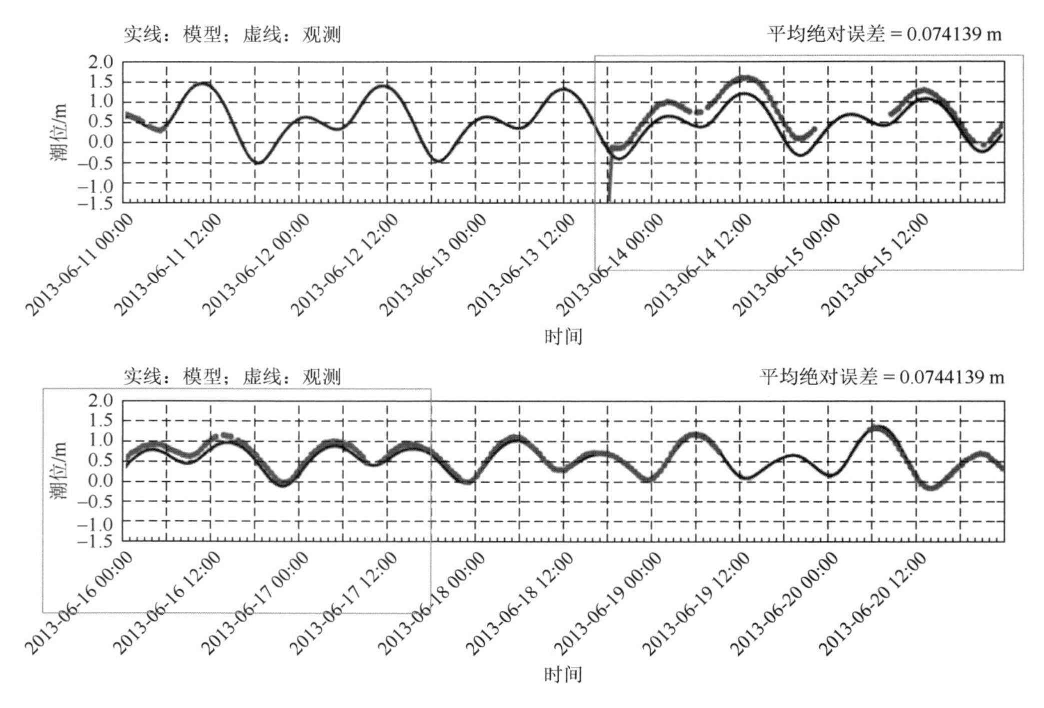

图 5-3　2013 年 6 月 11～20 日潮位

5.2.2　2013 年 8 月大径流的影响

2013 年 8 月，珠江总径流量超过 22 000 m^3/s 的时间长达 11 d，其中 4 d 总径流量超过 40 000 m^3/s，8 月 21 日最大，总径流量达到 50 000 m^3/s（图 5-4）。受其影响，8 月 18 日 12 时～8 月 23 日 0 时，施工区观测潮位比标准潮位偏高 10～30 cm（图 5-5）。8 月 19 日 7 时潮差最大，达到 30 cm。

这次持续 11 d 的珠江大径流过程，实际上由两次台风在珠江流域降水产生。2013 年

8 月 10 日，11 号超强台风“尤特”在菲律宾以东洋面形成，12 日进入中国南海，14 日以强台风的级别在广东阳江市登陆，然后北上进入广西境内，16 日在广西贺州市减弱为热带低压。11 号超强台风“尤特”强降雨云系尚未消失，8 月 18 日 12 号台风“潭美”在台湾以东洋面形成。台风绕过台湾岛北侧，进入东海。22 日台风在福建的平潭岛登陆，向西北方向移动，横跨江西省中部，进入湖南，23 日在衡阳市消失。

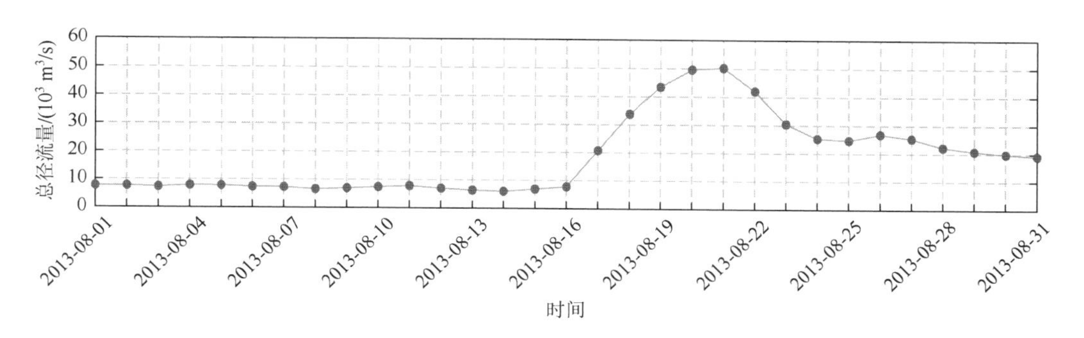

图 5-4 2013 年 8 月珠江总径流量变化

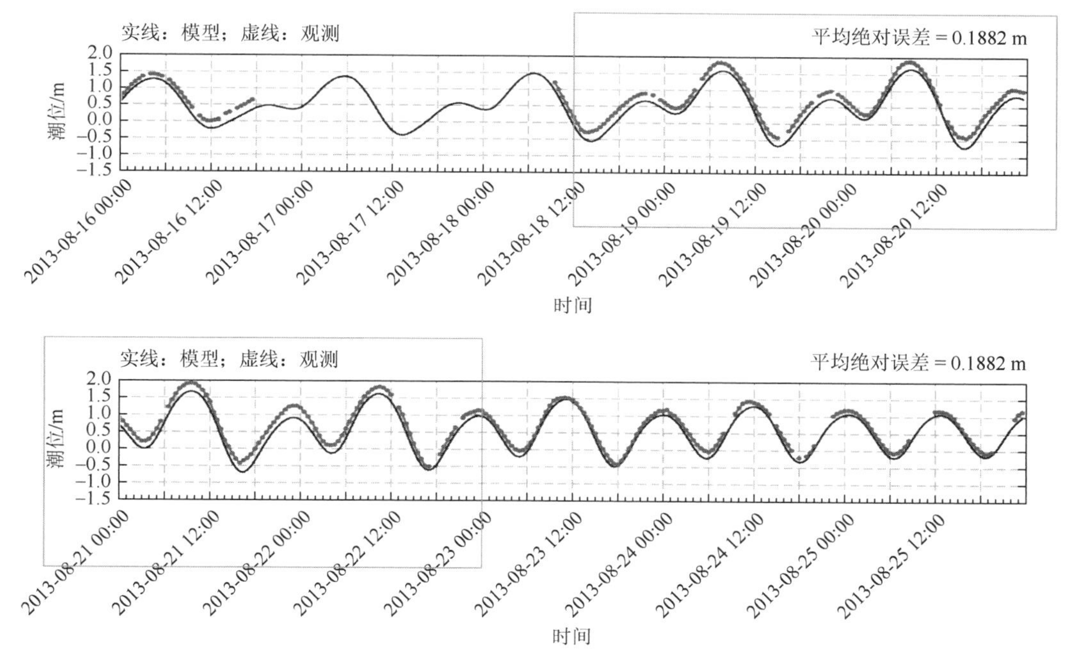

图 5-5 2013 年 8 月 16～25 日潮位

5.2.3 2014 年 5 月大径流的影响

图 5-6 为 2014 年 5 月珠江总径流量的变化。图 5-7 为 2014 年 5 月 25～29 日观测潮

位与标准潮位。由图 5-7 可知，珠江总径流量超过 22 000 m³/s 出现在 20～27 日时段，25 日达到最大，约 32 000 m³/s。由图 5-8 可知，5 月 26 日 0 时～5 月 30 日 0 时，观测潮位比标准潮位偏高 10～30 cm，最大偏差出现在 5 月 27 日 8 时，约 30 cm。

受这次大径流过程的影响，5 月 28～31 日连续 4 d 最大落潮流速均超过 1.2 m/s，5 月 29 日 15 时的落潮流速超过了 1.4 m/s，30 日 17 时的落潮流速继续维持在 1.39 m/s（图 5-8）。

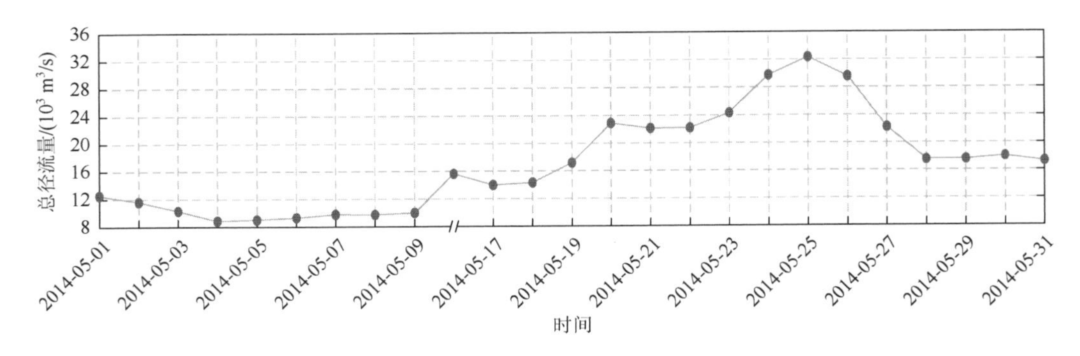

图 5-6　2014 年 5 月珠江总径流量变化

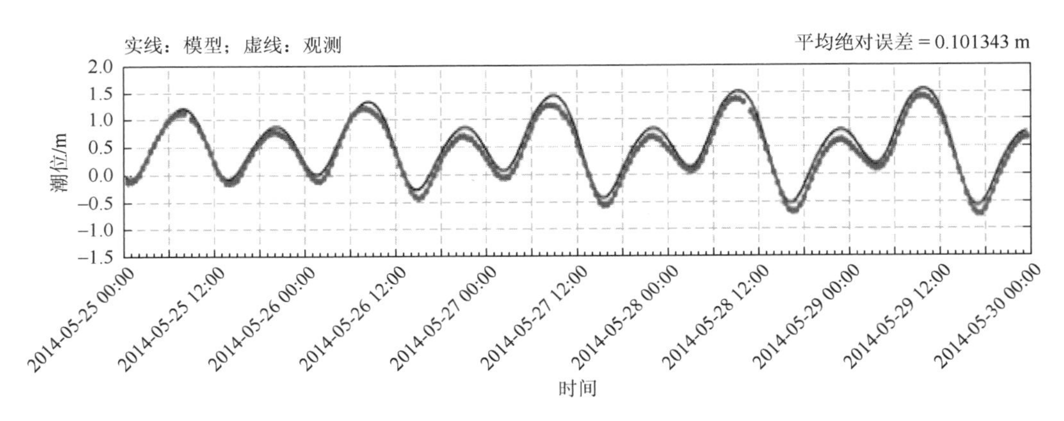

图 5-7　2014 年 5 月 25～29 日潮位

5.2.4　2014 年 6 月大径流的影响

与 2012 年、2013 年比较，2014 年大径流的持续时间短、流量小（图 5-9）。6 月 7～10 日连续 4 d，珠江总径流量超过 22 000 m³/s，最大值约 31 000 m³/s。但是，径流对施工区潮位的影响滞后时间比较长。6 月 11 日 22 时后，才对施工区潮位有影响（图 5-10）。尽管这一年的径流量小，但对施工区潮位的影响也不小，潮位偏高 10～30 cm。潮位偏高 30 cm 这一最大值发生在 6 月 13 日 10 时。这与前两年的大径流影响不同，值得进一步分析。

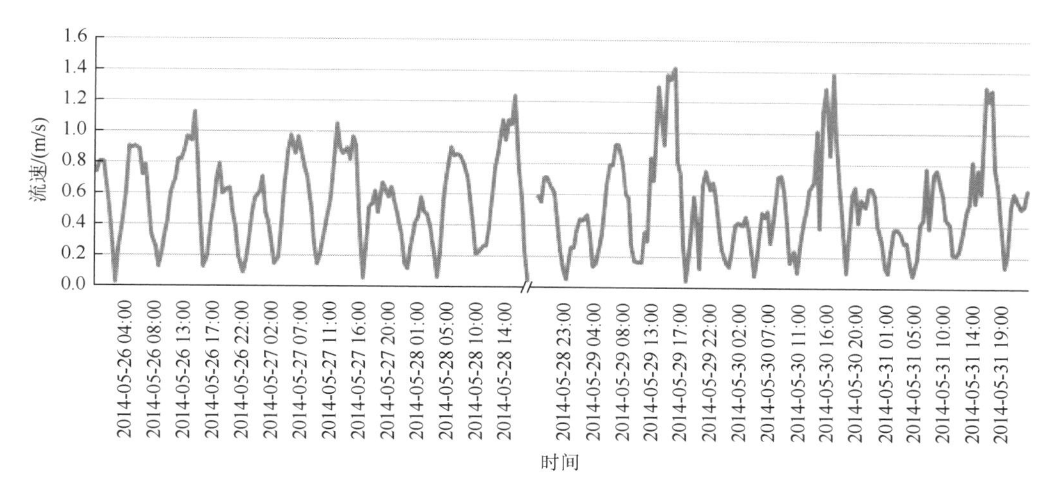

图 5-8　2014 年 5 月 26～31 日 E10 基槽上层 0～10 m 平均流速

受大径流过程的影响，6 月 13～16 日，落潮流速超过 1.5 m/s，6 月 14 日最大落潮流速接近 1.8 m/s（图略）。

可见，径流对珠江口海域施工区潮位和海流的影响，存在 2～3 d 持续性影响的特征。这可能与珠江口的潮汐运动延缓了径流的下泄过程有关。

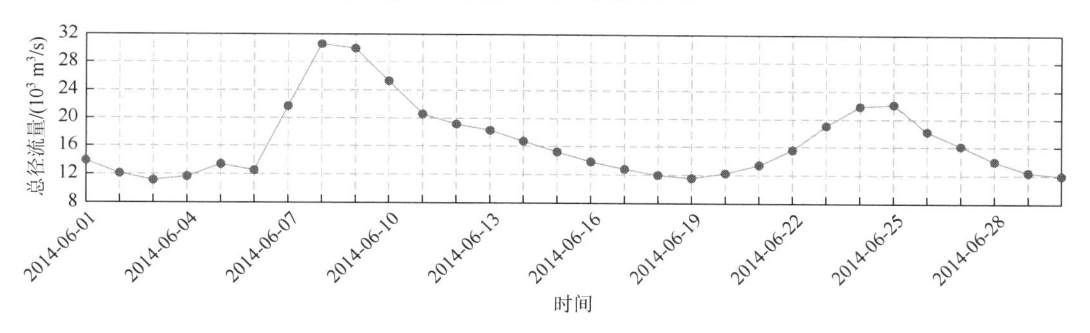

图 5-9　2014 年 6 月珠江总径流量变化

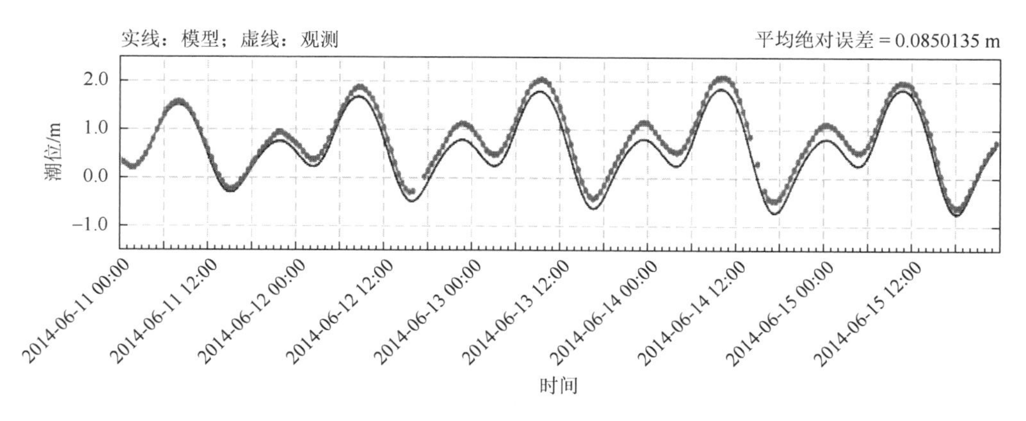

图 5-10　2014 年 6 月 11～15 日潮位

5.2.5 2015 年 5 月大径流的影响

2015 年 5 月 22～28 日，珠江总径流量超过 22 000 m^3/s，其中 5 月 25 日最大，超过了 41 000 m^3/s（图 5-11）。受其影响，5 月 21 日 18 时～5 月 22 日 18 时，施工区海域潮位偏高 10～20 cm。5 月 22 日 11 时潮位偏高 20 cm。5 月 22～25 日观测潮位与标准潮位见图 5-12，观测流速与预报流速对比见图 5-13。

受这次大径流过程的影响，5 月 22 日 17 时的落潮流速为 1.55 m/s，5 月 23 日 16 时的落潮流速为 1 m/s。

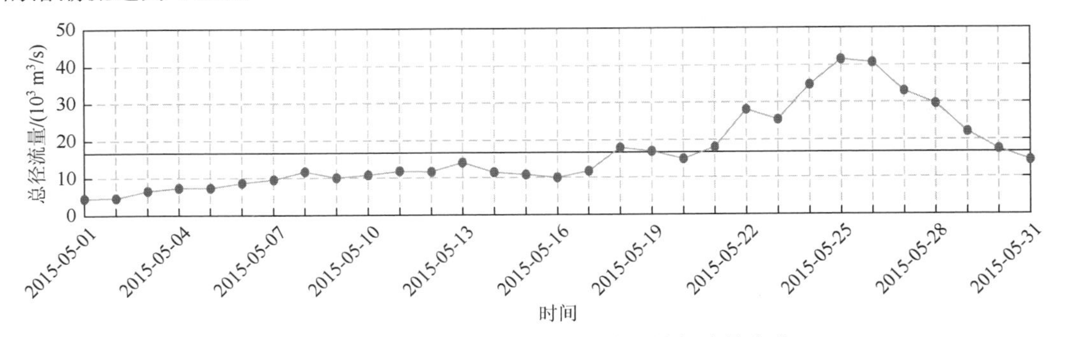

图 5-11 2015 年 5 月 22～28 日珠江总径流量变化

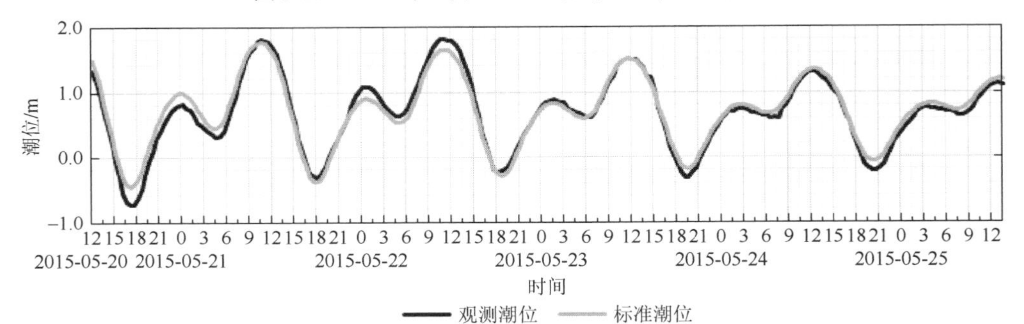

图 5-12 2015 年 5 月 20～25 日观测潮位与标准潮位

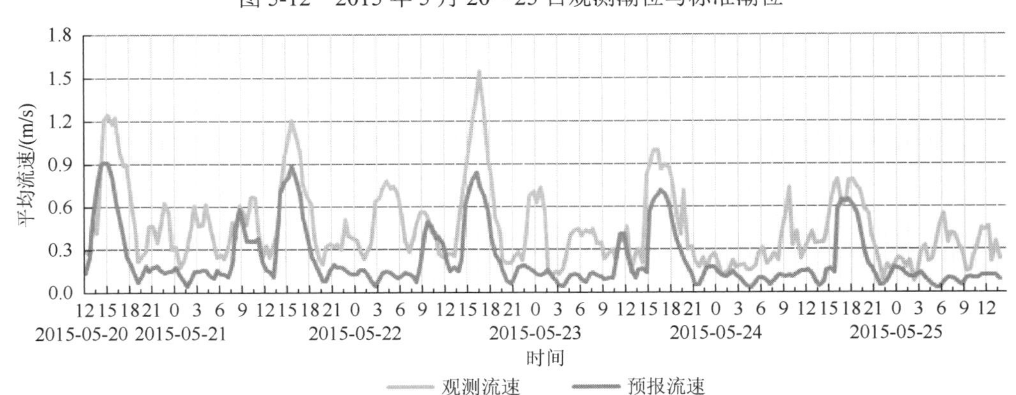

图 5-13 2015 年 5 月 20～25 日观测流速与预报流速对比

分析上述 5 次大径流过程对潮位影响的，可以得出如下结论：

①一般情况下，径流对潮汐的影响要滞后 2～3 d。

②当径流量大于 22 000 m^3/s 时，观测潮位比标准潮位偏高。

5.3 径流对工程区海流影响的数值模拟

ROMS 模式是近年来新发展起来的一个三维、自由海面和基于地形跟随坐标的非线性斜压模式，被学界广泛应用于海洋温盐流数值模拟研究、业务化海洋数值预报及泥沙输运研究。它可以模拟不同尺度海洋运动的物理过程，如全球尺度的环流模拟、中尺度涡旋和河口环流等。该模式主要特点包括 Split-explicit 计算方案、余弦型时间滤波和三阶蛙跳格式，水平方向采用正交曲线坐标的 Arakawa C 网格，垂直分层则有 S 坐标和地形跟随坐标（σ 坐标）可供选择；以 Bulk-parameterization 为基础的海气交换边界层方案；垂直混合方案包括 Mellor-Yamada 湍流闭合方案、GLS 方案和 KPP 方案；支持干湿网格处理。它可以模拟带自由海面的水静力学海洋环流，确定表面波对底部应力和底部粗糙度的影响参数。

5.3.1 模式区域

考虑尽量消除边界效应对关键海区的影响，模式的计算区域包括整个珠江口海域，即区域范围 113°30′E～114°10′E，22°N～23°N，见图 5-14。模式水平方向采用经纬正交网格，垂直采用 σ 坐标。水平分辨率取 1/600°，垂向分为 10 个 σ 层。

5.3.2 边界条件

在河口、海湾内的潮流水动力数值模拟中，边界条件的正确选取至关重要，直接影响模型计算的精度。

1. 潮汐边界

本模型的潮汐开边界数据采用美国俄勒冈州立大学 OTIS（OSU tidal inversion software）全球潮汐模型提供的 9 个分潮（M2，S2，N2，K2，K1，O1，P1，Q1，M4）调和常数。该模型的网格精度为 1/30°。模型结果与南海沿岸潮位站结果对比显示其 M2 分潮振幅的均方根误差 4.1 cm，说明该模型对南海的潮汐潮流模拟还是比较准确的，因此选用该模型结果作为本章模型开边界是合理的。然后将调和常数插值到模型开边界的各网格点上，最后采用下式给出开边界节点上的水位预报值：

$$\eta = \sum_{i=1}^{n} f_i H_i \cos(\omega_i t + \phi_{0i} + u_i - g_i), \quad i = 1, 2, \cdots, 10 \tag{5-1}$$

式中，η——水位；

f_i——第 i 个分潮的交点因子；

H_i、g_i——分潮的调和常数；

ω_i——第 i 分潮的角速度；

t——时间；

ϕ_{0i}——分潮的天文初始相位；

u_i——分潮的交点订正角。

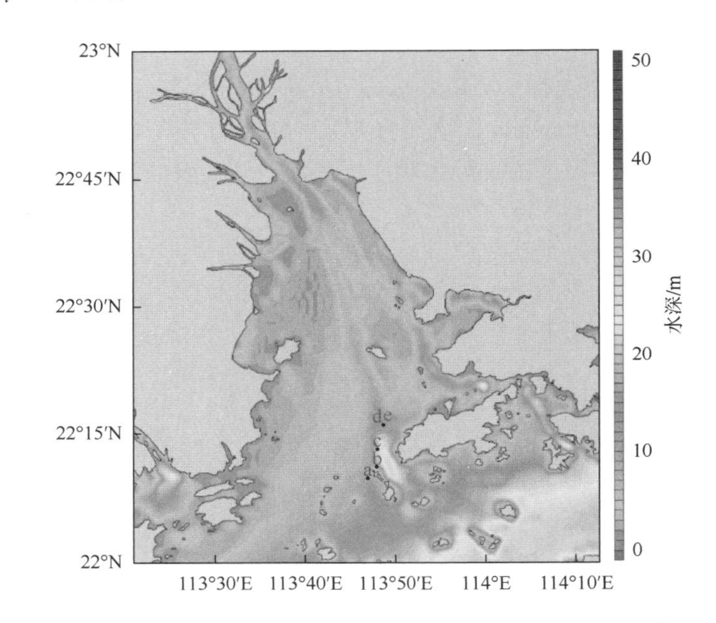

图 5-14　珠江口海域水深分布及 a、b、c、d、e 五个流速比较点

2. 河流开边界

河流开边界为虎门、蕉门、洪奇门和横门，径流量采用点源的方式加入模型中。

3. 大气强迫场

获取预报模式所需的大气强迫场包括海面风场，以及辐射、降水等气象要素场，具体如下。

①获取由珠江口精细化天气数值预报系统提供的海面风场，根据预报系统的空间分

辨率和时间分辨率要求，对得到的海面风场进行空间和时间插值及平滑处理，得到预报系统所需的海面风场；根据海面风场，计算出风应力场。

②获取由珠江口精细化天气数值预报系统提供的辐射、降水等气象要素场，按照预报系统的网格精度要求进行插值和平滑处理，为精细化海流预报系统提供所需的热通量、盐度通量等强迫场。

5.3.3　敏感性试验结果

径流量分别取 0、20 000 m^3/s 和 30 000 m^3/s，数值模式从 2015 年 6 月 8 日 0 时开始，至 6 月 11 日 24 时结束。在珠江口选取 5 个点（图 5-14），分析不同径流量对表层流速的影响。

表 5-1 是 a～e 点对不同径流量的表层流速的数值模拟结果。可见，随着径流量的增加，大部分点的流速都有增大，但是增大的空间分布不一致。a、c、d 点流速增大最为显著。当径流量从 0 增大到 30 000 m^3/s 时，这三点的流速分别增加了 0.4 m/s、0.42 m/s、0.52 m/s。b、e 点的流速分别只增加了 0.21 m/s、0.18 m/s。

表 5-1　a～e 点表层流速的数值模拟值

测点	表层流速/(m/s)		
	径流量 0 m^3/s	径流量 20 000 m^3/s	径流量 30 000 m^3/s
a	1.08	1.23	1.48
b	1.05	1.05	1.26
c	1.09	1.32	1.51
d	1.07	1.32	1.59
e	1.02	1.03	1.20

图 5-15 是 a 点表层流速的数值模拟结果。由图 5-15 可见，表层流速的大小与径流量有关，另外，通过分析发现，对于相同的径流量，潮差大时，流速增大效应大；相反，

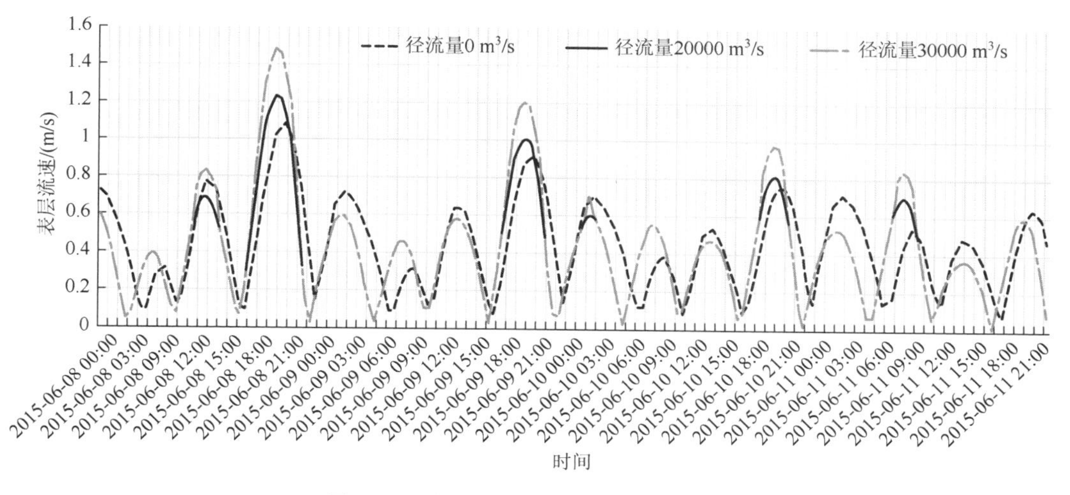

图 5-15　珠江口海域 a 点表层流速对比

潮差小时，流速增大效应就小。对于 b、c、d、e 点，也有相同的结果（图略）。这与该海域的观测结果一致。

5.4 大径流对沉管浮运安装的影响与对策

5.4.1 珠江大径流的影响

水的运动黏性不仅与水温有关，而且与水的密度有关。当水温为 17℃时，海水和淡水的运动黏性分别为 1.131 0、1.081 4，两者相差 4.587%。在珠江枯水期，珠江径流小，也就是说珠江海域的淡水量少。当珠江口内的淡水与外海的海水混合后，施工海域的海水盐度随水深增加逐渐增大，没有出现盐度突变的现象（图 5-16a）。因此，作用在沉管上的阻力在垂向上也均匀递增。图 5-16b 是 2015 年 6 月 9 日 19:47，在珠海桂山沉管预制厂坞口实测的海水密度。此时珠江为丰水期，径流比较大。从图中可以看到，8 m 以浅的海表，几乎被珠江的淡水覆盖。淡水底部（8～10 m）存在非常强的密度梯度层，在这 2 m 内，水的密度从 1008 kg/m^3 上升到 1020 kg/m^3，大约增加了 1.2%。对于长 180 m、宽 38.95 m、高 11.4 m 的管节来说，犹如漂浮在海水中的一艘巨型平底船，增加了沉管浮运的难度和风险。

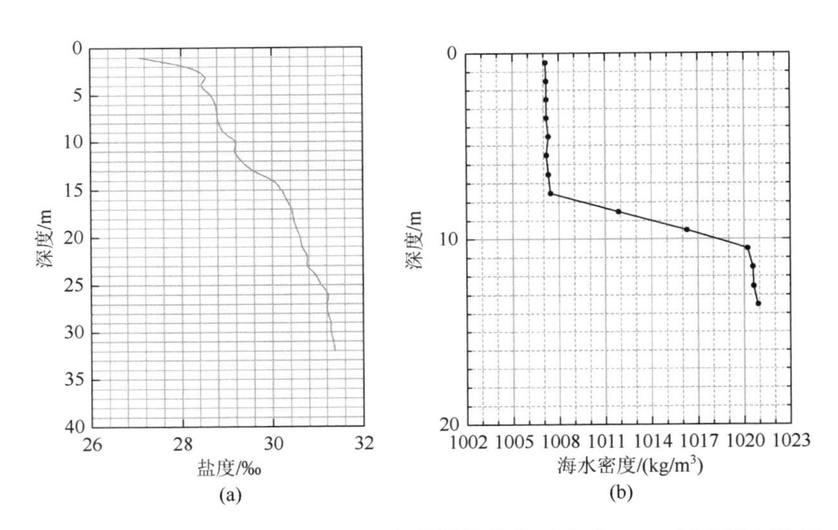

图 5-16 2015 年 3 月 24 日 18: 53 E15 安装基槽盐度（a）和 2015 年 6 月 9 日 19: 47 珠海桂山沉管预制厂坞口实测的海水密度（b）

5.4.2　措施与对策

根据沉管浮运、安装施工流程及施工工艺特点，针对大径流的影响风险，制定相应的应对措施。

①加强临近预报，开展浮运前海流推演分析，优化施工作业窗口；

②在浮运、安装关键区域，开展海流、海水密度测量，实时了解现场流速、密度等情况；

③增加拖轮，保证沉管浮运有足够的运力，保障沉管与流向的夹角处于安全范围内；

④浮运、沉放过程中，注意负浮力变化，及时进行压载水调整；

⑤制定大径流应急预案。

第6章　海上施工作业窗口管理系统

6.1　概　　述

相对陆地工程而言，海上施工受施工海域的水文气象环境影响较大，大风、巨浪、强对流天气不仅影响施工的精度，而且还会给海上设备及人员带来安全风险。重大海洋工程的工序复杂，精度要求高，工程环节联系紧密，需要精细化的时间规划和管理。

窗口一般是指可以透过的空间或满足特定条件的时间。为了保证海上施工精度及作业安全，海上施工具有苛刻的作业条件规范。可以将海洋环境的多种要素都满足施工规范的时段（例如，浪高小于作业安全阈值的时段），形象地称为海上施工的“作业窗口”。

管理系统是指由管理者、管理对象等若干个相互联系、相互作用的要素和子系统，按照管理整体目标结合而成的有机整体。本章中的海洋环境风险管理系统，针对海上施工面临的气象水文风险，研发先进的海洋观测和预报手段，评估施工的海洋环境条件，科学决策，保障海上施工的安全和质量。

6.1.1　定义

为了降低海上施工的环境风险，提高海上作业安全性和施工精度，研发海上施工海洋环境因素的观测预报系统，对海洋气象要素的时空演变进行监测预报，根据海上施工的作业条件规范，确定是否存在海上施工作业窗口及其优劣。对海上施工作业进行最优决策的管理系统，称为海上施工作业窗口管理系统，主要功能包括海上施工的作业规范、作业窗口评估，以及施工决策管理。

相比陆地或内河施工，海上施工面临更大的困难。在海洋中施工，需要考虑水文（海浪、潮汐、海流等）和气象（风速、风向等）等环境条件对施工作业的影响，为了保证海上施工的精度，首先需要保证施工平台如船舶稳定可控。不利的海洋风险如大风、巨浪、强对流天气大大限制了海上施工的机会。港珠澳大桥岛隧工程的高精度施工标准，对施工的海洋环境条件提出近乎苛刻的要求。

港珠澳大桥施工海域，水文气象环境多变，灾害性天气系统影响频繁，例如，台风、冷空气、暴雨及强对流天气带来的短时雷雨大风。沉管浮运安装阶段，浪高大于一定阈值会导致管节和沉放驳大幅度晃动，影响管节的稳定性，甚至导致灾难性的后果。海浪周期与管节自运动周期接近时，易引起共振，导致沉管晃动。受潮流、径流、海底地形综合影响，海流分布异常复杂。进入深槽以后，底层存在较大海流，受槽内复杂流态及缆系刚度弱化影响。对于质量达 7.8 万 t 的管节，运动中的管节动能大，运动响应敏感，沉放驳对管节运动的约束能力迅速下降。

港珠澳大桥海底沉管的施工，需充分评估风、海浪、海流等气象和水文环境的影响，因此，研发施工流程与环境条件要求相一致的信息化管理系统——海上施工作业窗口管理系统，将大幅度降低海上施工的环境风险，实现海上施工的科学决策，增加施工安全性，提高施工精度。

6.1.2　国内外现状

由于我国现有的沉管安装均地处内河，受风浪流影响较小，故均未建立沉管安装保障系统。在部分海洋工程实施中，如海上钻井平台安装、载人潜水器海试等，仅开展了气象及水文的预报服务。

开展海上环境安全保障，主要集中在海上航行、海上搜救及军事活动，如雪龙号航线保障、亚丁湾护航保障和 MH370 搜救保障等。水文气象预报产品时空尺度比较大、预报精度也不高，精细化保障产品几乎是个空白。

海上施工环境安全保障内容还是常规的气象和海浪预报。南海西江 23-1 单点工程保障，主要提供饱和潜水作业安全保障，在出入水时对气象及海况条件要求较高，风力小于 5 级，有效波高小于 1.5 m；南海文昌海域 14-3A 和 8-3A 导管架和组块安装工程的保障，导管架长约 136 m，重约 3400 t，作业水深超过 120 m，但是布放导管架和组块的安全水文气象条件是风力不大于 4 级，有效波高小于 1.2 m。

博斯普鲁斯海峡沉管隧道建设时，美国俄勒冈州立大学开发了作业窗口保障系统。在博斯普鲁斯海峡，上层存在从黑海流向马尔马拉海的急流，底层为由马尔马拉海流向黑海的高盐海水逆向流。日本大成公司开展了大量的物模试验及相关的计算分析，以确定作业窗口和沉管安装相关的工艺和设备。

厄勒海峡沉管隧道建设时，丹麦水工研究所（DHI）开发了气象、海浪、海流预报系统，该系统用于沉管浮运安装的施工保障作业。针对厄勒海峡复杂的海流条件，DHI 开展了大量的观测，并首次采用神经网络模型对海流进行临近预报。

韩国釜山—巨济沉管隧道，沉管施工要求 3～4 d 内不超过 40 cm 的涌浪条件，丹麦水工研究所开发了相应的海浪预报数值模型。该模型以全球海浪模式为边界条件，海面风场使用了当地气象局的模式结果。该模型能够很好地将由于当地风场产生的波分离出来，并能预报即使在台风活动条件下仍有部分时段的海浪条件符合施工要求，可以进行管节沉放工作。

相比之下，港珠澳大桥岛隧工程施工对气象海浪条件的时间窗口要求更加苛刻，即提前 10～15 d 做出“连续 3 d 风力小于 5 级、有效波高小于 0.8 m”预测，这不仅对预报技术提出了挑战，而且对海上施工保障——“窗口”预报提出更高要求，这在之前的海上作业保障中未有先例。

随着数值天气预报技术的快速发展，预报时效和精度有了很大的提升，因此国内外业务气象预报主要依据大气数值模式预报结果，按预报时间长度分为中、短期天气预报和气候预测。10～30 d 的预报目前尚无成熟的方法与技术，是当前天气预报业务的空白，这也是天气-气候无缝隙预报研究的前沿和难点问题。此外，海上工程还对未来几小时的短期预报有着迫切的需求。

6.2 系统组成与建设

港珠澳大桥岛隧工程工艺复杂，由众多工序组成，主要包括基床铺设、清淤、浮运、安装、锁定、回填等，施工周期长，例如，基床施工 7～10 d，浮运安装回填 3～5 d，施工工序环环相扣，相互影响，因此，需要提前 2 周预测海洋环境并给出施工窗口。

施工海域冬季受冷空气影响，夏季受台风冲击，大潮期流速较大，伴随大径流影响。水文气象要素是否满足施工环境规范条件，是否存在施工窗口及其优劣，直接决定了计划的制定和施工实施。优良的“作业窗口”可以规避或降低海上施工的风险，为安全、高质量的工程施工创造有利的条件，加快工程进度，提高企业效益。

根据施工作业特点，为保证作业安全和满足控制要求，前期进行了大量环境荷载分析和现场试验，得到施工作业的环境条件。沉管浮运安装各阶段海洋环境条件见表 6-1。整个沉管浮动安装过程要求风力小于 5 级（8 m/s），海浪的有效波高小于 0.8 m，对海流速度的要求随工序变化，都在 0.8 m/s 以下，但转向、沉放及对接要求高一些，流速小于 0.4 m/s。

表 6-1　沉管浮运安装各阶段海洋环境条件

<table>
<tr><th>浮运安装阶段</th><th>持续时间/h</th><th>气象</th><th>海浪</th><th>海流</th></tr>
<tr><td>浮运（支航道）</td><td>3～4</td><td rowspan="5">风力＜5 级，
能见度≥3 km</td><td rowspan="5">有效波高＜0.8 m</td><td>上层平均流速＜0.4 m/s</td></tr>
<tr><td>浮运（主航道）</td><td>2～3</td><td>上层平均流速＜0.8 m/s</td></tr>
<tr><td>横移</td><td>1～2</td><td>上层平均流速＜0.6 m/s</td></tr>
<tr><td>转向</td><td>0.5～1</td><td>上层平均流速＜0.4 m/s</td></tr>
<tr><td>系泊</td><td>4～5</td><td>上层平均流速＜0.8 m/s</td></tr>
<tr><td>沉放</td><td>6～10</td><td rowspan="2">风力＜5 级</td><td rowspan="2">有效波高＜0.8 m</td><td rowspan="2">整层流速＜0.4 m/s</td></tr>
<tr><td>对接</td><td>4～10</td></tr>
</table>

6.2.1　系统组成

由于天气和海洋系统随时间变化，需要研发海洋气象的监测和预报系统，来把握实时和未来的海洋气象变化特征，这也是海上施工作业窗口管理系统中的重点和难点。可以用“现场环境监测，天气趋势预报，定点定量预报，集成与发布”来概括，围绕“窗口管理”这一共同的目标，建立包括气象海洋监测系统、精细化数值预报系统、产品制作系统在内的海上施工作业窗口管理系统（图 6-1）。

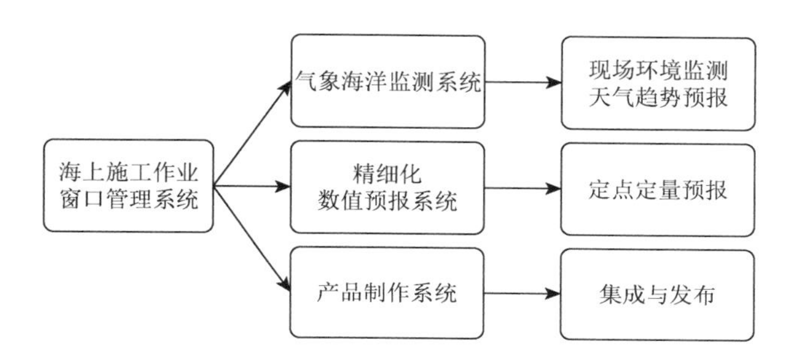

图 6-1　海上施工作业窗口管理系统

6.2.2　气象海洋监测系统

为了满足岛隧工程施工作业海洋环境预报保障的需求，提供海洋数值预报模式研制和预报结果验证所必需的高密度实时数据，建立岛隧工程现场海浪、海流观测站点，对施工现场海洋环境进行实时监测。气象海洋监测系统由气象观测站，以及海浪、海流及潮汐监测系统组成。

1. 气象观测站

根据施工实际需要，2011 年在临近预制厂附近的牛头岛和西人工岛北侧的测量平台，各建一个自动气象站。自动气象站按照《地面气象观测规范》（QX/T 45～66—2007）的要求建设。

气象观测要素包括：气压、气温、湿度、风向、风速、雨量、辐射、地温和能见度等气象要素。

自动气象站集成的传感器包括：气温和相对湿度，采用 HMP 系列一体式的温湿度传感器；气压，采用膜盒式电容气压传感器；风向和风速，采用风向标和螺旋桨一体的高性能风速风向传感器；雨量，采用翻斗式雨量传感器；地温，采用精密红外温度计；总辐射，采用一级辐射表，波长范围为 0.285～2.8 μm；能见度，采用高性能前向散射能见度测量仪。

数据采集器的主要功能是负责数据的采集、处理及传输。数据采集软件定时采集各传感器的输出信号，经计算、处理形成各气象要素值；数据处理软件完成各气象要素值的统计计算，形成所需的统计报表及数据产品；数据传输软件将数据产品通过通信端口及时发送到客户端。系统监控软件实现对观测系统状态进行监控。通信接口可实现系统与客户端的双向通信，向客户端发送现场观测数据和状态信息，或者接收客户端的指令，改变系统工作模式、升级系统软件。

2. 海浪、海流及潮汐观测系统

港珠澳大桥岛隧工程施工海域的海浪、海流及潮汐观测系统，包括 4 套海流剖面和海浪观测浮标、2 套波潮仪。4 套海流剖面和海浪观测浮标布放在沉管浮运航道、沉管安装区等关键海域。2 套波潮仪分别布放在西人工岛、E26 沉管北侧的测量平台处。

海流剖面和海浪观测浮标的观测要素包括：最大波高、波周期；有效波高、波周期；1/10 波高、波周期；平均波高、波周期；海流剖面流速及流向。海浪观测频率为 30 min，海流观测频率为 5 min。波潮仪观测要素包括：水压，观测频率为 0.5 s，每分钟自动传输潮位和 30 min 滚动的海浪统计。

海流剖面和海浪观测浮标利用 3 m 的锚泊浮标搭载海浪传感器、声学多普勒海流剖面仪及 GPS 等装置，采用太阳能和蓄电池混合供电，浮标运行监测系统可以对移位、进水、舱门开启和电源进行实时监测和报警，采用本地存储和网络传输两种方式处理观测数据，数据近实时传输至岸基数据中心。海流剖面和海浪观测浮标如图 6-2 所示。

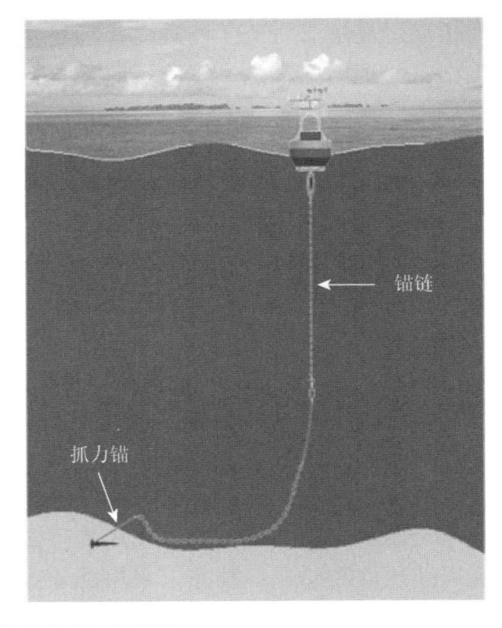

图 6-2　海流剖面和海浪观测浮标

波潮仪采用改进型“SZS3-1 型压力式波潮仪”，是国家 863 计划海洋领域海洋监测技术主题的成果之一，由中国科学院南海海洋研究所自主研发。采用 GPRS 和 CDMA 两种方式进行实时传输，预留北斗卫星通信模式。通信系统将采集处理系统传来的数据传送给授权用户的接收站，授权用户通过互联网实时接收数据。配套的可视化集成软件对实时接收到的观测数据进行分析计算，在屏幕上显示瞬时水压、潮位、波高、波周期等参数的变化过程曲线。

6.2.3 精细化数值预报系统

精细化数值预报系统，包括气象预报系统、海浪预报系统和海流预报系统。

1. 气象预报系统

WRF 模式是由美国政府机构、研究所和大学共同于 20 世纪末开发的新一代中尺度区域天气研究预报模式，主要是用于 1～10 km 网格尺度业务天气预报、区域气候预报、空气质量模拟和理想动力过程研究。WRF 模式采用可压缩非静力欧拉方程组，该模式适用于区域气候和季节时间尺度大气研究、耦合（海洋、化学等）模式应用、参数化研究、多尺度下的理想化模拟（如对流、斜压波、大涡模拟）和资料同化研究。

模式的动力框架具有如下特征：高阶对流方案、保持量纲守恒、完全的科里奥利力，以及可选曲率与地图项、双向与单向嵌套、侧边界条件。动力特征：①Arakawa C 网格；②三阶 Runge-Kutta（RK3）时间积分方案；③高阶（二至六阶）平流方案；④尺度守恒；⑤双向和单向嵌套；⑥网格逼近（Nudging）同化和观测逼近同化。

WRF 模式中考虑的物理过程选项包括几个类别，每一类别又有几种选项，它们是：①微物理过程；②积云参数化；③行星边界层；④陆面模式；⑤辐射；⑥扩散。微物理过程包括直接求解水汽、云和降水的过程。WRF 模式通常能适应质量混合比的任何数目，以及像计数浓度一样的其他数目。

WRF 模式采用时间分裂法积分方案，即低频（有气象意义的）模态采用三阶 Runge-Kutta（RK3）时间积分方案，高频模态采用更小的步长，以满足数值计算稳定性要求。

模式的客观分析使用的是 OBSGRID 模块，采用 Cressman 插值的方法，加入观测数据信息，改进初始场的格点分析。

气象模式中客观分析是通过在模式格点上吸收观测信息来改进气象分析场（第一猜值场）。一般地，观测信息来自地面和探空常规观测的直接观测，如温度、湿度、风速。随着遥感观测时代的到来，更多间接观测资料被使用到研究和业务化模式中。利用这些间接观测资料进行客观分析是一个烦琐的过程。这里使用 OBSGRID 模块进行客观分析。

OBSGRID 具有以下能力：可以选择 Cressman 方案或多元二次曲面法进行客观分析；

对可疑观测进行多次检验后剔除；输入 bogus 数据的程序；扩展网格。另外，OBSGRID 可以将输入的模式区域裁剪至输出，这样就可以将在目标区域外面的观测信息吸收到靠近边界的网格，不过使用这种功能，用户需在生成地形网格时，将区域设置得比目标区域大一些。

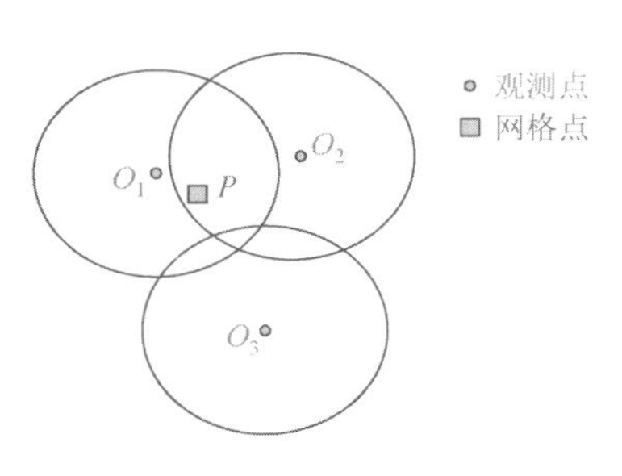

图 6-3　Cressman 方案图

Cressman 方案采用的是客观分析中最基本的方法，主要做几次连续的扫描，将第一猜值场的值逼近观测值。标准的Cressman方案对每个观测点都能设定一个固定的圆形影响半径 R，第一猜值场的每一个网格点 P 将依据所有影响 P 的观测进行调整。计算观测点和网格点间的误差，对这些误差进行距离加权平均加入 P 点里面（图 6-3）。当所有的网格点都调整以后，此时的场就将作为新的第一猜值场进入下一个调整循环（观测点 O_1 和 O_2 可以影响计算网格点 P，而 O_3 则不能）。

（1）模式区域设置

根据珠江口的地理位置与港珠澳大桥岛隧工程区项目需要，选择模式区域，考虑热带气旋（台风）从起源地移动和发展带来的影响，大区域包括大部分西太平洋区域和东亚地区，模式网格水平分辨率为 27 km，网格数为 205×175 个；中区域包括中国华南地区和南海北部，模式网格水平分辨率为 9 km，网格数为 220×190 个；小区域包括整个珠江口，模式网格水平分辨率为 3 km，网格数为 130×115 个；垂直方向为 31 层。外层区域的模式结果为内层区域提供初始场和边界条件。模式区域采取兰勃特投影，地形数据分辨率分别为 30′、10′和 2′，积分时间步长分别为 120 s、40 s、13 s。模式的初始场和侧边界都由全球预测系统（global forecasting system，GFS）0.5º×0.5º 每 6 h 的预报场资料提供。

（2）参数化方案

WRF 模式的物理过程包括：微物理过程、长波辐射、短波辐射、表面层、陆表过程、城市边界、行星边界层、积云对流、浅对流等，它配合不同物理过程敏感方案及耗散方案等共同完成大气物理过程计算。南海海域纬度较低，其天气促发机制与中、高纬地区有较大差别。由于科里奥利力对天气系统整体控制力较中高纬弱，准地转特征不显著。预报区域很大部分位于赤道辐合带上，对流过程旺盛，局地天气系统复杂，海洋水汽作用对天气系统影响突出。

上述 9 类物理过程中，长波辐射、短波辐射、积云对流、浅对流、行星边界层、微物理过程等可造成局地动力、热力输送、水汽相变等变化并拓展影响整个区域的物理参数化过程。其中，在 WRF 模式中，积云对流参数化过程集包括 10 种方案，较为常用的有 KF（Kain-Fritsch）方案、BMJ 方案、GD、Grell3D、Tiedtk 方案等。微物理过程集共有 14 种，除经典的多套 Lin、Tompson Graupel 方案、WRF 多类相方案等外，还包括新的 Y-Lin 方案、NSSL 方案等。浅对流引入了华盛顿大学方案，增加了海上浅对流的发生发展及与深对流相互作用的表现能力。长波辐射物理参数化过程有 7 个，短波辐射物理参数化过程有 10 个，行星边界层方案有 12 个。这 5 类物理过程组合已经超过 10 万种（这些还不包括单个物理过程的参数调整），如再加上浅对流、耗散过程等，物理过程搭配数庞大。

表 6-2 是 WRF 模式的部分物理参数化方案，大部分采取模式推荐的最佳方案。模式动力框架采用非静力平衡框架，湍流和混合采用扩散方案。在做工程区小区精细化同化分析时，由于大气微物理上的要求，将积云对流参数化关闭，微物理过程选择了 Thompson Graupel 方案（包含冰位相和混合相过程）。

表 6-2　WRF 模式部分物理参数化方案

项目	方案
积云对流	KF（new Eta）方案
行星边界层	YSU 方案
微物理过程	WSM 3-class simple ice 方案
长波辐射	RRTM 方案
短波辐射	Dudhia 方案
土壤	5 层土壤模式

（3）模式同化方法

通过资料同化提高中尺度数值模式初始场的质量，是提高精细化数值天气预报准确率的重要手段。目前，在中小尺度数值天气预报中，较常使用的同化方法包括：牛顿松弛逼近（Nudging）、最优插值（OI）、三维变分（3DVAR）、四维变分（4DVAR）。其中，最优插值（OI）由于只能同化与模式变量线性相关的观测，故逐渐被其他同化方法取代；4DVAR 由于其复杂性与所需计算资源的巨大，在具有较高时效性要求的、业务化的精细化数值预报中难以应用；牛顿松弛逼近作为次优约束，能够有效应用在数值模式中，并且易于实施，可以实现任何时空分布的与模式变量相对应的资料，因此得到了广泛的应用；3DVAR 作为在单个时间点上的空间资料的同化方法，兼具技术先进性和计算的高效性，具有较高的应用价值。

牛顿松弛逼近是指在预报前的一段时间内，在一个或几个预报方程中增加一个与预报和实况的差值成比例的协调项 N，使模式解逼近观测资料、变量之间达到动力协调。使用该模式解作为预报初值，以提高模式的预报效果，达到同化的目的。试验表明，Nudging 方法能改进对强对流天气的短期预报。当前的 WRF 版本里包含对变量 u，v 等的 Nudging。在模式中用户可以指定 Nudging 的结束时间、弛豫到 0 的时间；Nudging 的长度；边界层里的 Nudging 和模式低层的 Nudging 选项等。

常用的 Nudging 方法有三种：第一种是分析 Nudging，在模式积分过程中对比模式结果和分析场，根据 Nudging 参数设置使模式预报结果逼近格点分析场。这种方法适用于空间分辨率较高的情况。第二种是观测 Nudging，通过对比模式结果和观测数据，根据 Nudging 参数设置使模式结果在观测站点向观测数据逼近，然后协调整个预报场。这种方法可用于时间分辨率较高及非常规资料的情况。第三种是谱 Nudging，这种方法选择的只是 Nudging 大尺度信息，保留模式结果中的小尺度信息，从而使得模式预报既在大尺度上逼近分析场，又能保留小尺度的信息。

在比较各同化方案对计算资源的消耗和对观测资料的利用效率后，确定了 Nudging 同化方案。在同化积分过程中，利用 OBSGRID 模块，将收集到的常规观测资料［主要是全球电信系统（global telecommunication system，GTS）观测资料］进行质量控制和客观分析。进入模式以后，同时利用站点观测 Nudging 方法、三维格点分析 Nudging 方法、二维地面 Nudging 方法，将观测资料逐小时同化到模式背景场中，并经过动力和物理框架的调整，逐小时输出分析同化后的结果。

WRF 同化的具体过程为：在模式起报前 24 h 收集观测资料，通过 24 h 的资料同化来改进初始场。在资料同化改进的初始场基础上再往后做 72 h 预报（图 6-4）。

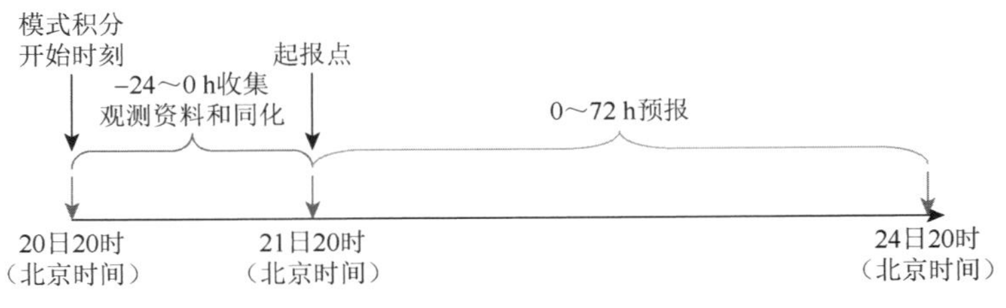

图 6-4　WRF 同化示意图

收集南海区域非常规气象与海洋观测资料，将这些资料进行解码，经过质量控制后同化到南海天气数值预报系统中，从而改进对这一区域的预报效果。

根据实际情况，港珠澳大桥岛隧工程区数值天气预报系统可以接收到的观测资料主要是世界气象组织的 GTS 观测资料。

2. 海浪预报系统

海浪预报系统采用荷兰代尔夫特理工大学发展的第三代浅水海浪模式 SWAN，SWAN 适用于海岸湖泊及河口地区的浅水海浪的数值预报。SWAN 模式综合考虑水深变浅、折射、底摩擦、破碎、白冠、风能输入、三波相互作用和四波相互作用等物理过程，可准确合理地模拟潮流、地形、风场环境下的海浪场，适用于风浪、涌浪和混合浪的预报。SWAN 模式可以较好地刻画波高、周期、波长、波陡、海浪行进方向、近底水质点的运动速度、波能传播方向、能量耗散率及单位水面所受波力等海岸工程所需要的重要参数。通过考虑浅水波浪破碎效应，SWAN 模式模拟破波带效果较好。SWAN 模式采用全隐式有限差分格式，无条件稳定。

海浪的产生和耗散主要包括：风场做功、白冠、水深变浅引起的破碎、底摩擦及三波相互作用和四波相互作用。海浪的传播过程主要包括：海流和地形变化引起的折射、变浅作用、逆流传播时的阻碍与反射、海浪在几何空间的传播、海浪在次网格障碍物下的绕射与阻尼、波浪增水。

在线性表面波理论中，假设波高同波长相比是一个相对小量，水面在局部可以看作一系列不同波长（或频率）和传播方向的正弦波或余弦波的叠加。小振幅波可以表示为（为简便起见，在下面的公式中空间坐标和波数以一维为例）

$$\eta(x,t)=a\cos(\sigma t-kx+\Phi) \tag{6-1}$$

式中，η——位置 x 和时间 t 的函数，代表波动表面；

Φ——初始相位；

a——振幅；

σ——相对频率；

k——波数。

在有流存在的情况下，流速 U、波数 k、相对频率 σ、绝对频率 ω 之间存在多普勒频移关系。

$$\omega=\sigma+kU \tag{6-2}$$

其中，假设水流的垂直剖面不随深度变化。相对频率 σ 表示为

$$\sigma=gk\text{th}(kd) \tag{6-3}$$

式中，d——水深（可以依赖于时间）；

g——重力加速度。

相速度 c 和群速度 c_{g} 可以表示为

$$\begin{aligned} c&=\frac{\sigma}{k} \\ c_{\mathrm{g}}&=\frac{\partial\sigma}{\partial k}=\frac{c}{2}\left(1+\frac{2kd}{\text{sh}(2kd)}\right) \end{aligned} \tag{6-4}$$

波的能量密度为

$$E_{\text{tot}}=\frac{1}{2}\rho g a^2 \tag{6-5}$$

式中，ρ——水的密度。

如果水面变化在时间和空间上是一个平稳过程，海浪的谱密度函数可以通过对波面的协方差作傅里叶变换得到，谱密度函数通常有以下几种表示方法：$E(\omega,\theta)$，$E(\sigma,\theta)$，$E(k,\theta)$。显然，下面关系成立

$$\int_0^{2\pi}\int_0^{\infty}E(\sigma,\theta)\mathrm{d}\sigma\mathrm{d}\theta=\langle\eta^2\rangle \tag{6-6}$$

在非平稳情况下，海浪的谱密度函数成为坐标和时间的函数 $E(\sigma,\theta;x,t)$。在实际中考虑的并不是海浪的谱密度函数，而是作用量谱密度函数 $N(\sigma,\theta)=E(\sigma,\theta)/\sigma$，这是因为在有流存在和水深随位置变化时，作用量密度是更好的守恒量。

海浪的传播：根据线性波动的波包理论和波峰守恒律可以在几何空间和谱空间得出下面的变化率。

$$\frac{\mathrm{d}\boldsymbol{x}}{\mathrm{d}t}=\boldsymbol{C}_{\mathrm{g}}+\boldsymbol{U}=\frac{1}{2}\left[1+\frac{2kd}{\text{sh}(2kd)}\right]\frac{\sigma\boldsymbol{k}}{k^2}+\boldsymbol{U}$$

$$\frac{\mathrm{d}\sigma}{\mathrm{d}t}=C_{\sigma}=\frac{\partial\sigma}{\partial k}\left[\frac{\partial d}{\partial t}+\boldsymbol{U}\cdot\nabla d\right]-c_{\mathrm{g}}\boldsymbol{k}\cdot\frac{\partial\boldsymbol{U}}{\partial s} \tag{6-7}$$

$$\frac{\mathrm{d}\theta}{\mathrm{d}t}=C_{\theta}=-\frac{1}{k}\left[\frac{\partial\sigma}{\partial d}\frac{\partial d}{\partial m}+\boldsymbol{k}\cdot\frac{\partial\boldsymbol{U}}{\partial k}\right]$$

$$\frac{\mathrm{d}}{\mathrm{d}t}=\frac{\partial}{\partial t}+(\boldsymbol{Cg}+\boldsymbol{U})\cdot\nabla_{x,y}$$

$$\nabla_{x,y}=\left(\frac{\partial}{\partial x},\frac{\partial}{\partial y}\right)$$

其中，$\frac{\partial}{\partial s}$和$\frac{\partial}{\partial m}$分别为求$\sigma$和$\theta$方向的方向导数，$\boldsymbol{k}$为波数单位矢量。作用量密度的变化率可以用作用量平衡方程表示：

$$\frac{\partial}{\partial t}N+\frac{\partial}{\partial x}C_{x}N+\frac{\partial}{\partial y}C_{y}N+\frac{\partial}{\partial\sigma}C_{\sigma}N+\frac{\partial}{\partial\theta}C_{\theta}N=\frac{S}{\sigma} \tag{6-8}$$

式（6-8）左边第一项代表作用量密度随时间的变化率。第二项和第三项代表作用量密度在几何空间的传播（传播速度分别为C_x和C_y）。第四项代表流和变化的水深引起的频移（传播速度为 C_σ）。第五项代表由流和变化的水深引起的折射和变浅作用（传播速度为C_θ）。式（6-8）右边的S代表能量源项，这一项可写成几个不同类型的源项之和

$$S=S_{\mathrm{in}}+S_{\mathrm{ds}}+S_{\mathrm{nl}} \tag{6-9}$$

式中，S_{in}——风输入项；

S_{ds}——由白冠、底摩擦、水深变浅破碎引起的耗散作用；

S_{nl}——四波相互作用和三波相互作用。

（1）物理过程

截至目前，有两种不同类型的机制描述由风向浪传输能量和动量。第一种机制是Phillips共振机制，考虑的是海浪随时间的线性增长。第二种机制是Miles不稳定机制，考虑的是海浪随时间的指数增长。基于这两种机制，风输入项是线性增长和指数增长之和

$$S_{\mathrm{in}}=A+BE(\sigma,\theta) \tag{6-10}$$

这里A代表线性增长

$$\begin{aligned}
&A=\frac{1.5\times10^{-3}}{2\pi g^{2}}\{U_{*}\max[0,\cos(\theta-\theta_{w})]\}^{4}H\\
&H=\exp[-(\sigma/\sigma_{\mathrm{PM}}^{*})^{-4}]\\
&\sigma_{\mathrm{PM}}^{*}=2\pi\frac{0.13g}{28U_{*}}\\
&U_{*}^{2}=C_{D}U_{10}^{2}\\
&C_{D}=\begin{cases}1.2875\times10^{-3}, & U_{10}<7.5\ \mathrm{m/s}\\(0.8+0.065\times U_{10})\times10^{-3}, & U_{10}\geqslant7.5\ \mathrm{m/s}\end{cases}
\end{aligned} \tag{6-11}$$

其中，U_* 为摩擦速度；θ_w 为风向；H 为滤波因子；σ_{PM}^* 为风海面状态充分发展后的峰值频率；C_D 为底摩擦系数；U_{10} 为距离海面 10 m 高度的风速。

B 代表指数增长。下面分别为 Komen 提出的经验公式和 Janssen 提出的经验公式。

$$B=\max\left\{0,0.25\frac{\rho_{\mathrm{air}}}{\rho_{\mathrm{water}}}\left[28\frac{U_*}{C_{\mathrm{phase}}}\cos(\theta-\theta_w)-1\right]\right\}\sigma$$

$$B=\beta\frac{\rho_{\mathrm{air}}}{\rho_{\mathrm{water}}}\left\{\frac{U_*}{C_{\mathrm{phase}}}\right\}^2\max\{0,\cos(\theta-\theta_w)\}^2\sigma$$

$$\begin{cases}\beta=\dfrac{1.2}{k^2}\lambda\ln^4\lambda, & \lambda\leqslant 1\\ \lambda=\dfrac{gz_e}{C_{\mathrm{phase}}^2}\mathrm{e}^r, & r=\kappa c/|U_*\cos(\theta-\theta_w)|\end{cases}$$

$$U(z)=\frac{U_*}{k}\ln\left(\frac{z+z_e-z_0}{z_e}\right) \tag{6-12}$$

$$z_e=\frac{z_0}{\sqrt{1-\tau_w/\tau}}$$

$$z_0=\hat{\alpha}\frac{U_*^2}{g}$$

$$\tau_w=\rho_{\mathrm{water}}\int_0^{2\pi}\int_0^{\infty}\sigma BE(\sigma,\theta)\frac{\hat{k}}{k}\mathrm{d}\sigma\mathrm{d}\theta$$

式中，β 为 Miles 常数；C_{phase} 为相速度；λ 为无因次临界高度；κ 为卡门常数；z_e 为有效海表粗糙长度。

模式中共考虑了三种类型的耗散机制。在深水情况下，风浪的白冠占主要地位，控制着谱的高频部分的饱和程度。在中等深度和浅水情况下，底摩擦变得重要。波浪传播到浅水破波带附近时，变浅引起的海浪破碎占主要地位。

①白冠

风浪的白冠耗散项描述了深水海浪破碎导致能量损失，波陡控制着耗散程度。

$$S_{ds,w}=-\Gamma\bar{\sigma}\frac{k}{\bar{k}}E(\sigma,\theta)$$

$$\Gamma=C_{ds}\left\{(1-\delta)+\delta\frac{k}{\bar{k}}\right\}\left\{\frac{\bar{s}}{\bar{s}_{PM}}\right\} \tag{6-13}$$

$$\bar{s}_{\mathrm{PM}}=(3.02\times10^{-3})$$

$$\bar{s}=\bar{k}\sqrt{E_{\mathrm{tot}}}$$

式中，Γ ——依赖于波陡的系数；

$\bar{\sigma}$，$\bar{k}$ ——平均频率和平均波数；

$\bar{s}_{\mathrm{PM}}$ ——PM 谱的临界破碎理论的平均波陡值。

②底摩擦

当海浪从深水传到有限水深处，与水底的相互作用就变得重要。这种能量耗散受各种不同的机制所控制，如底摩擦、渗滤、泥质水底的运动等。由于可能有各种不同情况的水底，因此模式中采用了不同的底摩擦经验公式。

$$S_{\mathrm{ds},bo}=-C_D\frac{\sigma^2}{g^2\mathrm{sh}^2(kd)}E \tag{6-14}$$

式中，C_D——底摩擦系数。

③变浅引起的海浪破碎

当海浪从深水传到有限水深处，波高与水深的比率变得很大时，波能因破碎而耗散，在 SWAN 模式中采用的公式是

$$S_{\mathrm{ds},br}=-\frac{D_{\mathrm{tot}}}{E_{\mathrm{tot}}}E \tag{6-15}$$

式中，D_{tot}——单位水平区域面积内的平均耗散率（Battjes and Janssen，1978）。

非线性相互作用是指共振波分量之间交换能量，使能量重新分配。在深水情况下四波相互作用比较重要，而在浅水情况下三波相互作用变得重要。

通过四波相互作用能量从高频部分转向低频部分，对于维持谱形和决定能量的方向分布起重要作用。四波相互作用由 Boltzmann 积分给出，但是它的数值计算十分耗费机时而难以用于实际计算。一种近似计算方法——离散相互作用近似由 Hasselman 提出，较好地反映了风浪的增长特征，被很多模式采用。四波传输率在水深变浅时变小，因此在浅水时要乘以一个浅水因子 R。

在浅水情况下，当波陡较大时，能量通过三波相互作用从低频部分向高频部分转移。在临近岸边时，单波峰的谱转变为多波峰的谱。

SWAN 模式中采用的三波相互作用是 Eldeberky 提出的集总三波近似（lumped triad approximation，LTA）公式。

（2）数值方法

平流项由作用量平衡方程的性质决定，每一网格点的状态由迎浪网格点状态决定，因此最有效的差分方法是隐式迎风差，它是无条件稳定的。SWAN 在时间项采用简单的向后差，在几何空间采用了三种差分格式。第一种是简单的一阶显式向后差，这是 SWNA 40.11 以前版本所采用的。第二种是稳定情况下的 S&L 差分（二阶迎风差）。第三种是非稳定情况下的 SORDUP（二阶迎风差）差分。后两种都是二阶差分格式，是 SWAN 40.11 版新增加的。在频率和方向空间采用了二阶差分格式，中央差、迎风差和介于二者之间的任何一种格式。在平流项的计算中还采用了 4-SWEEP 技术，把几何空间分为四个象限，在每一个象限内除了折射和非线性相互作用外，其他部分都独立计算。

源函数项对于风输入的线性增长项，很容易进行计算。对其他项则分为正源项（源，source）和负源项（汇，sink）。对于源，SWAN 模式采用了显式：

$$S^n = \phi^{n-1} E^{n-1} \tag{6-16}$$

对于汇，SWAN模式采用了隐式：

$$S^n = \phi^{n-1} E^{n-1} + \left(\frac{\partial S}{\partial E}\right)^{n-1} (E^n - E^{n-1}) \tag{6-17}$$

矩阵求解，为了得到各个格点位置上的作用量密度值，就必须解作用量平衡方程离散化后的代数方程

$$\boldsymbol{A} \cdot N = \boldsymbol{B} \tag{6-18}$$

其中，***A***、***B***为已知。没有流并且水深不随时间变化的情况下，***A***是一个普通的三对角带状矩阵，很容易求解。在有流或水深随时间变化的情况下，***A***不是三对角带状矩阵，SWAN 40.20版以前使用ILU-CGSTAB方法。但最新的SWAN 40.20版在原有的基础之上增加了SIP（strongly，implicit，procedure）方法，该方法要比ILU-CGSTAB快3～5倍，但是ILU-CGSTAB方法还是必要的，特别是计算海浪增水的时候。

预报系统的搭建包括：计算范围的选取、计算网格水深地形的生成、风场边界的确定、物理参数的比选等。海浪计算范围的大小，须考虑工程区波浪的性质，并能反映波浪从产生、传播到消亡的整个过程。本项目采用三重网格嵌套的方式实现。其中大区计算范围包括南海大部，范围为110°E～118°E，16°N～24°N，空间分辨率为2′×2′；中区覆盖整个珠江口，范围为112°E～115°E，21°N～23.5°N，空间分辨率为500 m×500 m；最内部小区域为大桥工程所在区域，范围为113.49°E～114.1°E，21.74°N～22.44°N，空间分辨率为100 m×100 m。

水深资料在1∶25万电子海图的基础上，结合Google Earth中的岸线地形，对研究区域的水深数据进行了订正和插值。项目采用的水深及岸线数据较好地拟合出了保障区域复杂的岸线地形。

3. 海流预报系统

考虑需要尽量消除边界效应对关键海区的影响，珠江口模式的区域范围为113°30′～114°10′E，22°N～23°N（图6-5），水平采用正交网格，分辨率为1/600°×1/600°，垂向分为10个σ层。

（1）边界条件

模式的东、南边界均为开边界。海平面高度采用Chapman边界条件；二维正压流场采用Flather边界条件；而三维斜压流场和温度、盐度则采用Radiation加Nudging边界条件（即混合辐射-逼近边界条件）。海平面高度和二维正压流场根据条件不同，分别由SODA（simple ocean data assimilation）气候态月平均数据或者OTIS潮汐预报值提供。

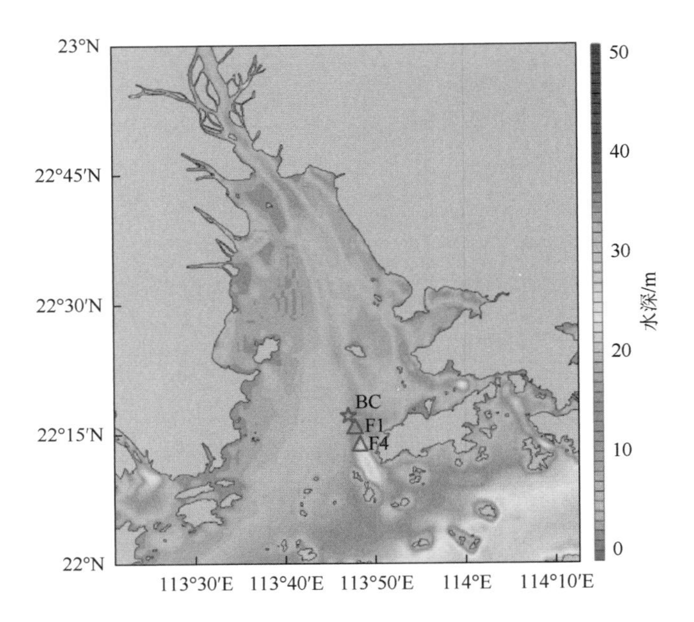

图 6-5　珠江口海域水深分布和波潮仪 BC（五角星）及测流浮标 F1、F4（三角形）

边界强迫数据来源于 SODA 气候态月平均数据，其水平分辨率为 0.5°×0.5°，垂向为 40 层。

OTIS 是由俄勒冈州立大学开发的全球潮汐的结果来预报计算海域开边界点上各时刻的水位和二维正压流值。将 OTIS 全球潮汐模型提供的 10 个分潮（M2、S2、N2、K2、K1、O1、P1、Q1、Mf、Mm）的调和常数插值到本模型的各开边界节点上。

（2）大气强迫场

模式在气候态模拟时的海洋表层风应力资料和各种通量及温度、盐度等强迫场由 0.5°×0.5°的 COADS（comprehensive oceanic and atmospheric data sets）气候态月平均资料插值得到。

（3）初始条件

目前，由于实测资料在时间、空间上的缺乏，无法给出模式起算时刻的各种物理场。然而，由于三维流场和海平面高度对海洋动力强迫的响应迅速，水深比较浅，因此将其均设为零。温度、盐度的初始条件由 SODA 气候态月平均数据集给出。

6.2.4　产品制作系统

基于上述开发的气象、海浪和海流数值预报模式的精细化数值预报产品，再利用集合预报、数值产品释用、长历时天气预报等分析软件，制作 7 d 的气象、海浪和 15 d 的潮汐、海流数值预报产品，以及 15 d 施工窗口预报，并针对高影响天气系统进行专家会商，综合制作预报单。

产品内容涵盖风、浪、流、潮、台风等产品。气象要素包括天气现象、风速、风向、能见度；海浪要素包括最大波高、有效波高、波周期等；潮流要素包括浮运安装等施工各阶段的潮位、流速、流向。产品时效随着施工计划的接近从长期、中期到短期、临近预报进行更新，提高预报的准确性。

6.2.5　产品发布

利用国内公共通信网、VASAT 系统，在前方保障系统和后方保障系统之间建立数据传输链路，用于观测数据和预报产品的实时传输及远程会商。

搭建基于 Web 网页的海洋环境预报综合信息服务平台，实现风、浪、流、潮等预报产品和实况的可视化及产品的查询检索功能。内容包括：①预报区域风场、海浪场、分层流场等逐时预报图和动态显示；②工程点风、浪、流、潮等要素的预报图；③工程点风、浪、流、潮等要素的预报表格及水文气象窗口产品综合显示；④实况资料的显示：包括风、浪、流、潮等观测要素的当前实况，以及过去 48 h 的观测变化图；⑤台风路径、卫星云图等其他相关资料的查询和显示（图 6-6）。

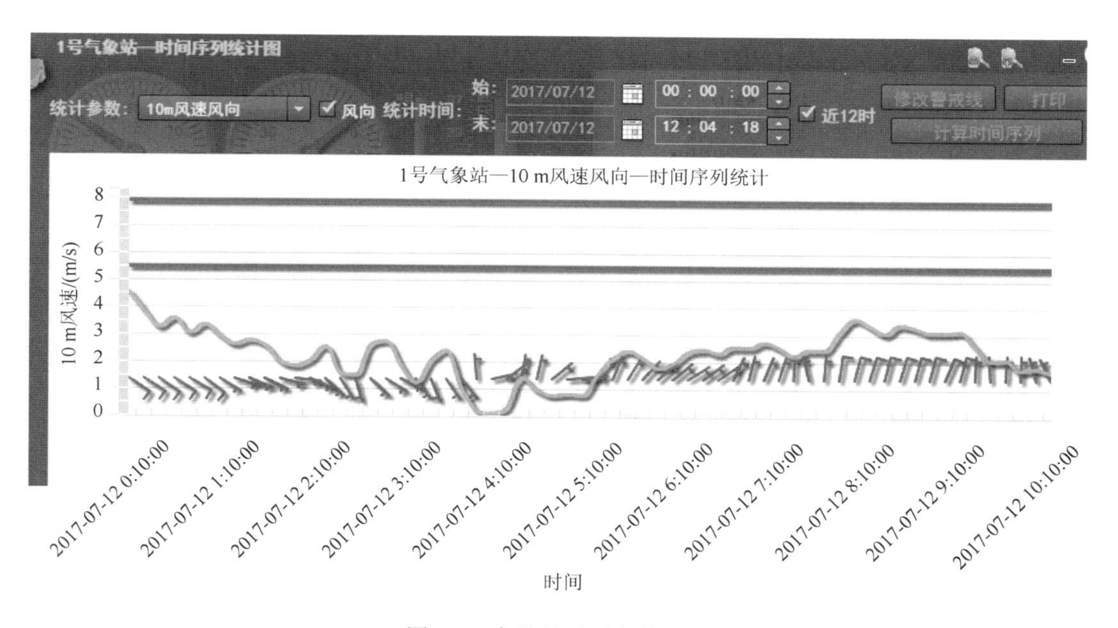

图 6-6　产品显示平台效果图

根据存档资料种类和不同层级用户需求，采用科学、合理、高效的资料存档编目方法，建立包含业务化数值产品、大气海洋监测数据等信息在内的数据库，能适应不同的存储方式和查询方式，方便资料存储和查询访问。

6.3　系统维护和运行

系统运行总体流程见图 6-7。

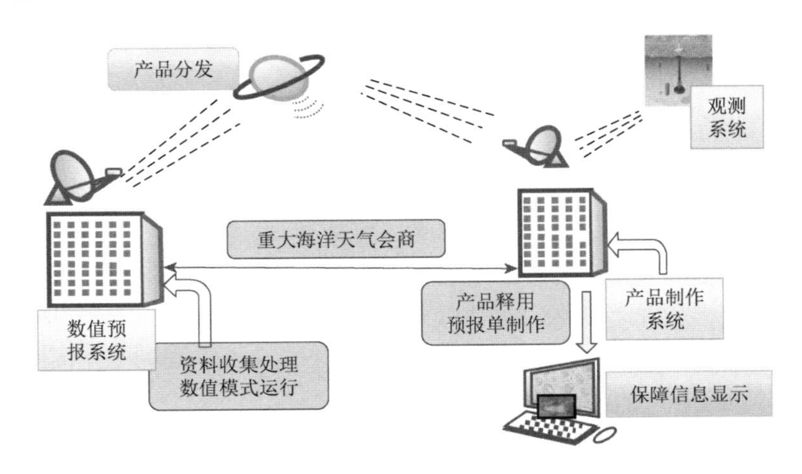

图 6-7　系统运行总体流程

6.3.1　观测网的维护

自动气象站进行定期系统维护，每三个月对系统进行一次全面清洁维护；检查各电缆是否有破损，各接线处是否有松动现象；检查供电设施，保证供电安全；对防雷设施进行全面检查，对接地电阻进行复测；每年至少对系统传感器、采集器进行一次现场检查、校验，并定期按气象计量部门制定的检定规程进行检定。备份器件、设备由专人保管，存放地方要符合要求，保持备用传感器不超检定期。

每三个月对浪潮流浮标和波潮仪观测平台进行一次全面清洁维护；检查各电缆是否有破损，各接线处是否有松动现象；检查供电设施，保证供电安全；每年至少对系统传感器、采集器进行一次现场检查、校验。

6.3.2　预报系统的运行

1. 天气预报系统

港珠澳大桥岛隧工程区天气预报系统首先开展预报业务化试验，包括参数方案优化配置、同化系统设计等的对比试验。收集系统的各种背景数据，并对这些数据进行初步评估。收集和整理 GTS 观测数据，进行数据解码，并设计了实验方案进行数值试验。

系统主要包括：观测资料接收模块、客观分析模块、WRF 同化模块、WRF 预报模块和预报产品输出模块（图 6-8）。

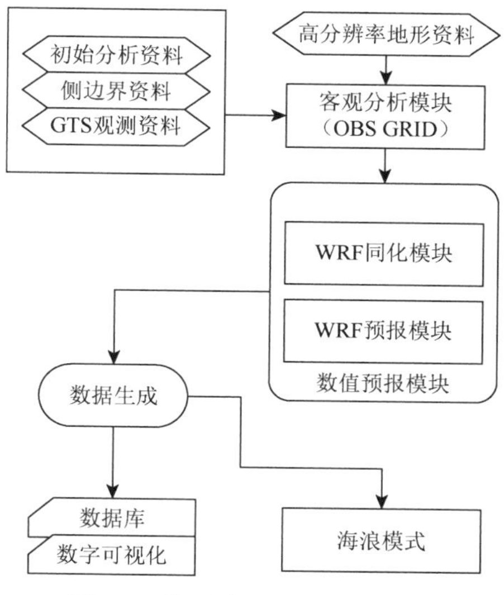

图 6-8　港珠澳大桥岛隧工程区天气预报系统流程图

2. 精细化天气数值预报的应用

台风“黑格比”2008 年 9 月 23 日 0 时（协调世界时）发布了 21、22、23、24 时的连续四个时次的海面风场预报产品，此时台风“黑格比”擦过珠江口。从预报产品中可以看出模式能很好地预报出台风眼、眼壁、眼墙结构，也可以明显地看出台风大风区影响珠江口，在移动过程中其外围云系掠过珠江口，给这一地区带来超过 26 m/s 的大风。

3. 天气数值预报的检验

从 2012 年 1 月数值预报系统正式投入使用以来（图 6-9），每个月都对该系统的预报效果进行了检验。人工岛上自动气象站的观测数据用作检验的资料。检验指标采用绝对平均误差。

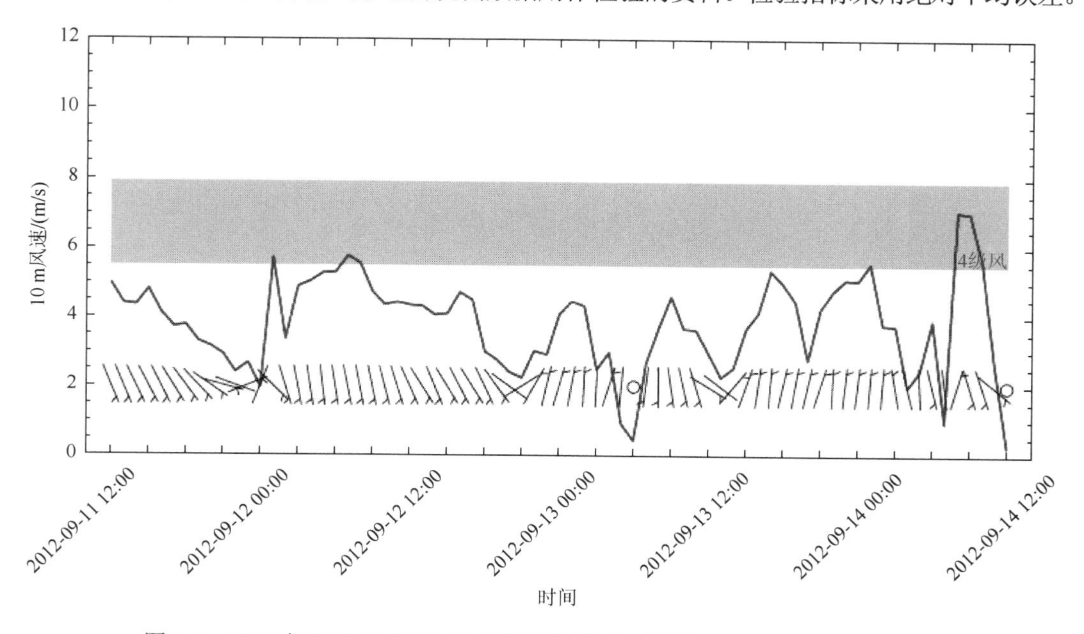

图 6-9　2012 年 9 月 11 日 12 时（协调世界时）地面（10 m）风速 72 h 预报

从历次沉管施工风速预报的绝对平均误差来看，24 h 风速预报绝对平均误差为 0.86 m/s，48 h 绝对平均误差为 1.13 m/s，72 h 绝对平均误差为 1.15 m/s（表 6-3）。

表 6-3　历次沉管保障期间风速预报误差统计表　　（单位：m/s）

误差	24 h 预报		48 h 预报		72 h 预报	
	绝对平均误差	最大误差	绝对平均误差	最大误差	绝对平均误差	最大误差
	0.86 m/s	2.3 m/s	1.13 m/s	2.8 m/s	1.15 m/s	2.7 m/s

6.3.3　海浪预报系统的运行

海浪预报系统的驱动风场采用本系统的天气数值预报模式输出的预报场。

为了验证所建立的数值预报系统对保障区域海浪模拟的适用性，首先开展了后报检验，并采用港珠澳大桥附近观测点处 2007 年 4 月～2008 年 3 月的海浪观测资料对数值结果进行了检验。波浪观测点位于拟建桥区海域，位置为 22°16′33″N，113°47′22″E，该处水深约 10 m。图 6-10 为有效波高计算值与观测值的比较，可以看出，计算值与观测值基本一致，有效波高的绝对误差约 0.133 m。

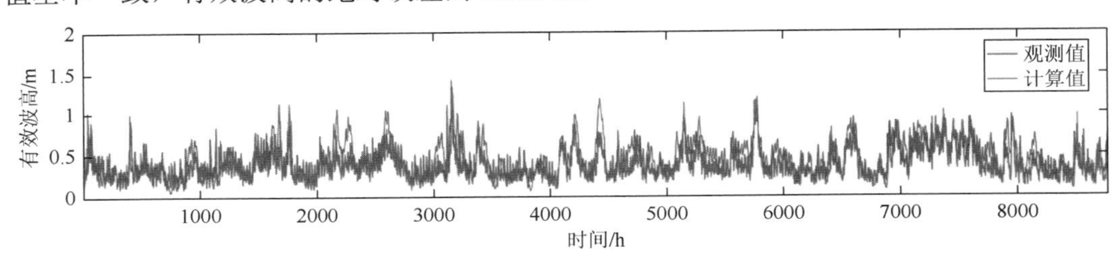

图 6-10　观测点处有效波高计算值和观测值的比较（后附彩图）

1. 精细化海浪数值预报系统的应用

工程区定点海浪要素的预报产品形式包括工程区定点海浪要素随时间的变化，要素包括定点位置处的风速、最大波高、有效波高和周期（图 6-11）。

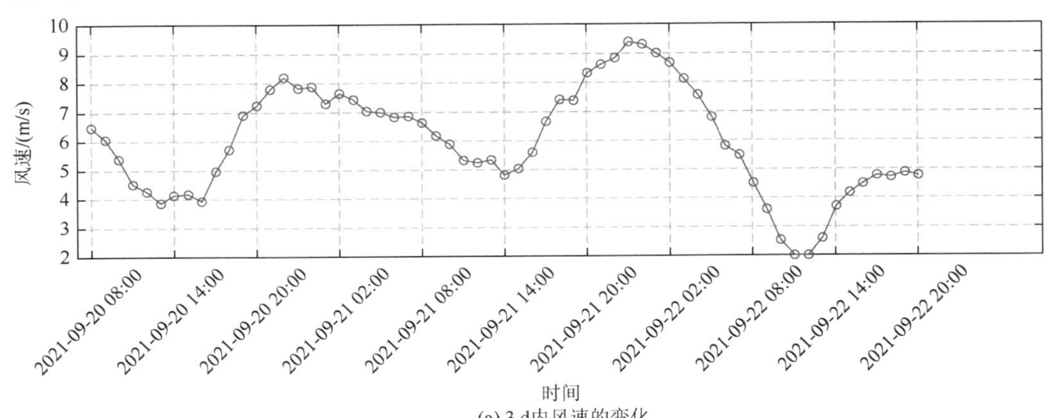

(a) 3 d内风速的变化

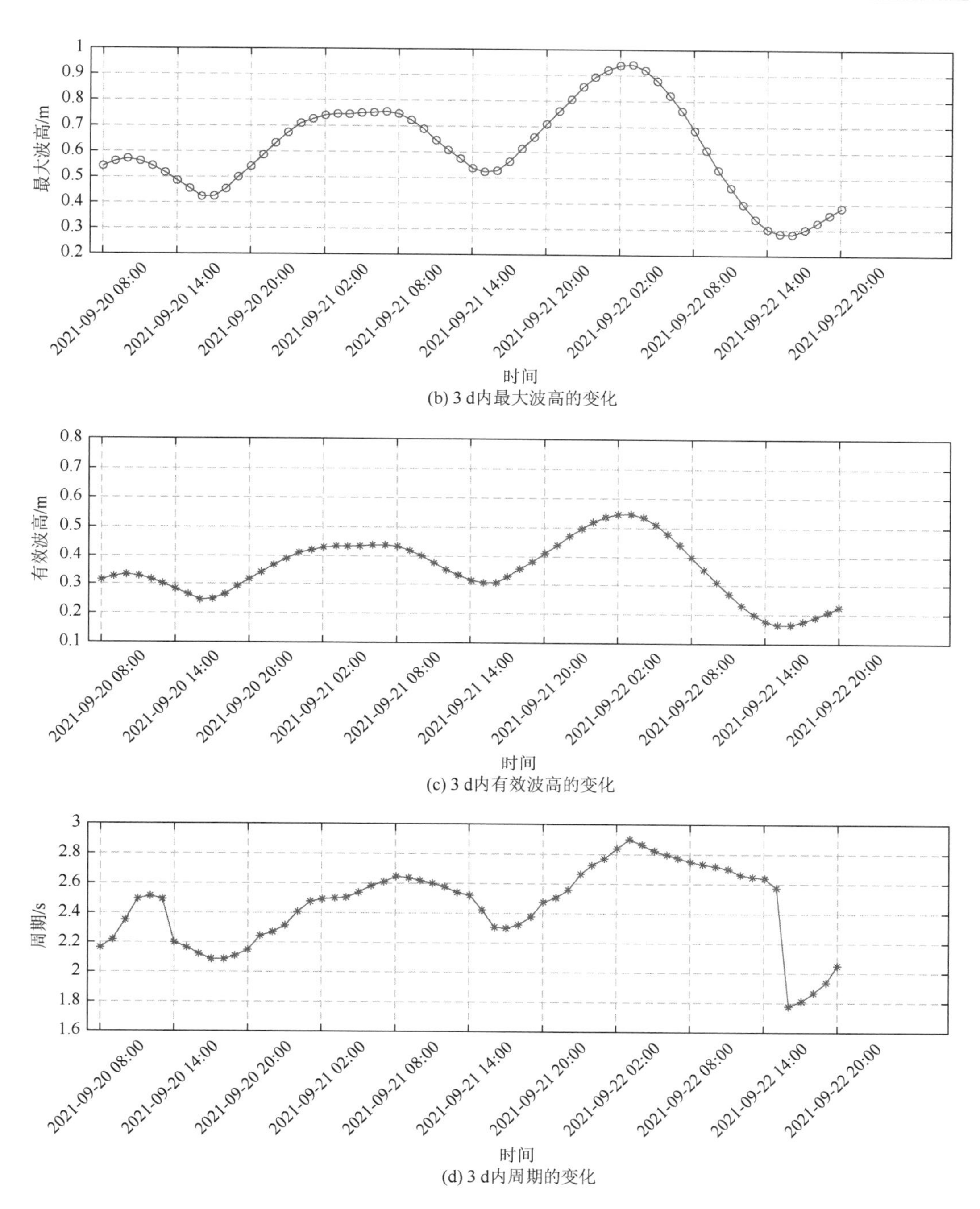

(b) 3 d内最大波高的变化

(c) 3 d内有效波高的变化

(d) 3 d内周期的变化

图 6-11　工程区定点海浪要素的预报图例

2. 精细化海浪数值预报系统的检验

从历次沉管施工海浪预报的平均误差来看，24 h 海浪有效波高预报绝对平均误差为

0.15 m，48 h 绝对平均误差为 0.16 m，72 h 绝对平均误差为 0.12 m（表 6-4），达到了技术指标要求。

表 6-4　各次沉管保障期间有效波高预报误差统计表　　（单位：m）

误差	24 h 预报绝对平均误差	48 h 预报绝对平均误差	72 h 预报绝对平均误差
	0.15	0.16	0.12

6.3.4　海流预报系统的运行

每次沉管施工前半个月左右提供由气候态风场驱动的潮流数值预报结果；施工前 7 d 提供 GFS 风场驱动的精细化海流数值预报结果。提供的海流数值预报产品和要素主要有以下几种：

① 施工区单点潮位变化（图 6-12）。

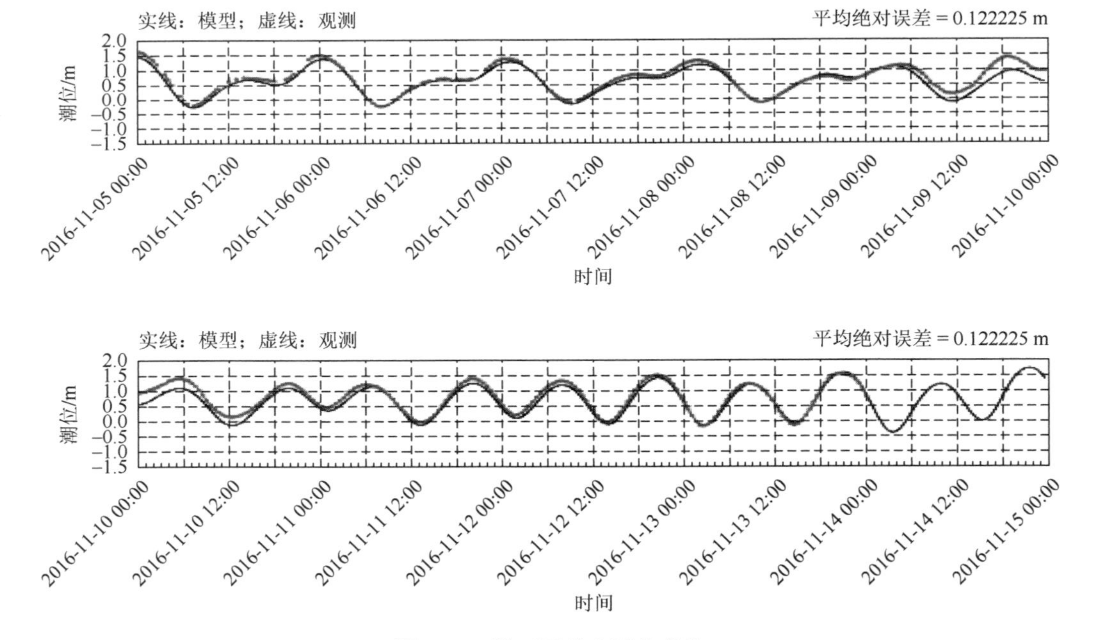

图 6-12　施工区单点潮位变化

②施工区单点 2～10 m 平均流速变化（图 6-13）。

③工区浮运期间不同位置流速随时间变化（图 6-14）。

港珠澳大桥岛隧工程海区附近设有多个波潮仪和测流锚系浮标，这些观测仪器提供了较好的潮位和海流观测数据。

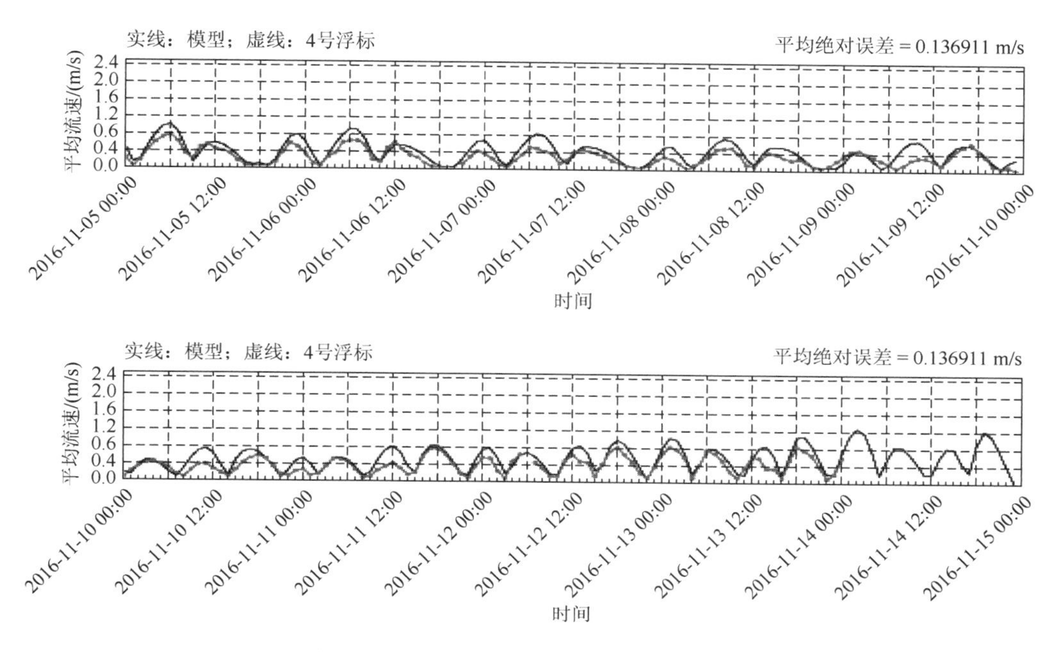

图 6-13　施工区单点 2～10 m 平均流速变化

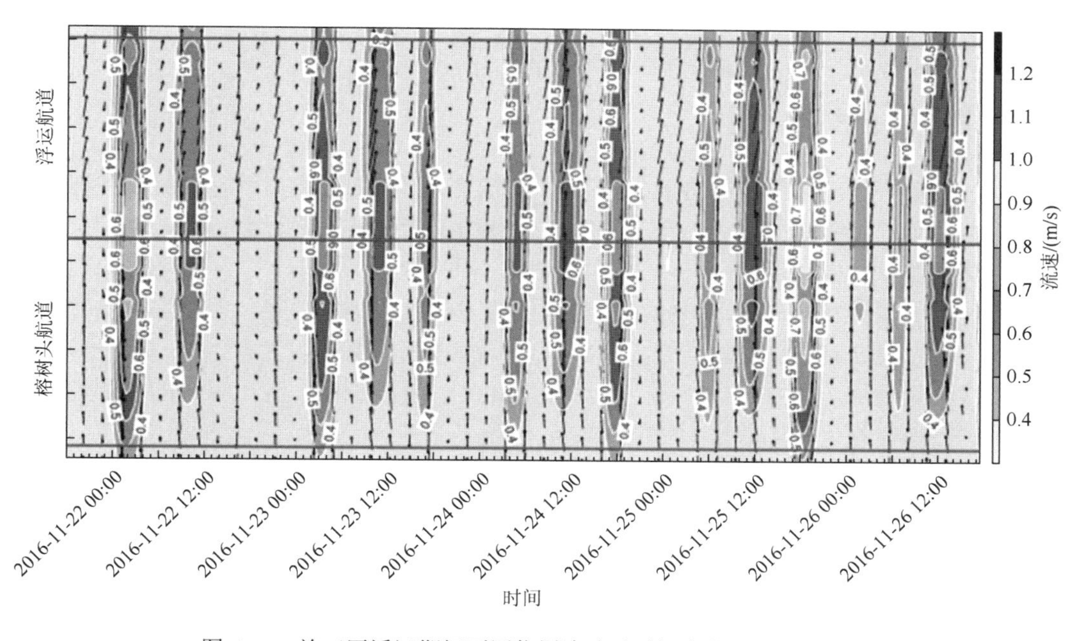

图 6-14　施工区浮运期间不同位置流速随时间变化（后附彩图）

从历次沉管潮位预报检验和海流预报检验来看（表 6-5），潮位预报平均误差为 0.09 m，最大误差为 0.24 m，海流流速预报平均误差为 0.10 m/s，最大误差为 0.31 m/s（表 6-5）。

表 6-5 各次沉管保障期间潮位和流速预报误差统计表

潮位/m		2～10 m 平均流速/(m/s)	
平均误差	最大误差	平均误差	最大误差
0.09	0.24	0.10	0.31

6.4 施工窗口管理

根据施工工序及海洋气象条件综合分析、评估作业窗口管理系统，为施工决策提供科学依据。管节安装施工的主要过程包括浮运和沉放 2 个阶段，是一个连贯的、不间断的作业过程，其主要施工流程包括出坞、浮运、系泊、沉放及对接等。

管节浮运沉放关键作业（从出坞、浮运至沉放的阶段）需要的作业时间为 24～36 h，考虑实际施工中因各种原因可能产生的延误，确定单管节安装（浮运和沉放）周期为 48～72 h，即每个管节安装的必要作业窗口时间为 2～3 d。为了降低外部水文气象条件对沉管浮运安装的影响，并降低船舶、设备的建造费用，提出作业窗口的概念，即寻找能满足目前船舶作业能力的作业窗口限制条件。作业窗口限制条件主要包括对浮运安装影响显著的海流、海浪、风和雾等外部环境条件，由于管节主体位于水下，海流力在外部作用力中影响最大，是作业窗口限制条件的首要因素。

6.4.1 窗口风险判别

针对每个关键工序提出严格的外海、超大型沉管浮运作业窗口管理系统，并在窗口范围内结合潮位、海流情况对每个管节制订详细的浮运安装工艺计划，为每个管节安装选择最佳的作业时机。

通过历史观测资料分析，对比相似环流形势下的数值预报结果，对海洋气象预报进行解释应用，根据施工作业海洋气象要求，判定海洋气象窗口的优劣。

窗口风险判别，需要结合海洋气象因子的强度、时段长短、施工工序的重要性等风险方面进行综合判定。

6.4.2 施工窗口决策

基于以上风险等级和应对措施，综合判断施工窗口的适用程度（分为适合、基本适合、不适合），启动相应的施工方案。

6.4.3 应对措施

在时间和空间上加密海洋环境要素的监测，通过专家会商制定评估窗口决策产品，发布高频次的预警报信息，并建议施工方制定相应的工程预案。

6.5 应用实例

在系统运行过程中，经历了多次台风、大径流及冷空气等影响，但系统为沉管安装施工提供了保障（图 6-15）。

6.5.1 两台风间隙期施工窗口的选择

2014 年 7 月中旬台风频发，菲律宾以东洋面热带云团活跃，趋势预测结果表明，预计台风易取西北行路径影响我国东南沿海。12 日 1409 号超强台风“威马逊”编号，18 日 1410 号强台风“麦德姆”编号。

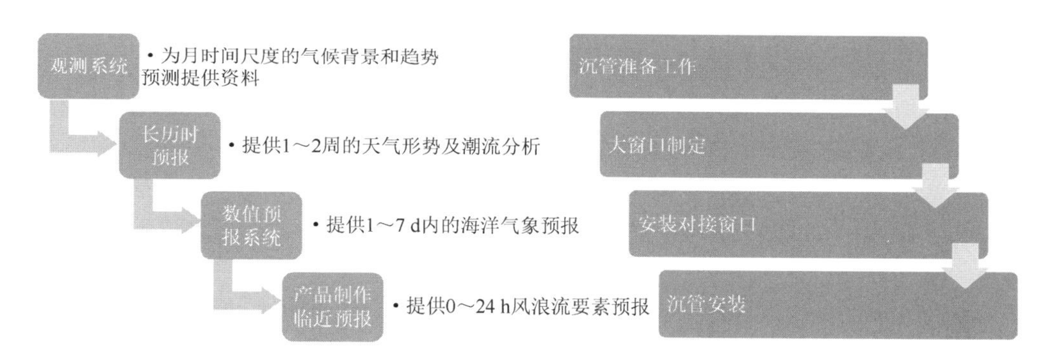

图 6-15 海洋气象窗口系统运行应用实例

采用中短期预报技术，预测超强台风“威马逊”的路径及强度，17～18 日的气象海浪条件允许坞门打开，20～22 日风力小于 4 级，满足 E11 施工条件。预判 1410 号强台风“麦德姆”生成时间，路径偏东、距离施工区较远，气象条件满足 E11 后续安装的要求（图 6-16）。

6.5.2 珠江大径流期施工窗口的选择

进入汛期后，发现施工现场的实测流速发生一定变化，为此开展了汛期径流对施工区影响的研究，统计分析了径流量大小与潮位和流速的变化关系。

首先开展了潮位、海流和水文环境等现场观测。现场观测结果显示，珠江三角洲汛期带来的大径流，不仅影响流速三维结构，而且影响海水密度和浊度。图 6-17 是三种不同径流情况下，流速垂直结构随时间的演变。2014 年 1 月 30 日 0 时～2 月 1 日 24 时，此时处于珠江的枯水期，珠江径流量大约为 2800 m^3/s［图 6-17（上）］，基槽内的大流速中心随时间呈上下变动。当径流量增大到 12 000 m^3/s 时［图 6-17（中）］，这种现象明显减弱。当径流量继续增大到 22 000 m^3/s 时［图 6-17（下）］，基槽区的大流速基本上位于 10 m 以上的表层，基槽内的大流速中心消失。这是由于在径流作用下，珠江的淡水使基槽区海域的盐水楔消失。

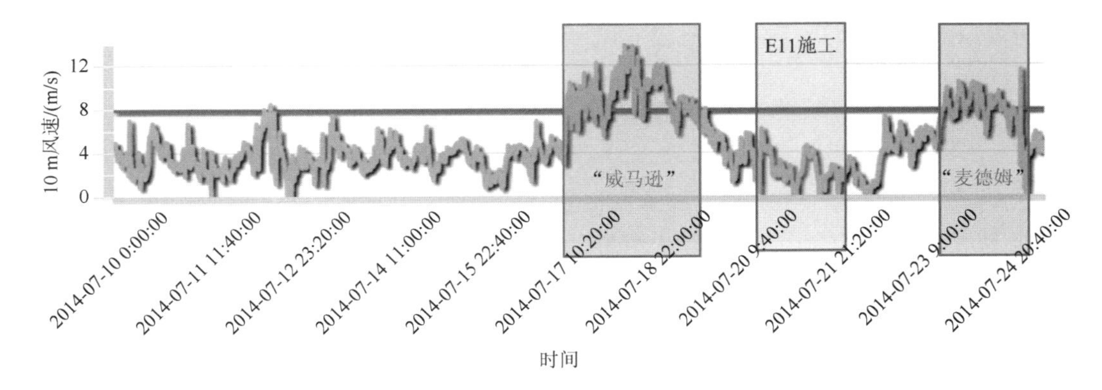

图 6-16　台风“威马逊”“麦德姆”在施工期间施工区的风速随时间的变化

大径流对沉管施工影响显著，尤其对沉管浮运拖航和沉放对接等关键工序影响较大。

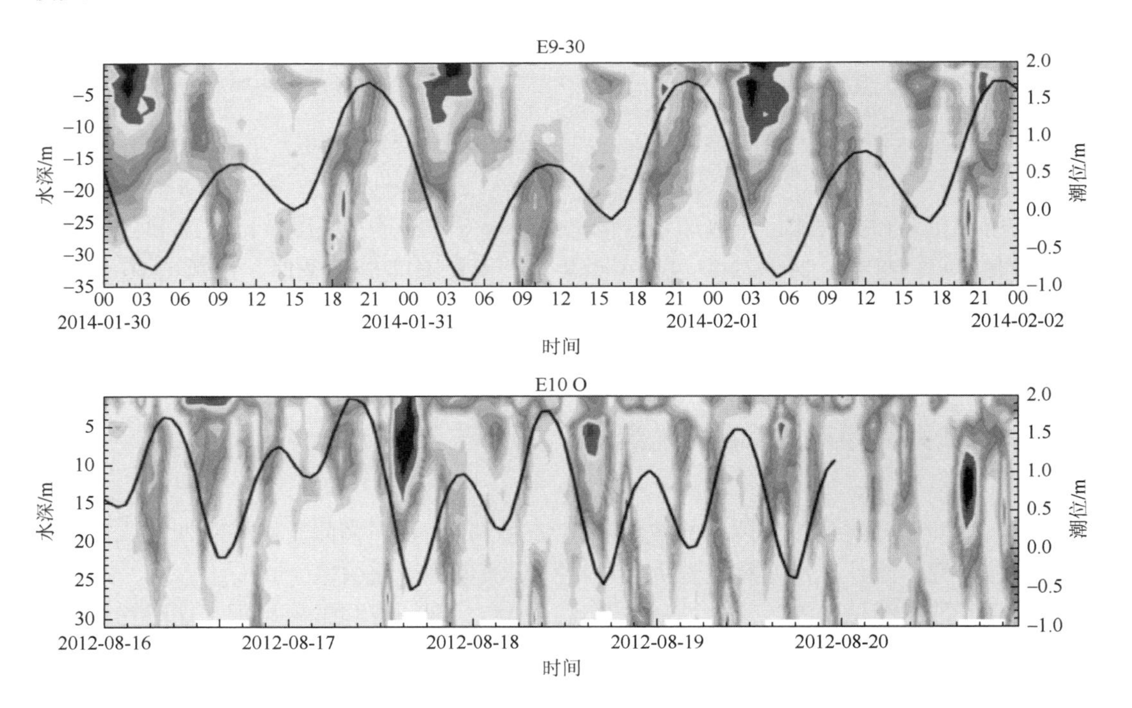

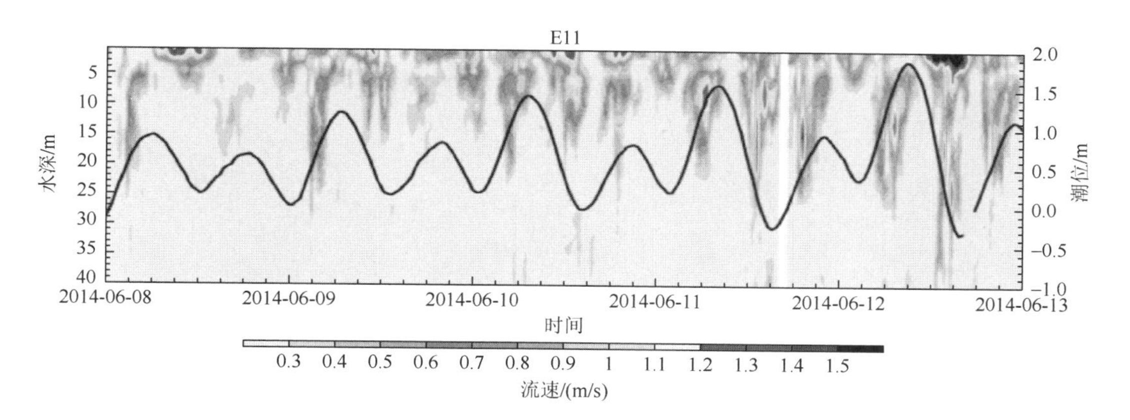

图 6-17　珠江口平均径流量分别为 2800 m^3/s、12 000 m^3/s、22 000 m^3/s 时海流变化（后附彩图）

为分析珠江大径流对海流的影响，设计了几种典型径流下的海流观测方案。

2015 年 5 月 22～26 日和 2014 年 5 月 3～7 日为小潮汛期。2015 年 5 月 22～26 日径流量均超过 35 000 m^3/s，比 2014 年同期增大超 27 000 m^3/s。

从潮波形态来看，这两时段的波形接近，2015 年整体潮位比 2014 年的偏高，而且偏高值与潮位相有关；涨潮期，最大潮位偏高 0.15 m；落潮期，最大潮位偏高 0.20 m。

图 6-18 是径流影响的对比数值模拟结果，可见，径流对施工海域流速的增加的影响十分显著。

从表层 2～3 m 的平均流速来看，二者的流速相差较大，平均偏大约 0.2 m/s。其中，2015 年落急流速增大较多，最大流速超过 1.2 m/s（图 6-19）。

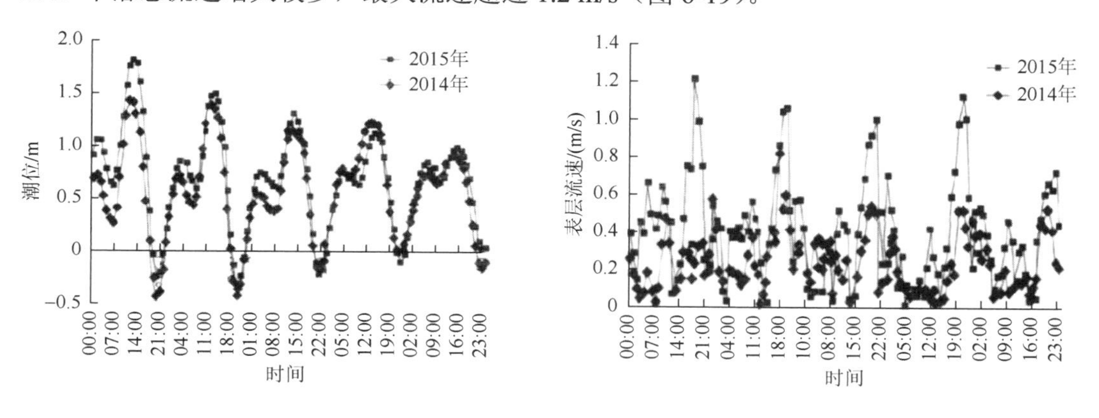

图 6-18　大小径流下，施工区潮位和表层流速的对比

制作大径流期间的施工窗口，首先对珠江流域的降水作预测，预估珠江径流量。在此基础上，用预测径流量驱动的海流数值预报模式，得到大径流影响的海流预测，并制作出施工的窗口。施工前 1 d，根据现场实测资料，对海流进行推演，确保海流预测精度。

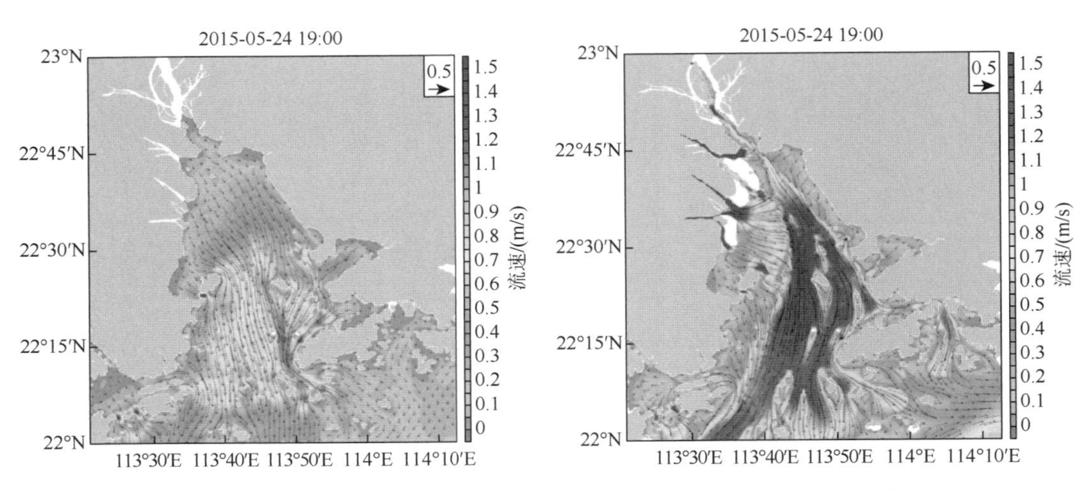

图 6-19　无径流量（左）和实际径流量（右）表层海流的数值模拟（后附彩图）

针对沉管浮运、安装特点和大径流对浮运安装的影响，制定大径流应急预案。在浮运、安装关键区域设置现场测流船、海水密度测量设备，实时了解现场流速、密度等情况，增加海流临近预报的频次；增加拖轮，保证沉管浮运安全。沉放过程中增加海水密度观测频次，分析负浮力变化，及时进行压载水调整。通过一系列应急措施，将施工风险降到可控状态。

第7章　外海沉管安装对接窗口预报保障系统

7.1　概　　述

港珠澳大桥是我国重大基础设施项目，其中沉管隧道是目前世界上综合难度最大的沉管隧道，由33节管节对接而成。

港珠澳大桥岛隧工程总体规模宏大，沉放浮运安装的施工海域位于珠江口径流与外海海水的交汇处，海流情况异常复杂。河口的海流受到径流的显著影响，由于盐淡水混合强烈，使得盐度在垂直和水平方向分布上存在着密度坡降而形成密度流，进而在涨落潮时形成上下层不一致的斜压流。南科院对珠江口的研究表明，涨潮时，盐水楔随涨潮流从深槽底层潜入，密度坡降与水面坡降一致，涨潮流速增大，另外，由于底层密度坡降显著大于表层，导致底层流速明显大于表层。2007年8月的中潮和大潮期间，大濠岛观测站观测到了底层盐度和流速明显大于表层的现象。港珠澳大桥沉管基槽水域位于盐水楔活动区，受其影响，底层流速在一定条件下会明显大于表层。由于目前缺乏系统的深槽海流观测，对深槽内海流的时空分布规律仅限于理论研究，对深槽内海流是否出现下层流速明显大于上层流速的情况及其发生的条件尚缺乏明确的认识，对基槽内海流的三维结构和分布特征还没有确定的结论。

7.1.1　沉管安装对接施工保障现状

在厄勒海峡沉管隧道建设过程中，建设方委托丹麦水工研究所（DHI）开发了气象、海浪、海流预报系统，该系统用于沉管浮运安装的施工保障作业。针对厄勒海峡复杂的海流条件，DHI开展了大量的观测，并首次采用神经网络模型对海流进行临近预报。在博斯普鲁斯海峡隧道施工过程中，日本大成公司委托美国俄勒冈州立大学开发了作业窗口保障系统。由于博斯普鲁斯海峡中央存在黑海流向马尔马拉海的急流，底层同时存在逆向流将高盐的海水从马尔马拉海带到黑海，该区域的流态十分复杂，大成公司在日本开展了大量的物模试验及相关分析，据此确定作业窗口，制定沉管安装相关的工艺和设备。

港珠澳大桥岛隧工程的施工环境位于珠江口外伶仃洋的河口深槽，沉管对接要求连续 6 h 整层平均流速小于 0.5 m/s 的施工时间窗口，并且上述窗口的预报时间误差不能超过 90 min。以往的海洋工程对海流条件的要求不高，我国尚未开展海洋工程保障的精细化海流预报，由于海流观测较少，对海流的预报及保障能力相比气象和海浪偏弱。由于我国现有的沉管安装一般在内河环境进行，受风浪流的影响较小，因此沉管安装保障系统的建设还存在空白。港珠澳大桥岛隧工程面对伶仃洋复杂的海洋气象环境，并且管节体量大，安装精度高，工期紧，因此，有必要建立一整套精度高、实用性强的沉管安装保障系统。

7.1.2　系统建设的目的和意义

项目研发的外海沉管安装对接窗口预报保障系统是一套集监测、预报和信息显示于一体的综合保障系统。研究将重点实现浪潮流耦合、多重网格嵌套方案和海流临近预报等关键技术，提升我国在复杂海洋水文环境下的保障水平，为港珠澳大桥岛隧工程沉管科学、快速、安全建设提供强有力的支撑。该保障系统不仅可以为外海深槽复杂海洋环境下的沉管施工提供技术支撑，而且还可以为其他重大海洋工程的建设提供环境安全保障。

7.2　系统组成与建设

7.2.1　系统组成

外海沉管安装对接窗口预报保障系统由观测系统、实时传输系统、基槽海流数值预报系统、临近预报系统及产品集成与显示系统五部分组成。观测系统为基槽海流数值预报系统和临近预报系统提供实时的观测资料。实时传输系统将测量仪器的数据实时上传到现场指挥船。基槽海流数值预报系统进行海流要素等的数值预报，输出保障产品。临近预报系统基于数值预报结果，实时和历史观测资料对比，制作更准确的海流产品，确定最终的时间窗口。产品集成与显示系统则实时显示观测和预报结果，便于施工管理人员使用。

7.2.2　系统建设

1. 观测系统

观测系统是基槽管节附近的海洋环境实时监测系统，利用高精度的海流及温盐观测设备，实时监测浮运安装过程中管节周边的海流状况。基槽内海流观测采用坐底方式，对基槽的海流及温盐进行连续观测。这些观测设备通过数据传输网络形成了一个集成化的数据实时显示平台，其数据的时间分辨率达到了分钟级，数据的显示快速准确。这些观测可以为基槽海流数值预报系统及临近预报系统提供检验和输入数据，为浮运安装施工提供有效的水文参考数据。

以港珠澳大桥沉管保障为例的移动式海流实时监测布置方案如下。

仪器选择及站位布置：海流观测仪器为 600 kHz 型 ADCP，温盐观测仪器为 CTD，仪器均由美国 TRDI 公司生产，仪器设备主要性能指标如表 7-1 所示。在沉管施工期间，管节周围设置了 5 个海流观测站位和 2 个温盐观测站位。其中，5 个海流观测站位分别位于：沉管管首的潜水船 386、津安 3 号南北两侧、津安 2 号南侧和测量船 1002；2 个温盐观测站位分别部署在津安 2 号北侧和测量船 1002，如图 2-9 所示。管节浮运时即启动观测系统，全程观测管节浮运、沉放和安装过程中管节周边的海流及温盐状况。

表 7-1　仪器设备主要性能指标

仪器	测量要素	测量范围	准确度
ADCP	流速、流向	±5 m/s	流速：0.3%±0.3 cm/s
CTD	海水温度、盐度	—	温度：5‰，盐度：0.5‰

2. 实时传输系统

施工过程中需要对海流和温盐数据进行实时处理及显示，因此观测数据通过电缆或无线方式实时将数据从测量仪器上传到现场指挥船上。管理监控中心主要由通信机、双频无线网桥和高增益天线组成，可完成数据接收处理和存储。各采集点主要由数据采集器和无线网桥组成，数据采集器将 RS-232 数字信号转换为 TCP/IP 网络数据信号，通过无线网桥设备将各采集点信号传回管理监控中心。数据传输程序和数据接收程序：传输程序和接收程序配套使用，实现数据的速率可控、稳定可靠传输。实时传输系统的无线传输方案如图 7-1 所示。

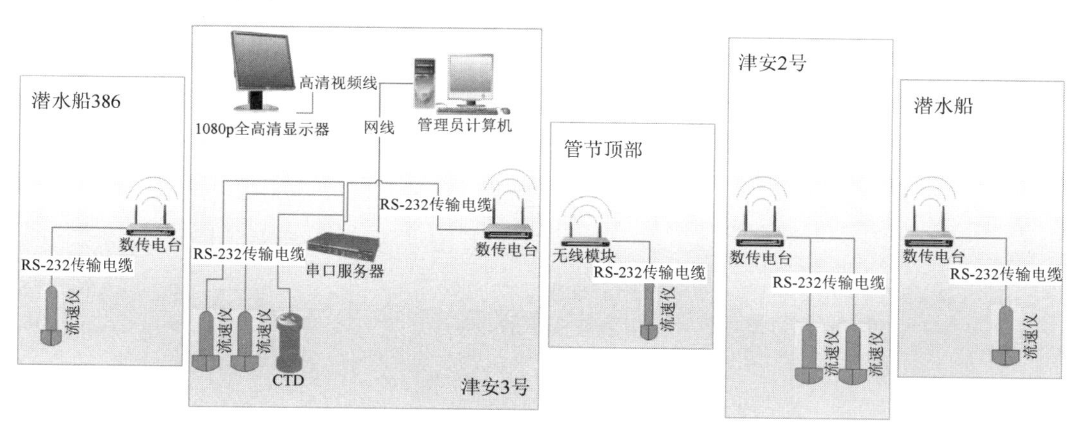

图 7-1　无线传输方案图

3. 基槽海流数值预报系统

基槽海流数值预报系统主要在施工前 5～10 d 进行海流等要素的数值预报，输出各类图形化和数据化的保障产品。

（1）数值模式介绍

ROMS 是一个三维、自由海面和基于地形跟随坐标的非线性斜压原始方程模式。它的主要特点是：

①ROMS 的海气相互作用的边界层建立在体积参量之上。这些参数利用 COARE（海气耦合响应实验）及基本变量的观测结果，计算得到动量、感热和潜热通量。这是一种边界层应用于单向或者双向的大气耦合模式。

②它采用流体静力学理论和布西内斯克近似的原始方程，可以开展小尺度运动的模拟。

③ROMS 是用 F90、F95 编写的非常新的模块化的代码，使用 CPP 处理来激活多种物理和数值选项。程序可以并行或串行计算，并且广泛地应用在各种计算平台上。

④模式采用自由表面格式，能够模拟水位的变化，参数化方案多，模块化功能强大。

⑤水平和垂直具有较高的分辨率，可以更好地刻画正压和斜压部分；垂向采用沿地形 S 坐标；水平方向采用正交曲线坐标。

⑥网格设定上，ROMS 采用 Arakawa C 网格，可以很好地解决第一变形半径的分辨率问题，并且有利于保持运算的稳定性。

模式在流体静力近似和布西内斯克近似的前提下对雷诺平均 N-S 方程进行求解。在笛卡儿坐标系下，其动量控制方程可表达为

$$\frac{\partial u}{\partial t}+\boldsymbol{v}\cdot\nabla u-fv=-\frac{\partial\phi}{\partial x}-\frac{\partial}{\partial z}\left(\overline{u'w'}-\nu\frac{\partial u}{\partial z}\right)+F_u+D_u \tag{7-1}$$

$$\frac{\partial v}{\partial t}+\boldsymbol{v}\cdot\nabla v+fu=-\frac{\partial\phi}{\partial y}-\frac{\partial}{\partial z}\left(\overline{v'w'}-\nu\frac{\partial v}{\partial z}\right)+F_v+D_v \tag{7-2}$$

式中，$\overline{\ }$ 表示对变量在特定时间尺度上求平均；$'$表示对该平均值的偏离。

垂向静力平衡方程为

$$\frac{\partial\phi}{\partial z}=\frac{-\rho g}{\rho_o} \tag{7-3}$$

温度和盐度的对流扩散方程为

$$\frac{\partial C}{\partial t}+\boldsymbol{v}\cdot\nabla C=-\frac{\partial}{\partial z}\left(\overline{C'w'}-\nu_\theta\frac{\partial C}{\partial z}\right)+F_C+D_C \tag{7-4}$$

海水状态方程为

$$\rho=\rho(T,S,P) \tag{7-5}$$

连续方程为

$$\frac{\partial u}{\partial x}+\frac{\partial v}{\partial y}+\frac{\partial w}{\partial z}=0 \tag{7-6}$$

由于湍流的存在，上述控制方程是不封闭的。为了使方程达到封闭，对雷诺应力和湍流通量进行如下的参数化处理：

$$\overline{u'w'}=-K_m\frac{\partial u}{\partial z};\quad \overline{v'w'}=-K_m\frac{\partial v}{\partial z};\quad \overline{C'w'}=-K_C\frac{\partial C}{\partial z} \tag{7-7}$$

方程（7-1）和方程（7-2）分别是在 x 和 y 方向上的动量方程。包括温度（T）、盐度（S）在内的标量场随时间的变化为对流扩散方程（7-4）所控制。当标量为温度时，方程即为热扩散方程；当标量为盐度时，方程则为盐扩散方程。海水状态方程为方程（7-5）。在布西内斯克近似下，动量方程中海水水平方向的密度变化被忽略，但是在水平压力梯度项的计算中，保留垂直方向的密度变化。进一步地，在垂直静力近似下，垂向压力梯度与浮力项平衡，因此得到了方程（7-3）。最后，在海水不可压缩的近似下，连续方程可表示为方程（7-6）。

海表面 $z=\zeta(x,y,t)$ 处：

$$K_m\frac{\partial u}{\partial z}=\tau_S^x(x,y,t) \tag{7-8}$$

$$K_m\frac{\partial v}{\partial z}=\tau_S^y(x,y,t) \tag{7-9}$$

式（7-8）和式（7-9）为动力学边界条件。

$$K_C\frac{\partial C}{\partial z}=\frac{Q_C}{\rho_o c_P} \tag{7-10}$$

式（7-10）为标量浓度场海表面边界条件的统一形式，具体到温度、盐度为

$$K_T\frac{\partial T}{\partial z}=\frac{Q_T}{\rho_o c_P}+\frac{1}{\rho_o c_P}\frac{\mathrm{d}Q_T}{\mathrm{d}T}(T-T_{ref}) \tag{7-11}$$

$$K_S\frac{\partial S}{\partial z}=\frac{(E-P)S}{\rho_o} \tag{7-12}$$

垂向速度在海表面的边界条件为

$$w=\frac{\partial\zeta}{\partial t} \tag{7-13}$$

海底 $z=-h(x,y)$ 处：

$$K_m\frac{\partial u}{\partial z}=\tau_b^x(x,y,t) \tag{7-14}$$

$$K_m\frac{\partial v}{\partial z}=\tau_b^y(x,y,t) \tag{7-15}$$

式（7-14）和式（7-15）为海底动力学边界条件；

$$K_C\frac{\partial C}{\partial z}=0 \tag{7-16}$$

式（7-16）为标量场海底边界条件的统一形式，具体到温度、盐度为

$$K_T\frac{\partial T}{\partial z}=0 \tag{7-17}$$

$$K_S\frac{\partial S}{\partial z}=0 \tag{7-18}$$

海底垂向速度的边界条件为

$$-w+\boldsymbol{v}\cdot\nabla h=\frac{\partial\zeta}{\partial t} \tag{7-19}$$

式（7-11）中的海表面参考温度 T_{ref}，一般为由模式读入的观测数据，其与模式计算得到的海表面温度（SST）一起，是海表面热通量 Q_T 的参数。通常 Q_T 由 SST 和气象场经 bulk flux 参数化计算得到，其中 bulk flux 把风速转换成风应力。也就是说，方程（7-11）引入了因模式 SST 偏离参考温度 T_{ref} 引起的通量订正项。

海底摩擦力（τ_b^x,τ_b^y）为海底水平流速的函数，通常表达为三种形式：线性、二次和对数形式。例如，模式中的二次摩擦定律为

$$(\tau_b^x,\tau_b^y)=C_D\cdot\sqrt{u^2+v^2}\cdot(u,v) \tag{7-20}$$

式中，C_D——底摩擦系数。

（2）基槽海流数值预报系统的构建

1）模式区域

港珠澳大桥岛隧工程全长约 7440 m，施工过程对海流条件的要求较为苛刻，为了提高施工海区的分辨率，同时考虑模式运行的计算效率问题，采用了模式单向嵌套和基槽地形逐渐推进相结合的方案。

考虑尽量消除边界效应对关键海区的影响，珠江口模式的区域范围为 113.35°E～114.21°E，22°N～23°N，水平采用正交网格，分辨率为 1/600°×1/600°（约为 200 m×200 m），垂向分为 10 个 σ 层。

基槽区三维海流预报模式的计算范围大约是 1400 m×640 m 的区域（图 7-2）。随着工程的推进，该区域的地形和范围也随之调整。该区域所使用的地形数据是根据现场测量得到的水深数据并进行插值。水平的分辨率为 1/21 600°×1/21 600°（5 m×5 m），垂向分为 20 个 σ 层，并对中下层进行了加密。

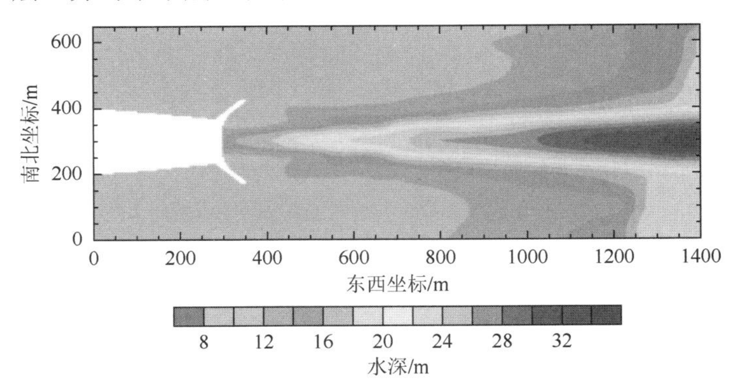

图 7-2 港珠澳大桥岛隧工程基槽区地形

2）边界条件

在近海，尤其是河口、海湾内的潮汐、潮流水动力数值模拟中，开边界条件的确定至关重要，其准确度直接决定模型计算结果的好坏。

①潮汐开边界

本模型的潮汐开边界数据采用俄勒冈州立大学 OTIS 全球潮汐模型提供的 9 个分潮（M2，S2，N2，K2，K1，O1，P1，Q1，M4）调和常数。该模型的网格精度为 1/30°，模型结果与南海沿岸潮位站对比结果显示其 M2 分潮振幅的均方根误差为 4.1 cm，这说明该模型对南海的潮汐潮流模拟是比较准确的，因此选用该模型结果作为本章模型开边界是合理的。将调和常数插值到模型开边界的各网格点上，然后采用式（5-1）给出开边界节点上的水位预报值。

②河流开边界

河流开边界为虎门、蕉门、洪奇门和横门，径流量资料采用珠江主要干流实时的观测资料。

③大气强迫场

获取预报模式所需的海面风场及辐射、降水等气象要素场，其中包括：

a. 获取由珠江口精细化天气数值预报系统提供的海面风场，根据预报系统的空间分辨率和时间分辨率要求，对得到的海面风场进行空间和时间插值及平滑处理，得到预报系统所需的海面风场；根据海面风场，计算出风应力场。

b. 获取由珠江口精细化天气数值预报系统提供的辐射、降水等气象要素场，按照预报系统的网格精度要求进行插值和平滑处理，为基槽海流数值预报系统提供所需的热通量、盐度通量等强迫场。

3）初始条件

模式需要分别给温度、盐度、三维流场、海表面高度和泥沙浓度一个起算场，即初始条件。目前，由于实测资料在时间、空间上的缺乏，无法给出模式起算时刻的各种物理场。然而，由于三维流场和海表面高度对海洋动力强迫的响应迅速，因此将其均设为零值。温度、盐度的初始条件由 SODA 数据集气候平均值给出。

模型预运行一年，计算的结果作为预报模式的初始场，预报模式的起算时间为 2013 年 4 月 1 日。

4）参数化方案

由于模式网格是对连续的物理空间进行离散化处理，并由动力方程式对离散后的时间、空间进行求解，因此那些小于模式网格的物理过程（如扩散、黏性、三维涡流和内波破碎等）需要进行参数化处理，从而使这些过程被引入模式中。

ROMS 含有多种方案来求得垂向黏性和扩散系数，包括：①简单地给定数值；②KPP 方案；③GLS 方案；④Mellor-Yamada 湍流闭合方案。经过多次数值实验，该预报系统采用了 Mellor-Yamada 湍流闭合方案。

4. 临近预报系统

临近预报系统可在最新观测结果的基础上对模式预报进行订正。由于模式预报通常都是在施工前一个星期做出的，不能考虑这一个星期的最新观测，而临近预报正好可以弥补这个缺点，为施工提供更好的预报结果。

因此每当有新的观测资料（这里每 0.5 h 更新一次观测数据）就可以进行一次新的临近预报，根据最新的观测情况来预报短时临近海流。

具体的做法是将模式预报数据和浮标测点的海流调和常数预报数据，利用线性回归的方法拟合当前时刻的实测数据，从而得到各分量的回归系数。最后利用得到的线性回归系数去订正模式的预报结果（图 7-3）。

5. 产品集成与显示系统

产品集成与显示系统提供实时观测和预报结果的分析与显示，便于日常及沉放安装使用，可以实时提供工程区海洋气象保障信息的查询、分析和显示（图 7-4）。

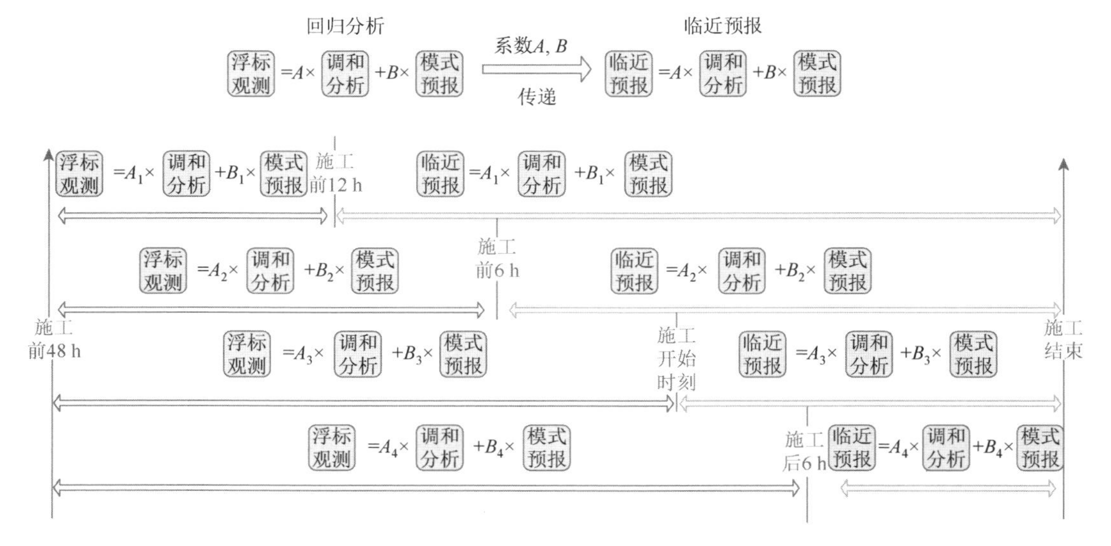

图 7-3　临近预报系统多元线性回归流程图

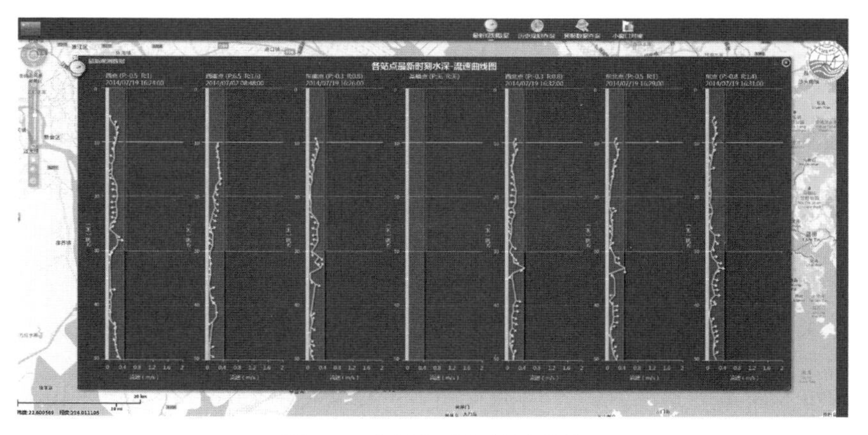

图 7-4　产品集成与显示系统

系统的建设由以下几步组成：搭建显示平台，收集观测数据；后方测试显示平台；现场安装、测试显示平台；管节沉放作业现场观测、预报数据显示；系统的完善。

系统组成主要包括服务器端 Server 和浏览器 Browser。以 C#为主要开发语言，以.NET 和 Flex 技术体系作为主要技术支撑，通过 Flex 建立应用层，Web Service 建立服务器端的服务逻辑层，通过 SDE（数据库引擎）建立与数据库的连接，从而构建起面向异构环境的网络应用服务的体系结构。用户只需使用标准的浏览器就可以访问和浏览系统所提供的海洋环境观测与预报信息，包括观测数据查询、预报数据查询、时间序列统计、下载打印等功能。系统的结构如图 7-5 所示。

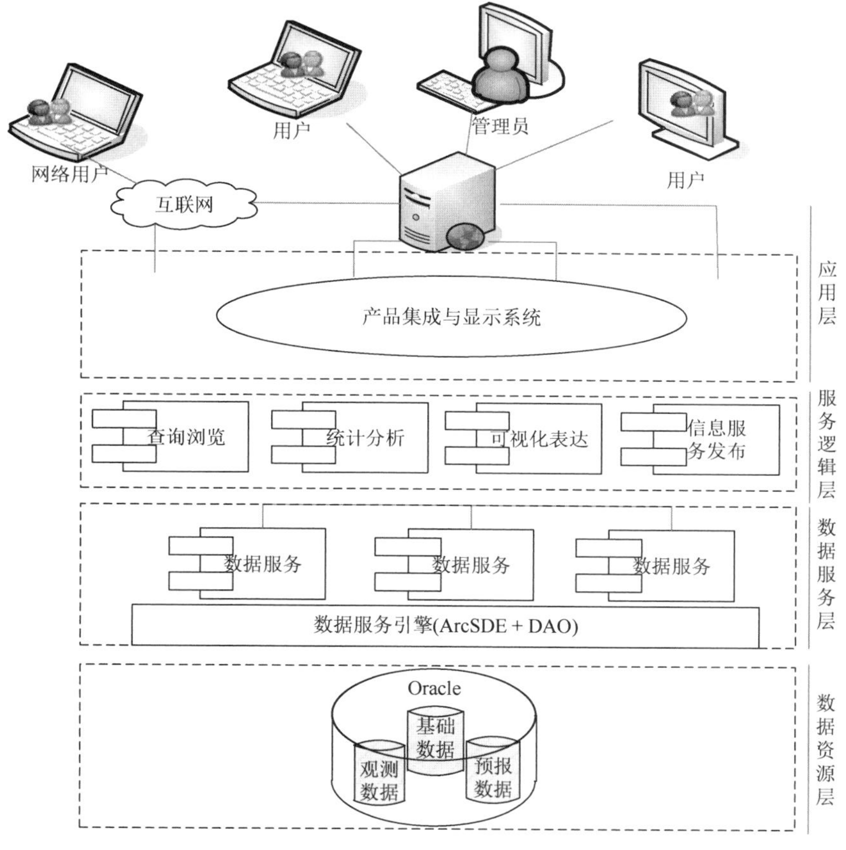

图 7-5　产品集成与显示系统架构图

7.3　系统运行

7.3.1　观测网的运行

观测系统观测管节出坞到压接完成的整个过程。即在管节预制厂内安装沉放装置和测量塔后在沉放装置上安装 ADCP 和 CTD 等仪器，随着管节出坞，开始拖运到沉放、拉合和压接完成，观测整个施工过程中管节附近海流及温盐的变化特征，为管节沉放现场施工提供数据支持，也为现场海流临近预报提供实测数据参考。

7.3.2 预报系统的运行

在施工前 1 个月到 1 周的安排计划阶段，启动窗口海流预报系统，提供未来 1 个月的施工海区表层海流、潮汐的预报数据；施工前 1～10 d 的确定计划阶段，启动基槽海流数值预报系统，提供基槽对接窗口预报结果，得到对接期间基槽内各层的海流状况；到了施工期间的现场保障阶段，启动观测系统和临近预报系统，每 3～6 h 更新各点潮位、流速、流向的临近预报产品，同时在产品集成与显示系统实时显示现场海流观测数据（图 7-6）。

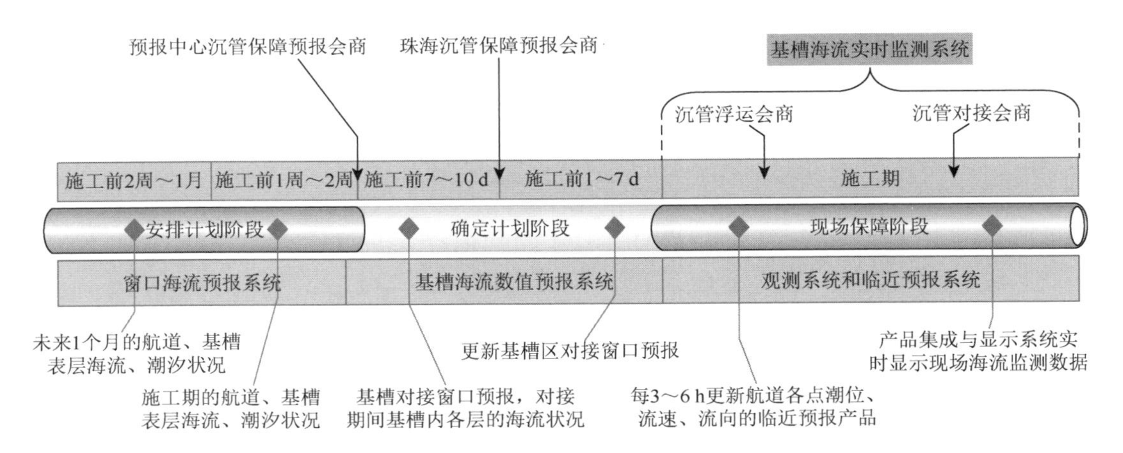

图 7-6 港珠澳大桥岛隧工程海流预报系统流程图

7.4 安装对接窗口

7.4.1 窗口选取

根据数模计算和港珠澳大桥实际沉管经验确定的安装对接窗口限制条件见表 7-2。在出坞、编队时流速小于 0.4 m/s，在航道浮运时流速小于 0.8 m/s，而在转向区转向、基槽内纵拖时流速要小于 0.5 m/s，在槽内系泊时流速小于 0.6 m/s，沉放实施和潜水作业时流速小于 0.5 m/s。

表 7-2　安装对接窗口限制条件

作业阶段	内容	流速/(m/s)	波高/m	波浪周期/s	风力/级
浮运	出坞、编队	＜0.4	＜0.8	≤6	≤6
	航道浮运	＜0.8	＜0.8	≤6	≤6
	转向区转向	＜0.5	＜0.8	≤6	≤6
	基槽内纵拖	＜0.5	＜0.8	≤6	≤6
	槽内系泊	＜0.6	＜0.8	≤6	≤6
沉放	系泊等待	＜1.0	＜0.8	≤6	≤6
	沉放实施	＜0.5	＜0.6	≤6	≤6
潜水	潜水作业	＜0.5	＜0.6	≤6	≤6

根据安装对接窗口的限制条件，管节浮运、沉放作业要求的作业窗口期为 48～72 h。以 E18 管节为例说明详细的浮运安装计划（图 7-7），其中管节沉放阶段选用当天流速最小的涨潮阶段，流速在 0.2 m/s 以下。

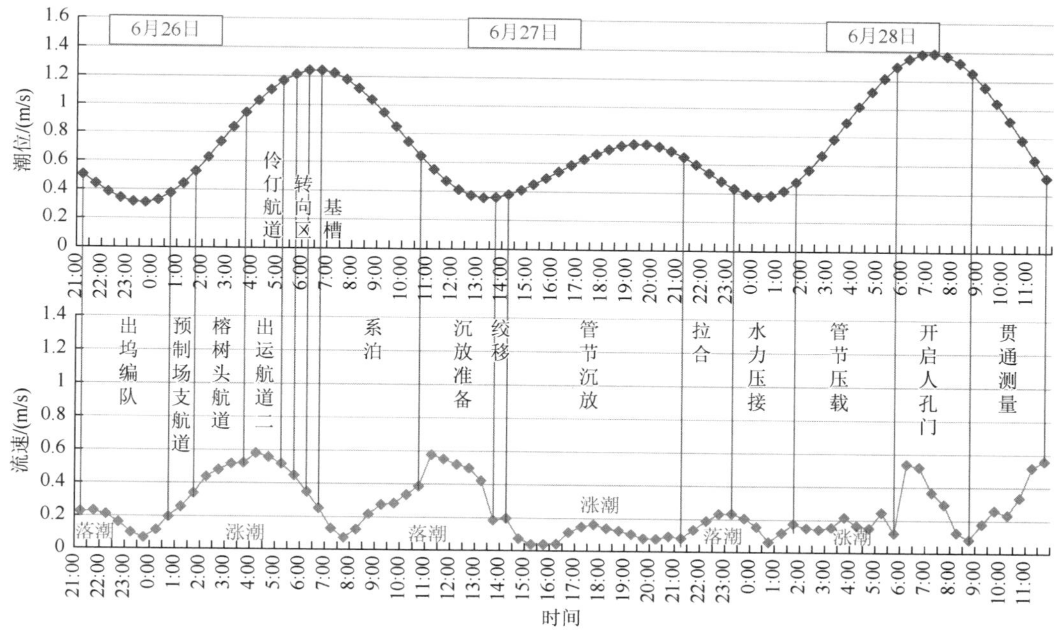

图 7-7　E18 管节浮运安装对接窗口计划图

7.4.2　窗口风险分析

珠江口每年的汛期带来丰富降水，令珠江的径流量短时暴涨，当总径流量大于

22 000 m^3/s 时，可引起潮汐异常升高 20～35 cm。大径流可使基槽的落潮流速增大 0.2～0.3 m/s。以 2015 年 5 月的一次珠江径流量短时激增为例进行分析（图 7-8～图 7-10）。

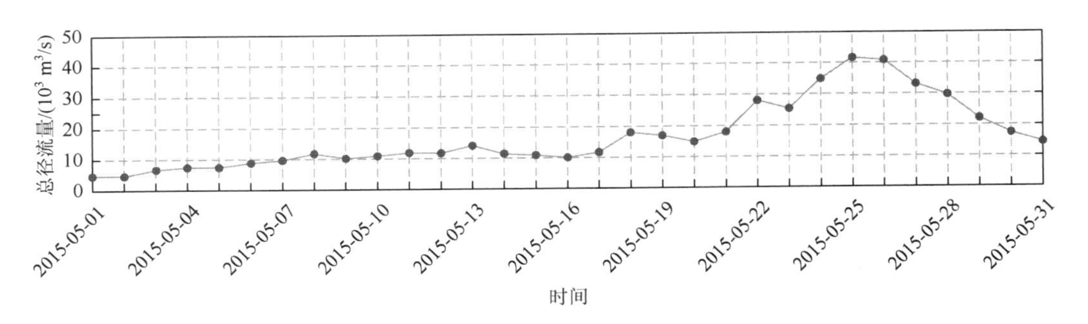

图 7-8　2015 年 5 月珠江总径流量变化

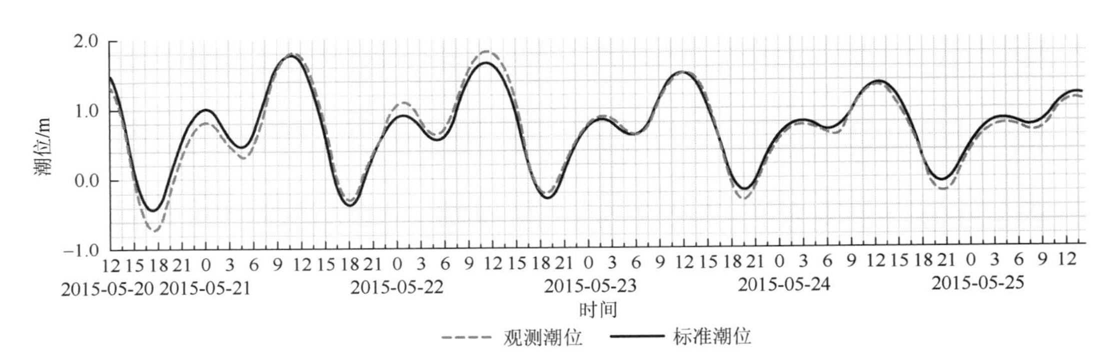

图 7-9　2015 年 5 月 20～25 日观测潮位与标准潮位对比

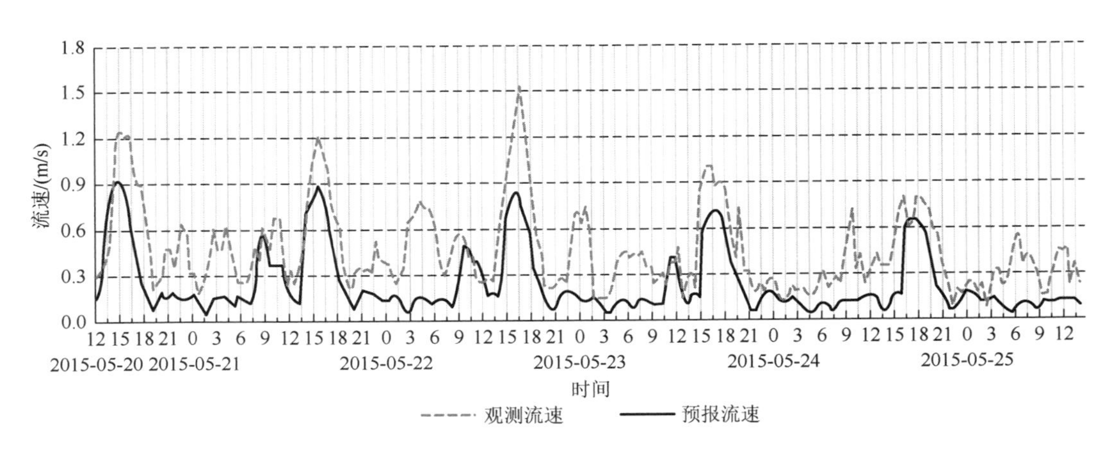

图 7-10　2015 年 5 月 20～25 日观测流速与预报流速对比

2015 年 5 月 22～28 日珠江总径流量超过 22 000 m^3/s，其中 5 月 25 日最大，超过了 41 000 m^3/s，受其影响，5 月 21 日 18 时～5 月 22 日 18 时观测潮位与标准潮位之间有

10～20 cm 的潮差，5 月 22 日 11 时潮差最大，达到 20 cm。同时受这次大径流过程的影响，5 月 22 日 17 时的落潮流速为 1.55 m/s，5 月 23 日 16 时的落潮流速为 1 m/s。

7.4.3 应对措施

1. 加密监测

提高施工前的流速监测频次，获取最新的海流流速和流向数据。

2. 临近预报

临近预报是在最新观测结果的基础上对模式预报进行订正的预报方法。以港珠澳大桥 E25～E33 管节浮运期间的检验结果为例（表 7-3）。从对比结果可以发现，经过临近预报的调整，各点流速预报的平均误差均能降到 0.1 m/s 以下，尤其能显著降低落急时刻原来模式预报偏大的流速误差；临近预报也能提高流向预报的精度，降低平均误差 5°～15°。

表 7-3　E25～E33 管节浮运期间模式预报与临近预报误差对比（上层 10 m 水流平均值）

管节	模式预报流速误差/(m/s)	临近预报流速误差/(m/s)	模式预报流向误差/(°)	临近预报流向误差/(°)	检验使用浮标
E25	0.07	0.06	24	19	4 号
E26	0.09	0.09	26	24	4 号
E27	0.07	0.06	22	16	4 号
E28	0.1	0.08	24	16	4 号
E31	0.13	0.05	31	25	4 号
E32	0.12	0.08	33	31	4 号
E33	0.08	0.07	31	16	4 号
平均	0.1	0.07	28	21	—

第8章 异常波预警系统

8.1 概　　述

8.1.1 异常波情况

港珠澳大桥岛隧工程的沉管基槽横贯伶仃航道和铜鼓浅滩滩尾，该海域多次观测到异常波（abnormal waves），严重威胁沉管作业和施工船只的安全。异常波受到诸多局地因素如天气、潮流、风浪、涌浪、船行波及外海传播的内波等因素的影响，目前尚无法进行预测。由于沉管体积巨大，异常波引起的安装船及沉管的晃动，给沉管安全及安装过程带来极大风险，严重影响管节安全及安装精度。因此，为沉管安装提供实时预警信息，降低海洋环境风险，建立异常波预警系统十分重要。图 8-1 为 E20 管节安装系泊时遭遇的异常波。

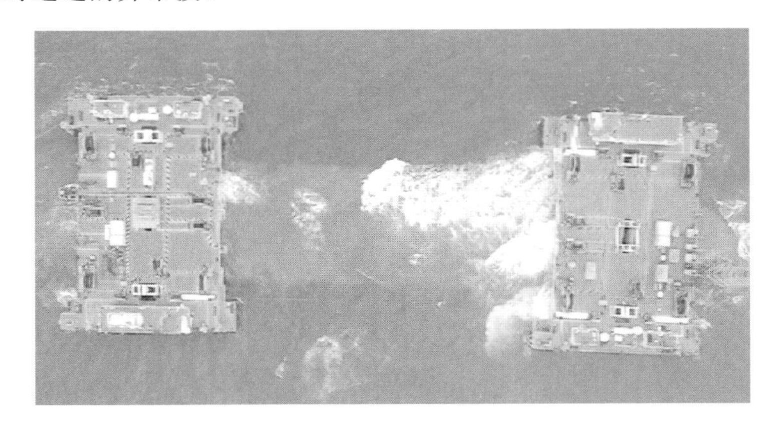

图 8-1　E20 管节安装系泊时遭遇的异常波

港珠澳大桥沉管隧道施工过程需要实时对异常波进行监测和预警，这方面的工作目前国内外未见报道。高精度、反应快速的异常波预警系统，通过波面数据实时分析得到异常波的发生及传播特征，对异常波进行综合判断得到异常波预警信息，并在显示平台对异常波及预警信息进行显示和发布。

8.1.2　异常波现象的观测与研究现状

目前国际上关于海上异常波的研究主要聚焦在畸形波（freak wave）或疯狗浪（rouge wave）。当前有关畸形波的预报主要是利用波浪统计理论，对畸形波的生成概率进行预测，有关机构开展了试预报，仅给出大范围区域内畸形波发生的粗略时段，无法给出畸形波发生的精确时间和地点。畸形波很长时间以来被海事界用于描述波高远远超过海况预期的波动（图 8-2）。Draper（1964，1971）给出了该现象的早期描述，并将其引入科学界。Mallory（1974）首次讨论了阿加勒斯海流中的巨浪（gaint waves），列出了 12 起报道或观测到的异常波。对于海员来说，疯狗浪是非常恐怖并威胁生命的现象。疯狗浪多次袭击过客船、集装箱船、油轮、渔船及近海和沿海建筑，有些造成了灾难性的后果。

图 8-2　海洋上的畸形波

畸形波具有单一、异常巨大和陡峭波峰的特征，实测难度大。研究海洋畸形波的最薄弱及最困难的方面就是观测资料的稀缺。由于它发生时间、地点及传播方向不确定，常规的海浪观测不能捕捉畸形波的信号。目前，畸形波观测系统似乎还不能用于海洋工程。

针对畸形波发生的原因，很多研究试图给出解释。Dean（1990）指出非线性和方向性都是发生畸形波的主要可能的原因。White 和 Fornberg（1998）、Lavrenov（1998）认为波流相互作用可能是特定地点的畸形波或极端波发生的原因。Stansberg（1990）的二维水槽研究显示非线性波相互作用可以产生畸形波。大部分短期统计分析是基于定常状态假定的传统方法，但实际海洋在时间和空间上不断变化。对畸形波进行深入调查的一个困难是缺乏验证各种理论的现场观测。

Nobuhito 等（2002）分析了日本海观测到的畸形波，认为尽管畸形波的波高分布倾向于与瑞利分布一致，但波峰和波谷的振幅与瑞利分布不同。畸形波可以很容易由波谱分析识别，畸形波发生的瞬间，强的能量密度快速由高频谱段转到低频谱段，持续较短时间后转回到高频谱段。海洋疯狗浪是波高远大于当时海况的表面重力波，通常认为至少为有效波高的 2 倍。大多数情况下，疯狗浪的性质和发生概率似乎与二阶随机波浪理论吻合，但是存在例外，尚不清楚这是否与观测误差、统计意外或模型未考虑的物理机制有关。Kristian 等（2008）在数值模拟和波池试验中发现由于非线性不稳定，长波峰疯狗浪的发生频率远高于理论预期。

8.2 异常波观测

8.2.1 测点布置

根据前期观测，异常波主要来自基槽的北侧，因此，异常波观测点都设置在沉管施工北侧海域，包含 2 个波潮仪观测站位和 1 个波浪浮标。2 个波潮仪分别布放在 E18 管节、E26 北侧 500 m 的海上平台，波浪浮标布放在 E26 北侧约 7000 m 海面。异常波实时测点布置示意图如图 8-3 所示。波潮仪为固定测点，波浪浮标为移动测点，沉管施工前 3 d 布放，施工完成后收回。

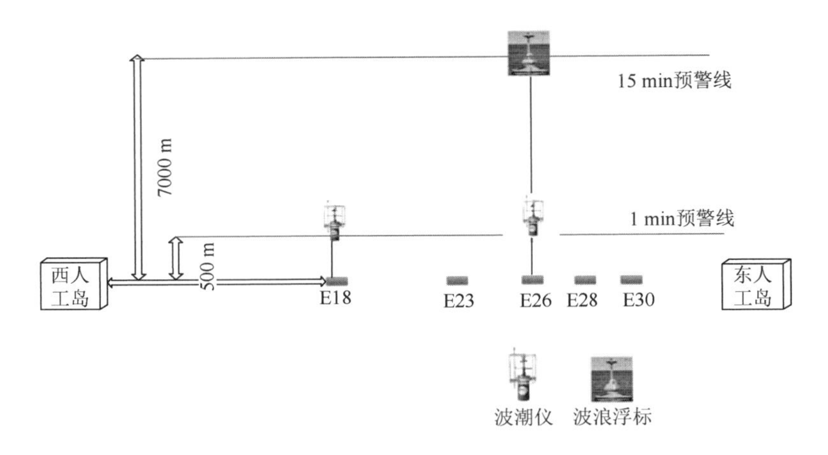

图 8-3　异常波实时测点布置示意图

8.2.2 观测仪器改进

由于异常波的特征，常规观测在时间、空间尺度上无法满足异常波监测要求。为了实现异常波观测和分析，项目组对仪器进行了多项升级改造，以提高系统功能和稳定性，数据采集器采用连续工作、定时工作两种兼容方式。①提高观测频率到 2 Hz（0.5 s）；②通信方式由单一 CDMA 增加为 CDMA、短波和北斗 3 种通信方式，信号较差时自动存储数据，在信号较好时发出；③将电池容量增加一倍，将太阳能充电效率提高 30%；④改善了波面起伏和波向计算方法，快速绘出波形并自动更新；⑤通过对波高、周期等波要素的综合判断，在异常波出现时实现自动报警。通过以上仪器的升级改造，实现了波面的高频观测和无线实时传输，为异常波实时分析和预警提供了基础。

异常波观测仪器包括中国科学院南海海洋研究所研发的波潮仪和国家海洋技术中心研发的波浪浮标，仪器设备主要性能指标见表 8-1。

表 8-1　仪器设备主要性能指标

传感器	测量要素	测量范围	测量频率
波潮仪	波高、波向、波周期	海表	2 Hz
波浪浮标	波高、波向、波周期	海表	2 Hz

8.2.3　数据实时传输

施工过程中需要实时监测施工海域的异常波浪特征，观测仪器通过电缆或无线方式实时将数据传输至营地值班室和现场指挥室自动存储和处理，数据传输间隔为 1 min。图 8-4 异常波观测数据实时传输示意图。

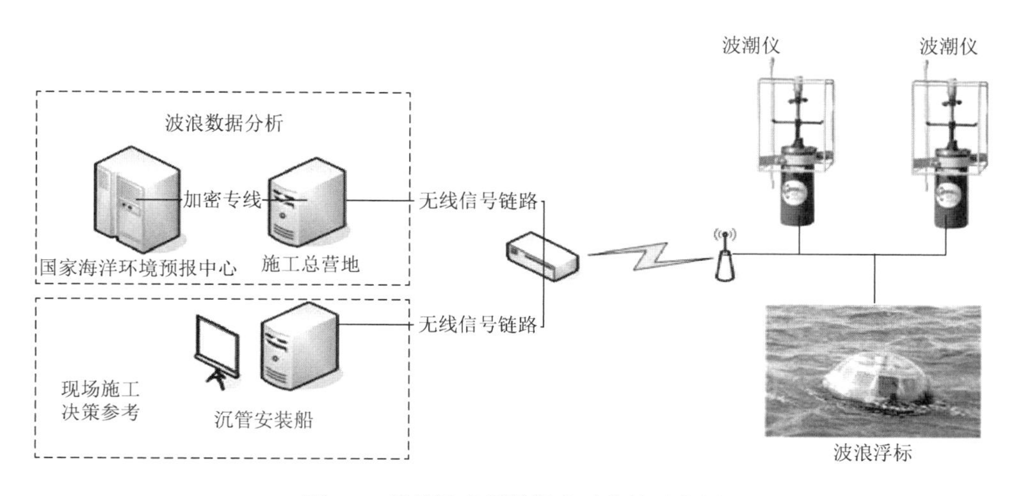

图 8-4　异常波观测数据实时传输示意图

8.3 异常波特征分析

8.3.1 资料处理

①波潮仪观测到的数据包含潮位的变化，采用滑动平均的低频过滤潮汐方法，保留高频波动信号。

②剔除监测数据中非波动特征的孤立极大值。

8.3.2 异常波的特征

参考沉管浮运安装施工的安全波浪参数阈值，以及该海域风浪、涌浪统计特征，珠江口海域的异常波作以下定义：

①波高＞0.6 m，波周期＞6 s；

②特变性、持续时间短；

③局地、非全海域；

④有包络线。

图 8-5 是 2015 年 9 月 23 日上午 7：00～7：17，在沉管施工区海域监测到的一次异常波发生全过程。此次异常波从 7：07 开始，至 7：12 结束，持续 5 min，最大波高约为 1.7 m，周期为 7 s。为方便比较，图 8-6 给出了风浪过程中海平面的变化。由图 8-5 和图 8-6 可见，风浪持续性长、无特变、无包络线，明显与异常波的不同。

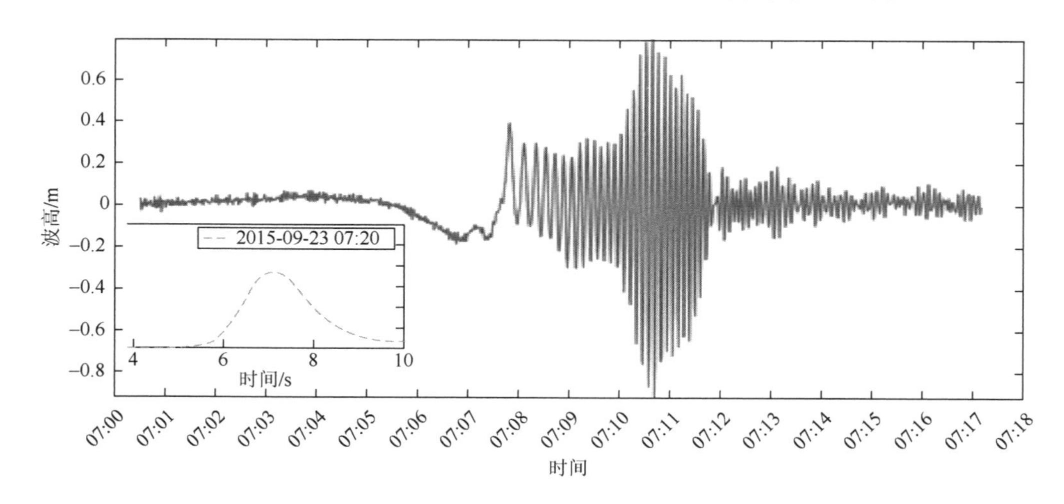

图 8-5 2015 年 9 月 23 日观测到的异常波

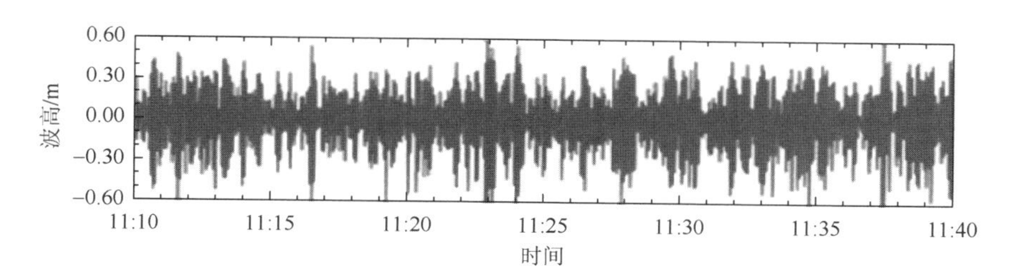

图 8-6　风浪过程中海平面的变化

8.3.3　异常波与季节、潮位的关系

2016 年波潮仪共观测到 75 次异常波，其中波高大于 0.8 m 的异常波 48 次，波高大于 1.2 m 的异常波 6 次。2016 年异常波发生次数与月份的关系见图 8-7，秋季异常波出现的次数最多（24 次），发生次数最多的两个月份为 11 月、9 月，分别为 11 次、9 次；春季异常波出现次数最少（15 次），其中 5 月最少，仅有 3 次。高影响异常波在 11 月、6 月发生次数较多。

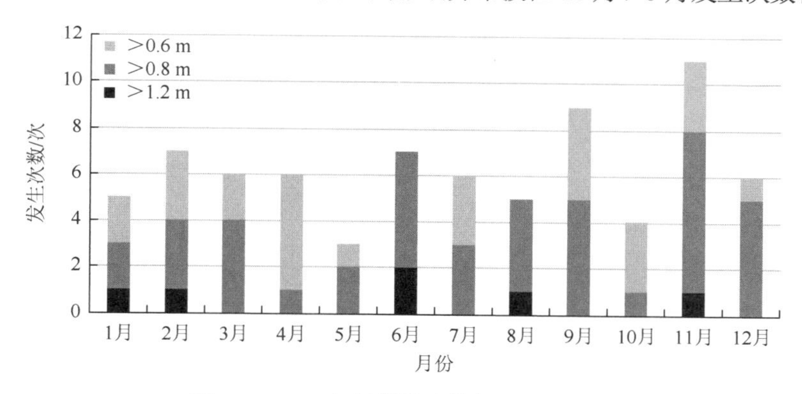

图 8-7　2016 年异常波次数与月份的关系

2016 年异常波发生次数与潮位位相的关系见图 8-8。在潮周期内的每个位相，异常波都会发生，但在涨潮位相异常波出现的次数最多（33 次），落潮位相次之（22 次），在高潮、低潮位相发生次数较少。波高大于 1.2 m 的异常波发生在涨潮、落潮位相，而平潮期没有出现。

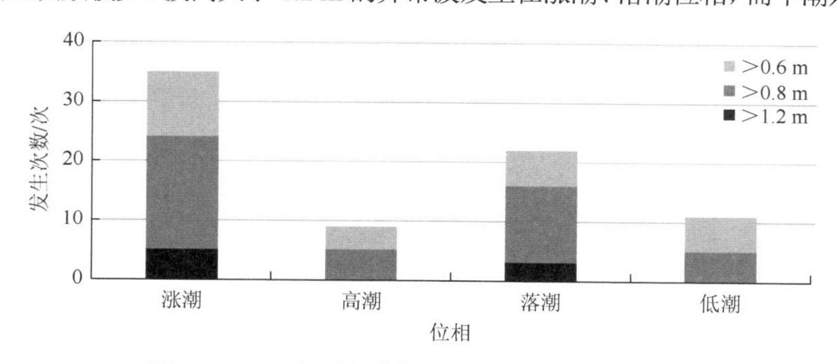

图 8-8　2016 年异常波发生次数与潮位位相的关系

为研究异常波波高与潮差的关系，分析了波高与潮差的关系（图略），波高与潮差整体呈现反相关关系，但相关较小。异常波产生与海洋环境的关系，目前所获得的资料相对较少，还需要开展系统的观测和研究，才能揭示异常波产生的秘密。

8.4 异常波预警系统的组成与功能

8.4.1 预警系统功能与架构

异常波预警系统由异常波监测系统、异常波分析系统和异常波发布系统三部分组成，其示意图见图 8-9。异常波监测系统对波面进行高频观测，并实时传输监测数据。异常波分析系统通过揭示异常波发生的时间规律，以及与径流量、潮位、潮流等因素的关系，给出异常波规律的分析报告，为沉管窗口决策提供参考。异常波发布系统在管节浮运安装过程中全程实时关注异常波特征，及时发布相应的预警信息，为沉管浮运安装的顺利进行提供保障。

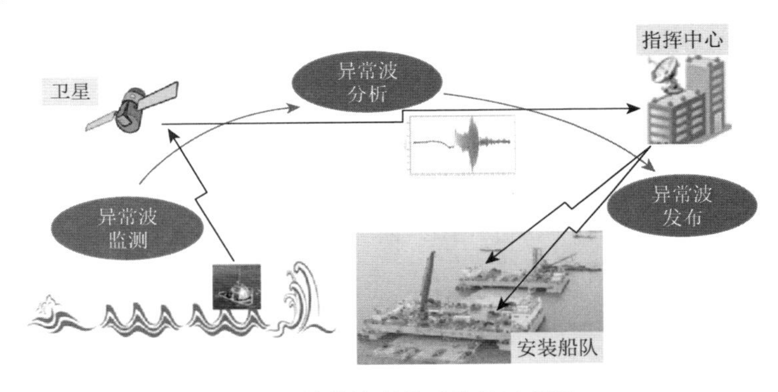

图 8-9 异常波预警系统的示意图

8.4.2 观测网

为了对异常波浪进行预警，需要对波高、波周期、波向等波浪参数进行观测。通过前期异常波观测分析，得到异常波传播方向和速度信息，异常波实时测点布置示意图见图 8-3。

8.4.3 实时分析

波潮仪和波浪浮标观测的资料通过线缆或网络实时传输到服务器存储后，对观测的波面数据进行时域、频域分析，如利用功率谱分析等手段对资料进行实时自动处理（图 8-10），得到目标海域的波高、波周期和波向等特征。

异常波时域数据分析，首先滤除观测数据中的天文潮分量，然后对数据序列进行时域滑动分析，计算最大波高。由异常波的控制条件（周期和波高）提取低频波、识别并记录异常波。对原时间序列进行带通滤波，滤除风浪等高频波动和低频趋势后，重复以上时域数据分析，并与上述结果对比。频域数据分析根据经验选取合适时间段，对观测数据时间序列进行滑动功率谱分析。利用功率谱计算各阶谱矩，并由此计算海浪波高、波周期、波长的数值，与时域数据分析结果比较。对某一范围内的功率谱开展分析，查找低频波高、周期条件与谱峰值之间的关系，提出基于功率谱的低频异常波识别方法。

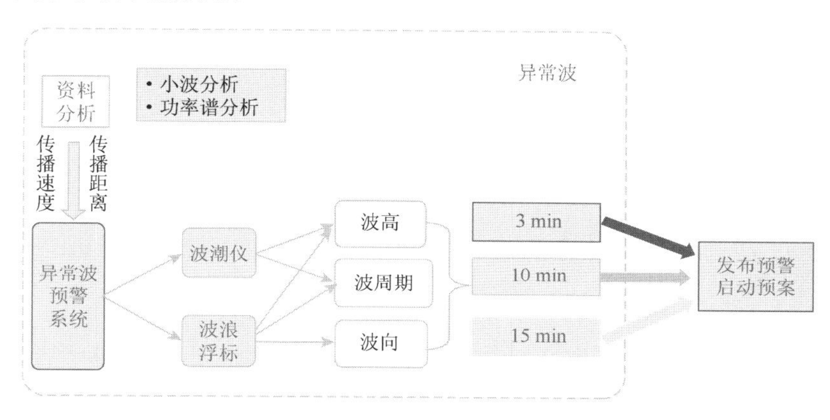

图 8-10　异常波预警系统工作示意图

8.4.4　自动预警

根据沉管在不同施工阶段的受限条件，并结合异常波的最大波高，将异常波预警级别分为 3 级（图 8-11），分别为蓝色（波高大于等于 0.6 m、小于 0.8 m），施工作业安全；黄色（波高大于等于 0.8 m、小于 1.2 m），施工作业存在较大风险；红色预警（波高大于等于 1.2 m），施工作业风险极大，停止海上一切作业。

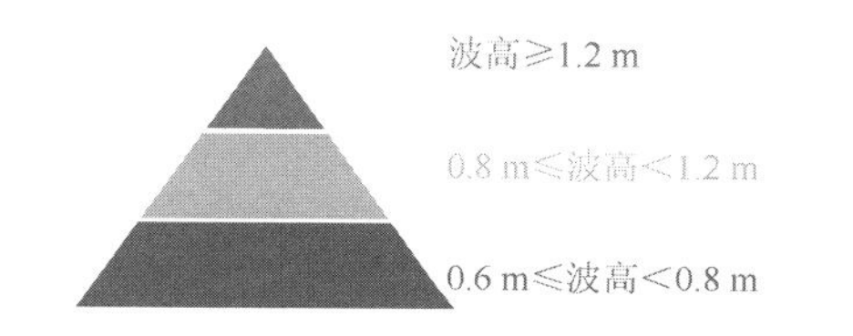

图 8-11　异常波预警级别划分（后附彩图）

异常波预警系统从管节浮运开始启动，到沉管安装对接完成后结束。在沉管作业期间，值班人员随时密切关注施工海域的异常波发生情况。根据观测到的异常波的波高、周期和传播信息后，计算异常波的预警时间并及时发布相应的预警信息（图 8-12）。根据异常波预警级别，沉管安装现场总指挥部采取防止异常波影响的工程措施，为沉管浮运安装的顺利进行提供保障。

此外，预警系统启动前，通过对异常波发生的特征及与水文环境关系的分析，如气象条件、海浪、径流、潮位等，开展异常波发生的预判，编制近期异常波的发生规律特征的分析报告，为沉管窗口决策及预警提供参考。

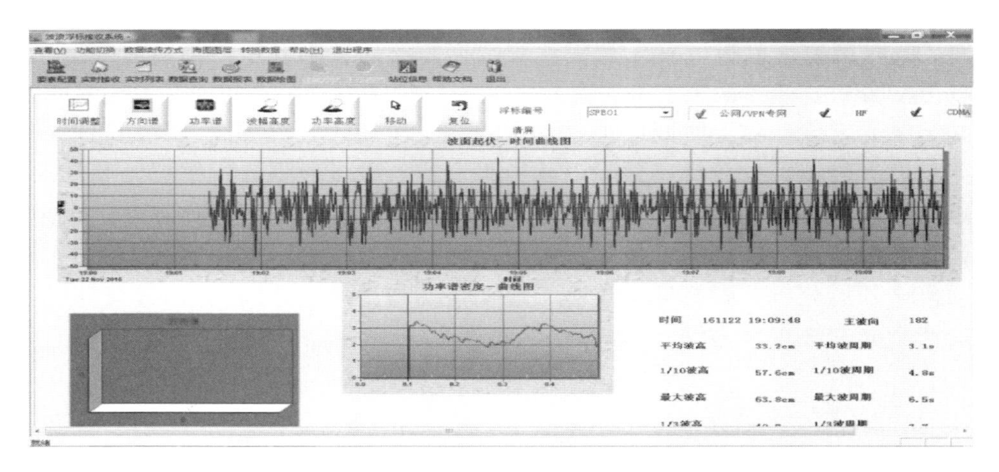

图 8-12　异常波预警系统显示界面

8.5　异常波预警系统在港珠澳大桥沉管隧道中的应用

异常波预警系统 2015 年 10 月完成研制后，在沉管隧道 E21～E33 管节和最终接头的安装施工中得到了应用，取得了良好的应用效果。

从 2015 年 9 月 22 日 E21 管节开始浮运，直到 2017 年 5 月 6 日最终接头安装成功，分别在 E22、E28、E31、E32 施工期间观测到异常波。按照预警保障流程，预警信息立即传送到沉管安装现场总指挥部，根据应急预案，指挥长做出应对决策，保障了沉管安装施工的安全。异常波预警系统实施效果如图 8-13 所示。

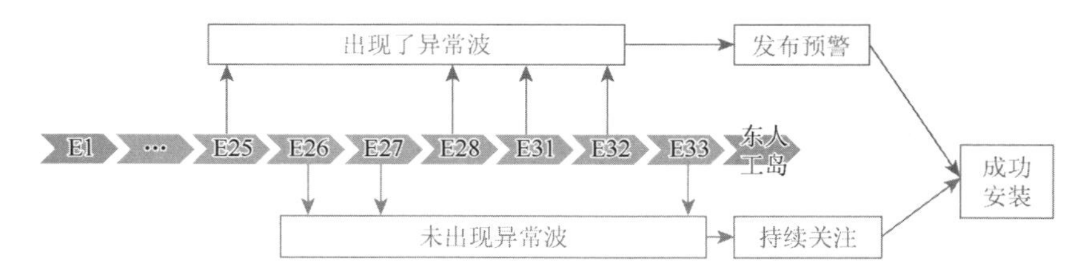

图 8-13　异常波预警系统实施效果

8.5.1　E22 管节安装保障

首先利用图 8-3 测点监测到的异常波数据，分析港珠澳大桥岛隧工程施工区的异常波发生特点。2015 年 9 月 23～11 月 2 日，共观测到 10 次异常波，其中 7 次蓝色、1 次黄色、2 次红色。这 10 次异常波分别出现在上午 8 时前后、下午 2 时前后及傍晚 5～6 时。在 2015 年 11 月 2 日浮运安装窗口决策会上，汇报了上述异常波发生情况。E22 管节安装前施工海域的异常波统计和监测情况分别见表 8-2 和图 8-14。

表 8-2 E22 管节安装前施工海域的异常波统计

日期	10月1日	10月2日	10月6日	10月7日	10月9日	10月13日	10月15日	10月22日	10月25日	10月30日
1号波潮仪时间	08: 43	18: 05	17: 17	14: 27	13: 02	18: 07	07: 47	07: 49	09: 28	13: 41
波高/m	0.6	0.7	0.6	0.6	0.8	1.2	0.6	1.2	0.6	0.7
波周期/s	10	6	10	6	6	7	9	7	7	8
持续/min	10	5	6	3	6	9	10	7	9	8
潮位位相	涨潮	低潮	涨潮	涨潮	落潮	涨潮	涨潮	落潮	高潮	高潮

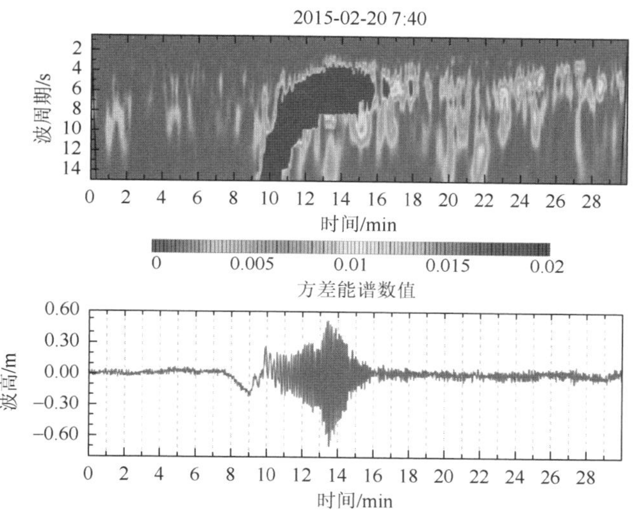

图 8-14 E22 管节浮运安装前的异常波监测情况（后附彩图）

2015 年 11 月 3 日上午，波浪浮标投放完毕，与 1 号、2 号波潮仪共同构成施工海域异常波监测网。经测试，仪器运行正常，数据传输正常，异常波预警系统开始运行。11 月 4 日 19:30 E22 管节浮运安装开始编队，11 月 5 日 21:00 完成安装对接，历时 26 h。11 月 4～5 日 E22 管节浮运沉放期间，施工海域没有出现较大的异常波，但是 11 月 4 日上午施工海域出现了波高 0.6 m、波周期 6 s、持续 3 min 的异常波（图 8-15）。

8.5.2 E28 管节安装保障

表 8-3 是 E28 管节施工前期异常波的统计结果。如 2016 年 6 月 13 日～7 月 7 日，共观测到 5 次异常波。其中，2 次蓝色、1 次黄色、2 次红色。该段时间观测到最强的异常波出现在 2016 年 6 月 22 日 6:50，最大波高达 1.5 m，波周期为 8 s，持续了 10 min，见图 8-16。可见，异常波有空间变化，6 月 16 日、6 月 30 日 1 号波潮仪监测到了异常波，而 2 号波潮仪没有监测到。6 月 22 日、7 月 6 日 1 号、2 号波潮仪都监测到了异常波。6 月 24 日，只有 2 号波潮仪监测到异常波。

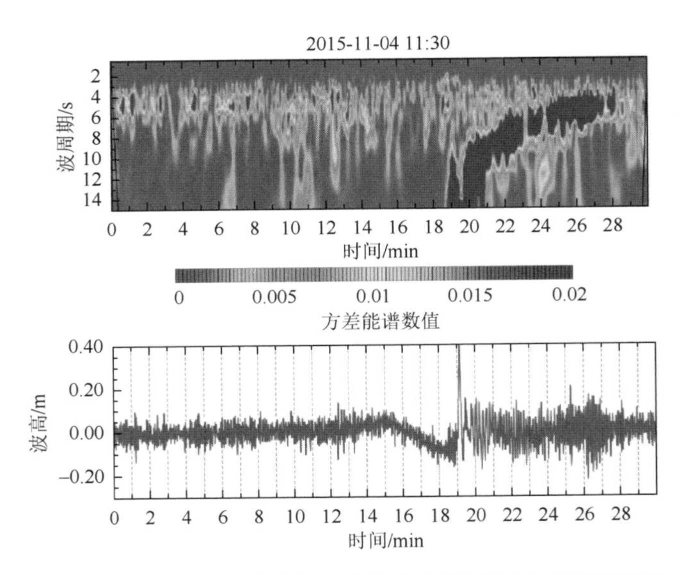

图 8-15　E22 管节浮运安装期间的异常波监测情况（后附彩图）

表 8-3　E28 管节安装前施工海域发生的异常波

波潮仪	1 号波潮仪				2 号波潮仪		
日期	6 月 16 日	6 月 22 日	6 月 30 日	7 月 6 日	6 月 22 日	6 月 24 日	7 月 6 日
时间	12:26	6:50	11:57	11:52	6:54	11:41	11:55
波高/m	0.8	1.5	1.2	0.6	0.6	0.6	0.6
波周期/s	8	8	8	9	7	10	10
持续/min	6	10	4	2	10	7	2
潮位位相	落潮	涨潮	落潮	落潮	涨潮	高潮	落潮

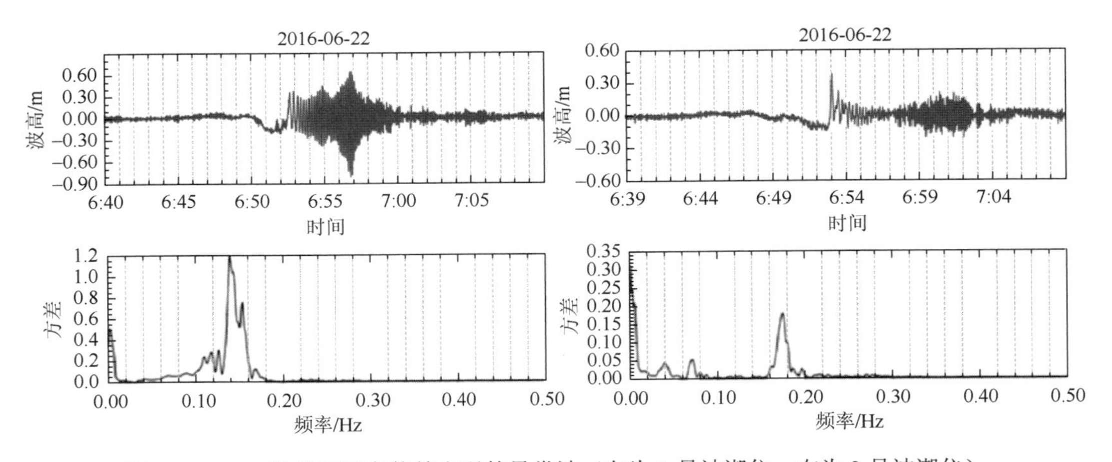

图 8-16　E28 管节浮运安装前出现的异常波（左为 1 号波潮仪，右为 2 号波潮仪）

2016 年 7 月 11 日上午，波浪浮标投放完毕，1 号和 2 号波潮仪在施工海域的异常波监测构建完成，预警系统开始正常运行。7 月 11 日 21:00 E28 管节施工开始编队，第二天 18:00 管节安装对接完成，共历时 21 h。E28 管节浮运期间，监测到一次异常波，波高 1.1 m、波周期为 8 s、持续 6 min（图 8-17）。

管节安装对接期间，施工海域没有出现异常波。

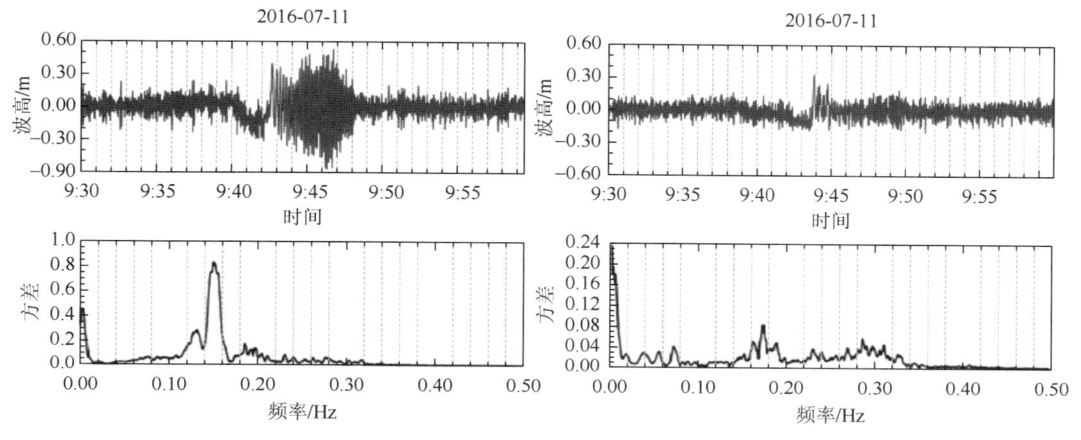

图 8-17　E28 管节浮运当天异常波监测情况（左为 1 号波潮仪，右为 2 号波潮仪）

8.5.3　E31 管节安装保障

表 8-4 是 E31 管节施工前期异常波的统计结果。2016 年 11 月 23 日～12 月 16 日，共观测到 9 次异常波。其中，4 次蓝色、4 次黄色、1 次红色。最大异常波发生在 12 月 10 日上午 9:52，波高 1.2 m，波周期为 8 s，大约持续了 6 min（图 8-18）。

表 8-4　E31 管节安装前施工海域发生的异常波特征（时间、波高、波周期、潮位）

波潮仪	1 号波潮仪								2 号波潮仪
日期	11 月 27 日	11 月 30 日	11 月 30 日	12 月 3 日	12 月 4 日	12 月 10 日	12 月 10 日	12 月 12 日	11 月 28 日
时间	12:00	7:23	13:23	15:41	11:54	8:18	9:52	17:15	7:32
波高/m	1.1	1.0	0.7	0.9	0.8	0.6	1.2	0.8	0.9
周期/s	7	10	9	7	9	9	8	9	9
持续/min	6	5	4	3	4	5	6	4	5
潮位位相	落潮	涨潮	落潮	落潮	涨潮	落潮	落潮	涨潮	涨潮

E31 管节施工从 12 月 24 日 8:00 开始编队，25 日 8:00 完成安装，历时 24 h，其间异常波预警系统运行正常。E31 管节浮运安装期间，施工海域未观测到异常波，但在安装完成后观测到一次波高较大、波长较长的异常波（波高 0.9 m、波周期 8 s），对施工没有影响（图 8-19）。

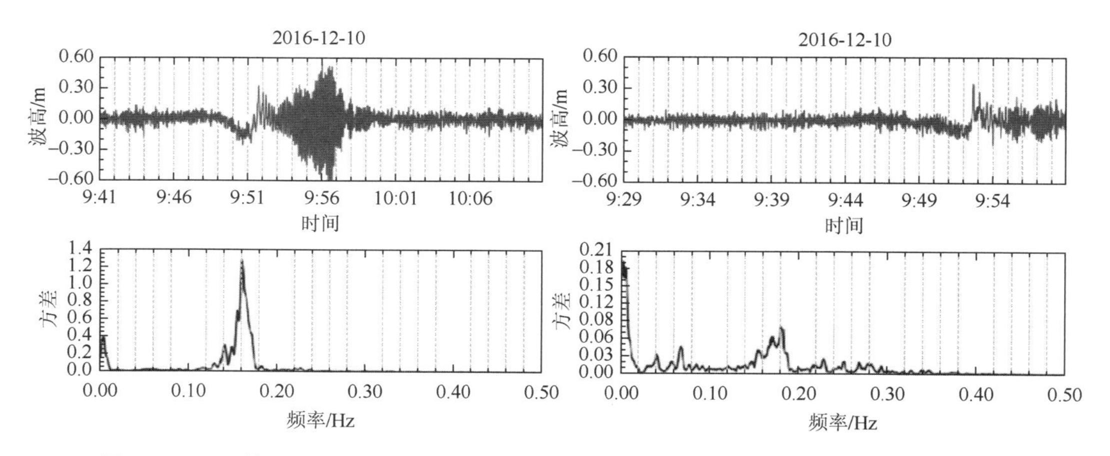

图 8-18　E31 管节浮运安装前出现的异常波情况（左为 1 号波潮仪，右为 2 号波潮仪）

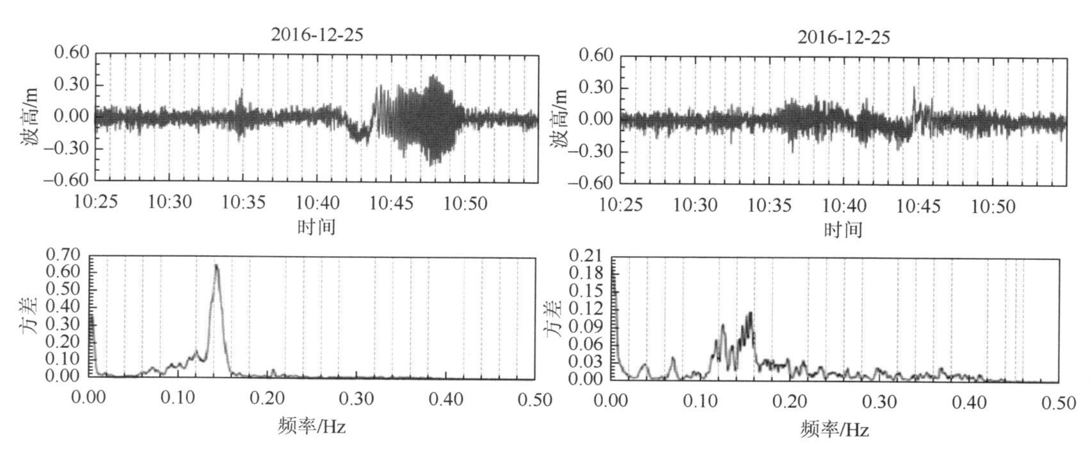

图 8-19　E31 管节浮运安装完成当天的异常波观测情况（左为 1 号波潮仪，右为 2 号波潮仪）

8.5.4　E32 管节安装保障

E32 管节安装前 2016 年 10 月 9 日～11 月 20 日，共观测到 7 次异常波，没有红色预警级别的异常波，其中最大波高为 1.1 m，波周期为 7 s，持续了 6 min，见表 8-5 和图 8-20。

表 8-5　E32 管节安装前施工海域发生的异常波特征

波潮仪	1 号波潮仪							2 号波潮仪
日期	10 月 27 日	11 月 5 日	11 月 6 日	11 月 6 日	11 月 11 日	11 月 12 日	11 月 20 日	10 月 9 日
时间	7:12	12:14	9:51	12:51	7:22	9:27	11:32	6:46
波高/m	0.8	0.7	0.6	0.8	1.1	0.8	0.9	0.7
波周期/s	10	9	9	7	7	7	10	5
持续/min	5	4	6	5	6	5	5	8
潮位位相	高潮	涨潮	涨潮	涨潮	高潮	落潮	涨潮	落潮

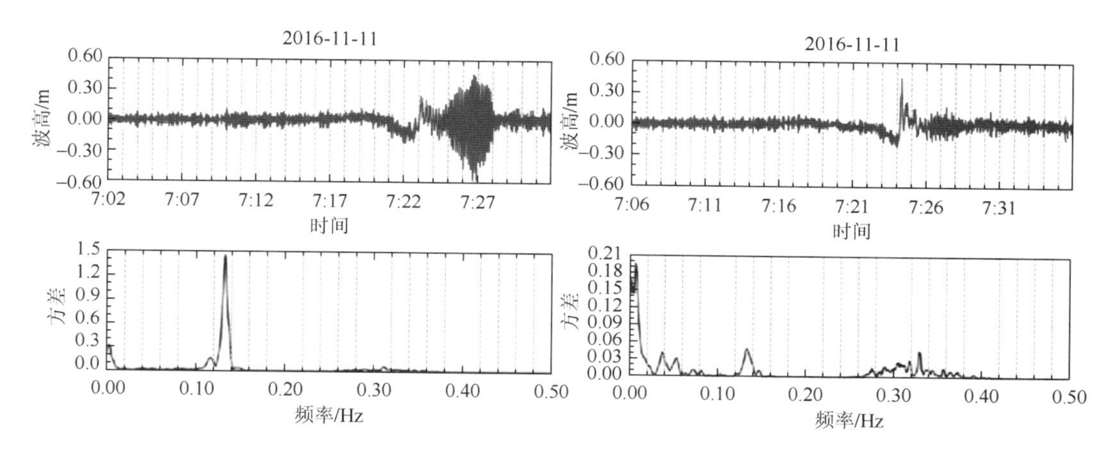

图 8-20　E32 管节浮运安装前 11 月 11 日出现的异常波（左为 1 号波潮仪，右为 2 号波潮仪）

E32 管节施工从 11 月 22 日 8:00 开始编队，23 日 8:00 完成安装，历时 24 h，异常波预警系统运行正常。E32 管节浮运安装期间，波浪浮标在施工海域观测到一次波高较大、波长较长的异常波（图 8-21），波高 1.94 m、波周期 22 s，现场值班人员及时向中交指挥发布预警信息，立即启动应急预案，避免了一次施工风险。

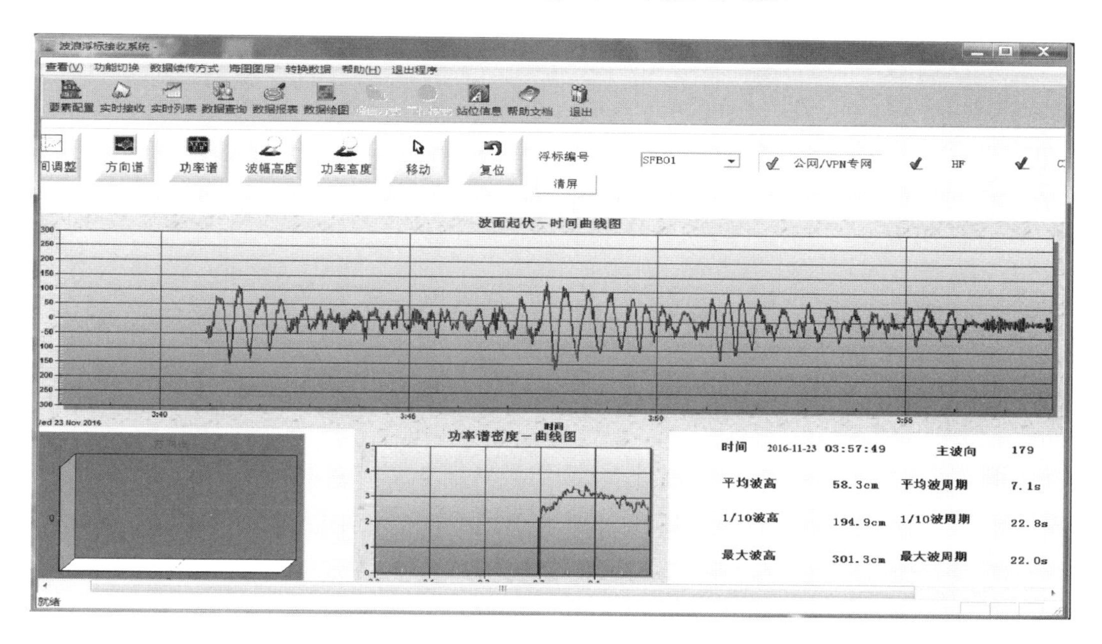

图 8-21　E32 管节浮运安装期间的异常波观测情况（波浪浮标）

通过异常波预警系统的研发，在珠江口海域首次观测到一种新型的异常波现象；首次研发了波面高频监测、信号快速识别技术，首次建立了工程海域异常波预警系统。实现了秒级的快速识别、波要素自动检测与提前 15 min 的自动报警功能，为管节安装提供了安全保障。相关的创新技术和成果已在港珠澳大桥岛隧工程沉管隧道的海洋环境预报保障中得到成功应用。

异常波预警系统的成果提高了企业在复杂的海洋环境下施工的适应能力和应对能力，提高了海内外市场的竞争力，项目研究也为企业和科研单位培养了重要的技术骨干。异常波预警系统的成功研发增进了对珠江口异常波的了解，可以在决策时最大限度地考虑环境影响，将环境对工程施工的不利影响降到最小，取得最大的环境效益。

第9章　合拢口海流流态研究和最终接头安装数值模拟

9.1　概　　述

在沉管隧道安装E29、E30和最终接头时，基槽与已安装的管节共同形成了约380 m的合拢口，相比原先的深槽地形发生了变化，由此影响施工海域的流态分布。E29和E30的先后安装，使合拢口宽度从380 m缩小到12 m，狭管效应明显。由于安装最终接头的巨型浮吊船船体大，作业吃水深，又使施工海域的流态更加复杂，给最终接头的安装施工带来重大的风险。

我国在大型海洋工程中如上海浦东国际机场围海工程、长江口青草沙水库工程、曹妃甸东南海堤工程、龙口人工岛群工程和瓯江口围垦工程，均采用了数值模拟技术来分析施工区域的水动力情况，并成功保障了工程建设。其中，在对上海浦东国际机场围海大堤龙口的数值模拟中，季永兴等（2000）通过美国陆军工程兵团水道试验站（WES）开发的二维等深有限元水流数学模型程序，采用六节点三角形单元网格，计算在不同潮型下的龙口合龙水力，并成功保障了工程进展；史宏达等（2010）利用英国AEA公司开发的计算流体力学软件CFX，对龙口合龙过程中不同阶段的二维平面流速场利用数值模拟技术进行分析研究。在对长江口青草沙水库龙口的数值模拟中，赵庚润等（2008）利用美国ANSYS公司开发的商用计算流体力学软件FLUENT，开展了垂向二维水流分析；潘丽红等（2010）基于丹麦水工研究所（DHI）开发的MIKE软件，研究龙口水动力学特性，计算出涨急、落急时龙口流速的分布，指出龙口水动力条件由工程所在河口环境等特点决定。在对曹妃甸东南海堤龙口合龙的数值模拟中，韩涛和张文忠（2010）使用美国北卡罗来纳大学开发的ADCICR二维潮流有限元模型，以范滋胜（2010）根据DHI的MIKE21开展了相关工作。在对莱州湾东北部龙口海域开展的数值模拟中，张立奎等（2011）和安永宁等（2013）均根据DHI的MIKE21分析人工岛群建设对潮流环境的影响。在对温州瓯飞一期围垦工程龙口的数值模拟中，潘丽红等（2010）使用DHI的MIKE，刘云等（2016）则通过浙江省水利河口研究院开发的基于三角形网格的有限体积平面二维模式，研究龙口涨落潮水动力因素，以及龙口附近流场和流速分布，为合龙创造条件。

在国外，也有一些学者通过数值模拟的方式研究水动力，分析构造物在水中的震荡和受力。其中，Van den Abeele和Voorde（2010）利用COMSOL公司的Multiphysics数值模拟分析带尾流干扰的船舶提升管流致振荡；Han等（2010）利用Multiphysics数值模拟研究水动力发电用振荡水翼的受力；Paul 等（2014）利用 Multiphysics 数值模拟研究维多利亚湖的水动力学。

9.2 合拢口的海流观测

为了研究合拢口流态分布变化规律，先后在不同的合拢口宽度（380 m、200 m 和 12 m）情况下进行现场海流观测，海流观测采用坐底式和横扫式的方式，分三期进行。

9.2.1 第一期观测

管节 E28 和 E31 已安装到位，合拢口的宽度为 380 m。

海流观测仪器的布放见图 9-1。基槽中轴线布放两台坐底式海流观测仪器，分别距离 E28 管节首端和 E31 管节尾端 30～50 m（图 9-1 中的 b 和 c）。横扫式海流观测仪器布放在 E28 管节首端的顶部（图 9-1 中的 a）。

在 E29 施工前 10 d 开展观测，从 2017 年 2 月 11～17 日，观测时长 7 d，覆盖了大潮期和中潮期。

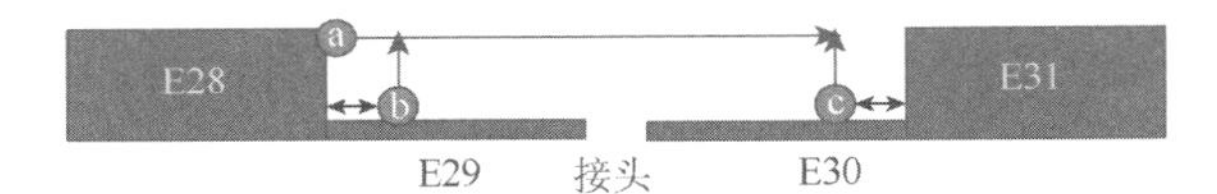

图 9-1 第一期合拢口海流观测站位示意图

9.2.2 第二期观测

管节 E29 安装到位，合拢口的宽度缩短到 200 m。

海流观测仪器的布放见图 9-2。c 点观测继续保留（E31 管节首端 30～50 m），E30 安装施工前 1 d 收回。由于施工的原因，b 点观测不再进行。横扫式海流观测仪器移到 E31 管节尾端的顶部（图 9-2 中的 a），E30 安装施工前 1 d 转移到 E29 管节首端。

在 E30 施工前、施工中和施工后开展观测，从 2017 年 3 月 3～17 日，观测时长达 15 d，覆盖了中潮期、小潮期、中潮期、大潮期和中潮期。

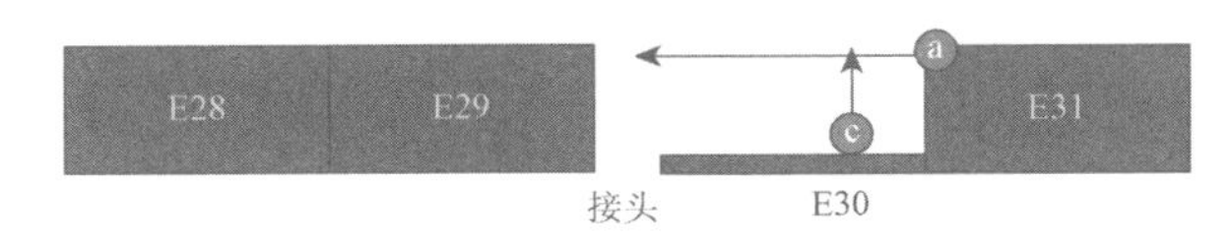

图 9-2 第二期合拢口海流观测站位示意图

9.2.3 第三期观测

管节 E30 安装到位，合拢口的宽度为 12 m。

海流观测仪器的布放见图 9-3。坐底式海流观测仪器位于 E29 与 E30 中间，横扫式海流观测仪器位于 E29 管节首端的顶部。

在最终接头施工前开展观测，从 2017 年 3 月 17 日～4 月 5 日，观测时长 20 d，覆盖了小潮期、中潮期和大潮期。

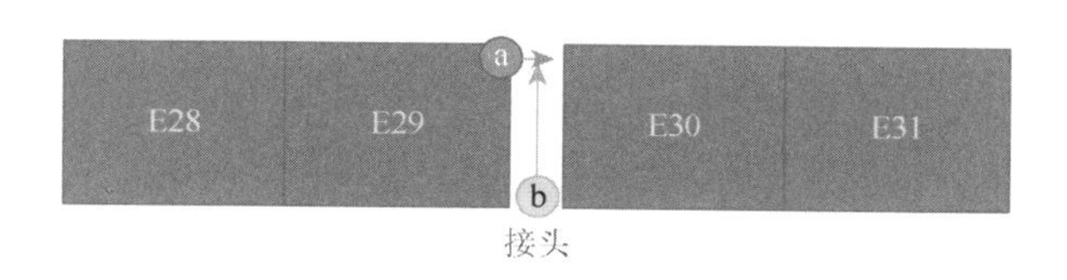

图 9-3　第三期合拢口海流观测站位示意图

9.2.4　观测仪器

1. 坐底式海流观测仪器

坐底式海流观测仪器采用垂直声学多普勒流速剖面仪（图 9-4）。仪器主要参数如下。

型号：阔龙 600 kHz

生产商：挪威 NORTEK 公司

最大测量剖面：30～40 m

测量范围：±10 m/s

测量准确度：示值的±1%±0.5 cm/s

垂直声学多普勒流速剖面仪安置在不锈钢支架内，支架投放在海底，声学换能器发射面朝上。设置每 30 min 记录一次，垂直间距为 1 m。不锈钢仪器支架呈四边形锥体，高 0.9 m，底宽 1.2 m（图 9-5）。

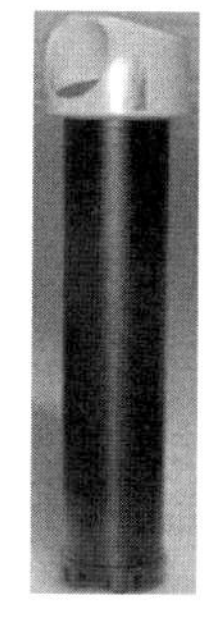

图 9-4　垂直声学多普勒流速剖面仪

2. 横扫式海流观测仪器

横扫式海流观测仪器采用水平声学多普勒流速剖面仪（图 9-6）。仪器主要参数如下。

型号：Channel Master 型 300 kHz

生产商：Teledyne RDI 公司

最大测量剖面：300 m

测量范围：±5 m/s

测量准确度：示值的±0.5%±0.2 cm/s

水平声学多普勒流速剖面仪水平放置，用固定架固定在沉管尾端，声学换能器发射面为水平方向，有效测量距离 200 m，设置每 30 min 记录一次，水平间距为 1 m（图 9-7）。

图 9-5　海流观测仪器投放示意图

图 9-6　水平声学多普勒流速剖面仪

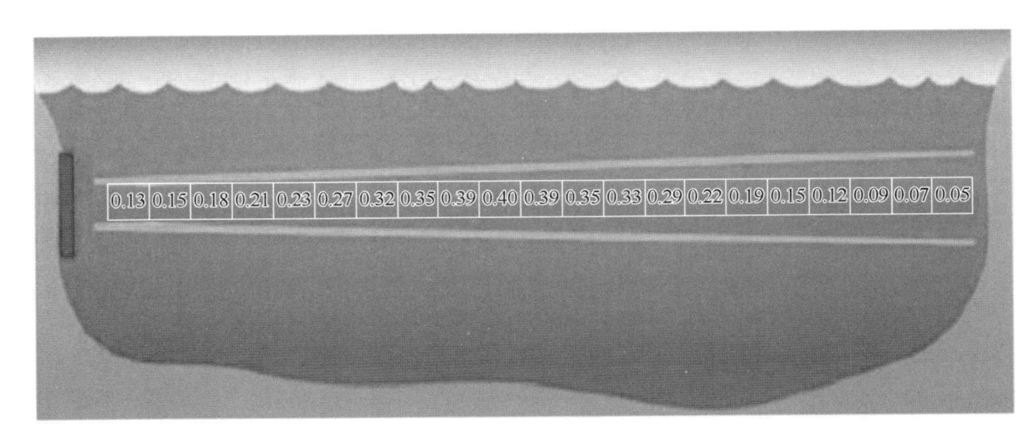

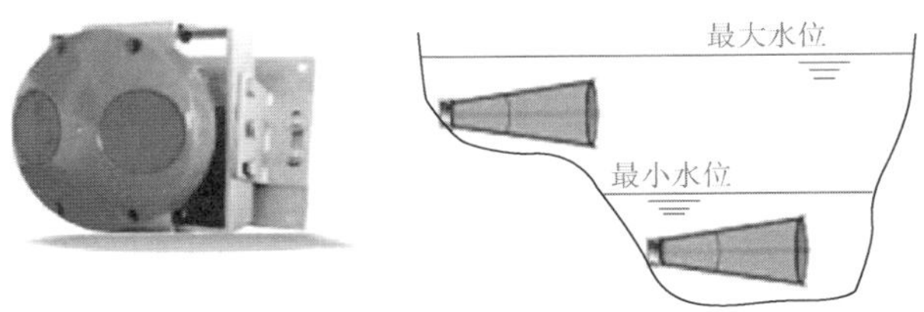

图 9-7　横扫式海流观测仪器投放示意图

9.3　合拢口海流流态

9.3.1　380 m 合拢口海流三维结构

380 m 合拢口流态结构分析是基于基槽东西两端基床坐底式海流观测及 E28 管节顶部的横向测流计的观测数据（图 9-1）。海流的观测时间为 2017 年 2 月 11 日～2 月 17 日，经历大潮期至中潮期两个位相。为突出大流速的分布特征，绘图时流速小于 0.4 m/s 的等值线省略。

由于 E28、E31 管节安装到位，深槽东西宽度只有 380 m，已形成深槽的第一个合拢口。合拢口的大流速区随潮位的变化上下摆动（简称“齿轮”现象），这与深槽的海流特征一致（图 9-8）。落潮时，进入深槽内的大流速，从表层逐渐向下伸展，但它向下的水深不超过 20 m。深槽合拢口的流向为西南向。对于涨潮位相来说，前期大流速在下层，后期大流速转移至上层。对于深槽外的海域，由于水深比较浅，海流没有出现“齿轮”现象（图 9-9）。涨潮时与落潮时海流相比较，流速大小接近，但流向略偏南（图 9-8）。

中潮期，尽管流速明显比大潮期减弱，但深槽内流速的“齿轮”现象仍然存在。

9.3.2　200 m 合拢口海流三维结构

E29 管节安装完成后，合拢口的宽度从 380 m 缩短为 200 m（图 9-2）。下面分析合拢口缩短近一半后，深槽合拢口内流速的变化。

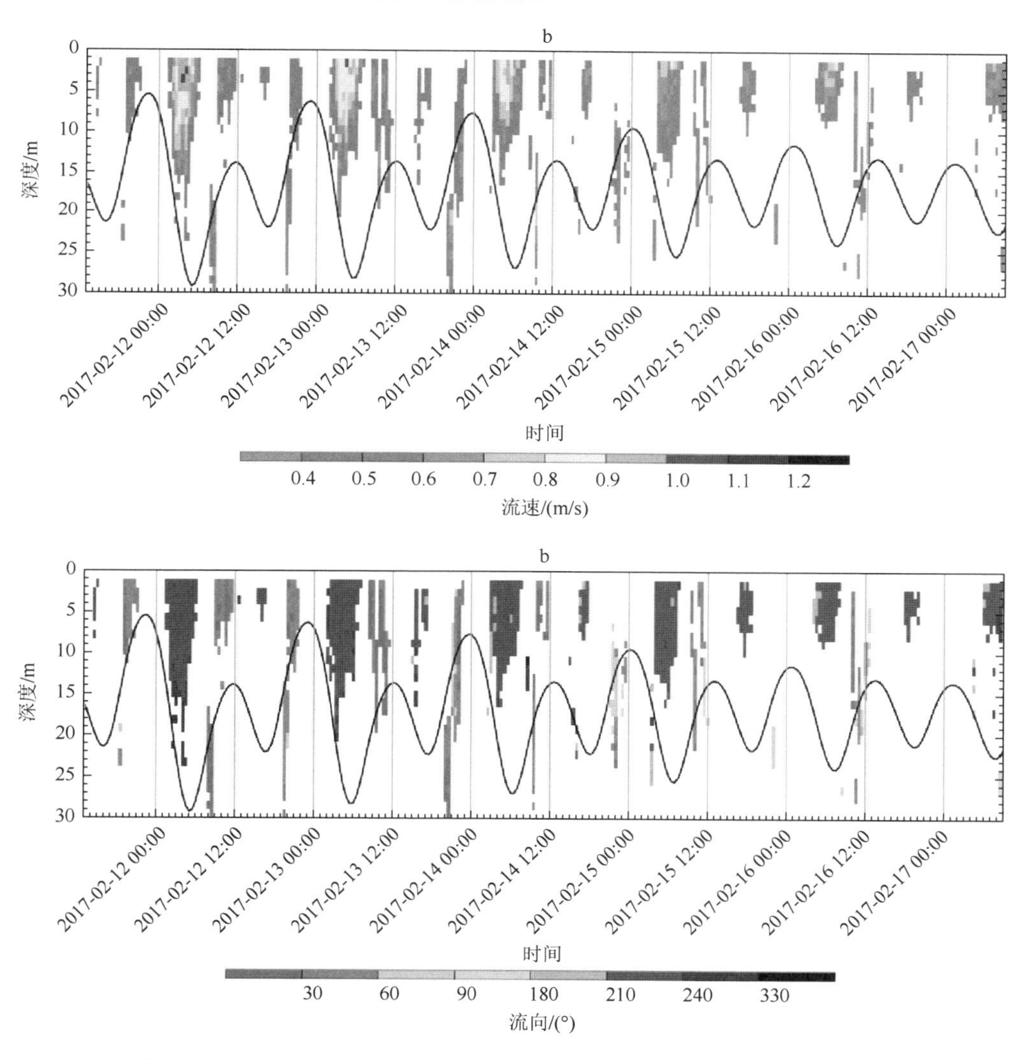

图 9-8　基槽内 E29 首端处（b 点）流速（上）、流向（下）深度-时间剖面（后附彩图）

由图 9-10 可见，深槽合拢口内海流“齿轮”现象依然存在。落潮流集中在表层，与周围流一致，向西南方向流动。涨潮时，深槽内的流速上下都比较大。由于受合拢口的约束，上层流向为北偏东，下层流向为北偏西。值得注意的是，深槽上下层都出现了大的流速，这是单独深槽不具有的现象。

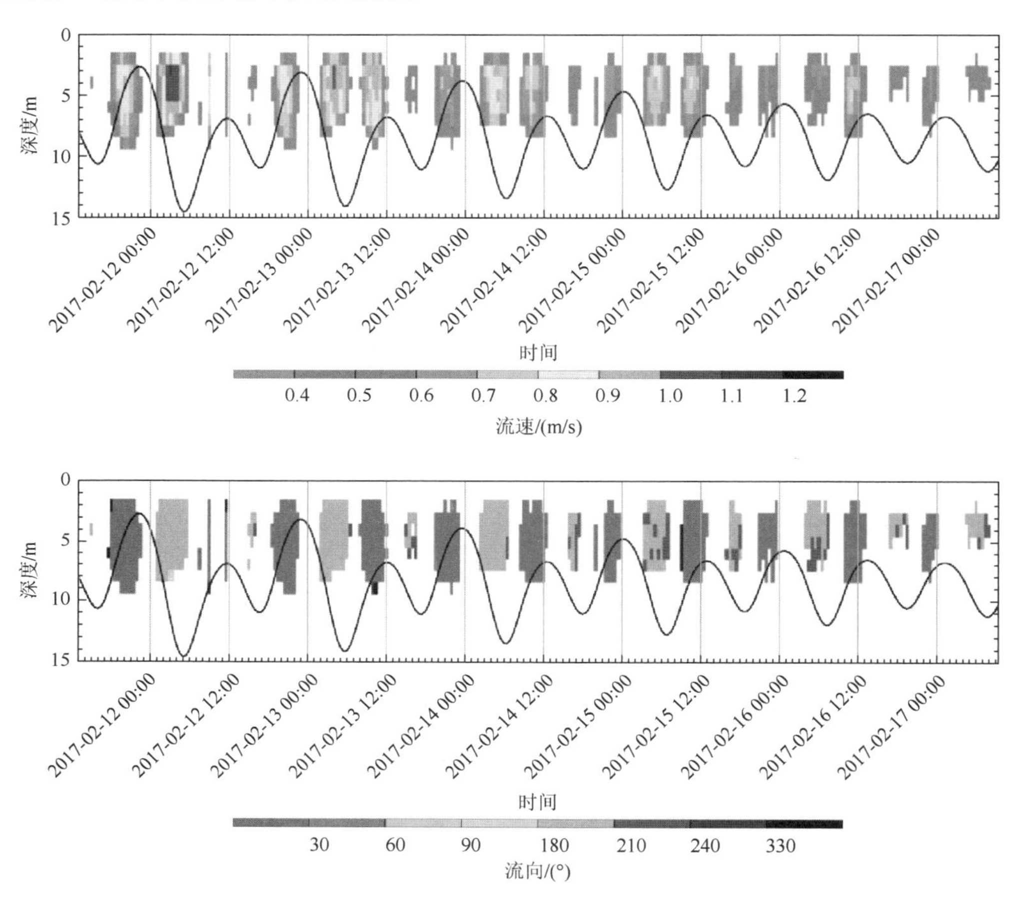

图 9-9　5 号浮标实测的流速（上）和流向（下）深度-时间剖面（后附彩图）

9.3.3　20 m 合拢口海流三维结构

20 m 合拢口是最终接头的安装区。受 E29、E30 管节阻挡，海流通过时会呈现加速，即合拢口效应。本节分析的海流数据取自合拢口南北两侧的垂直声学多普勒流速剖面仪观测的实测值，时间为 2017 年 3 月 17 日～4 月 5 日，经历了小、中和大完整潮期（图 9-11）。为重点突出大流速的分布，图中只给出流速大于 0.3 m/s 的分布。

图 9-12 是大潮期间，合拢口内北侧和南侧各深度流速随潮期的变化。为重点突出大流速的分布，图中只给出流速大于 0.3 m/s 的分布。由于合拢口从 380 m、200 m 到 20 m，

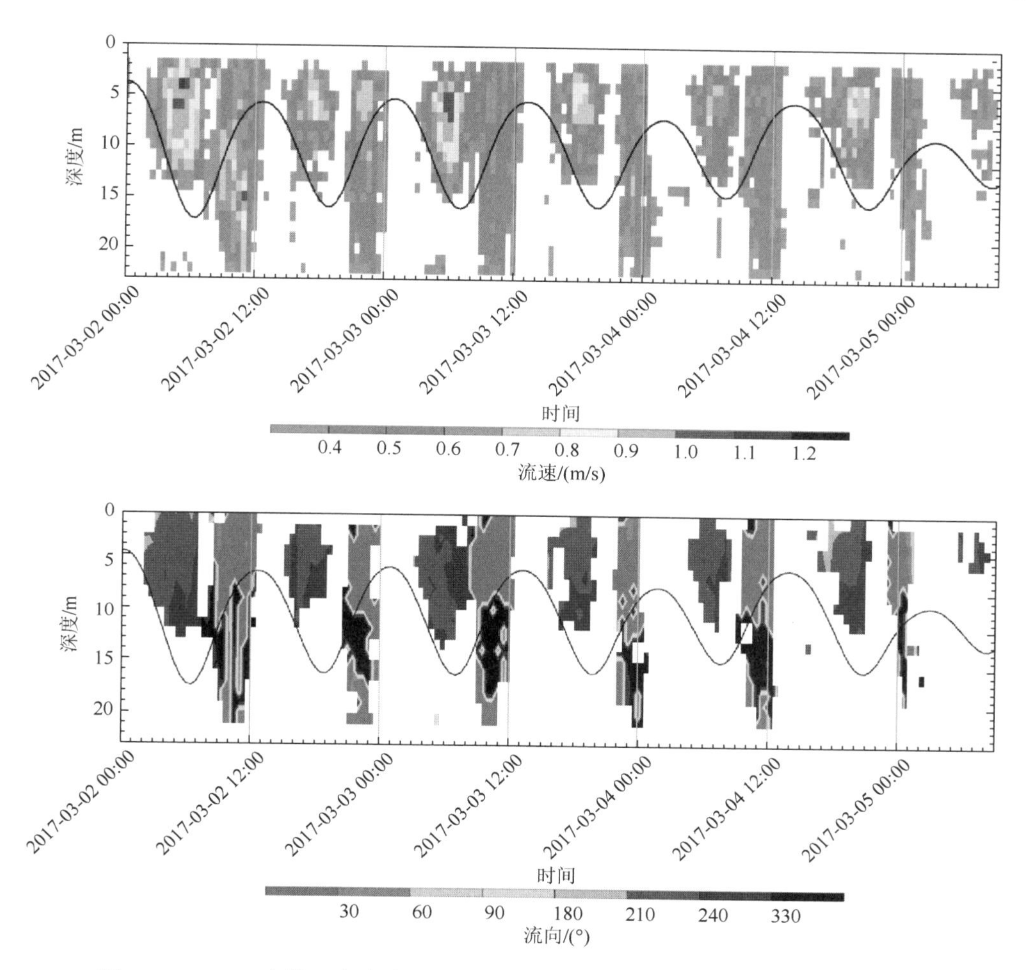

图 9-10　200 m 合拢口内流速（上）和流向（下）深度-时间剖面（后附彩图）

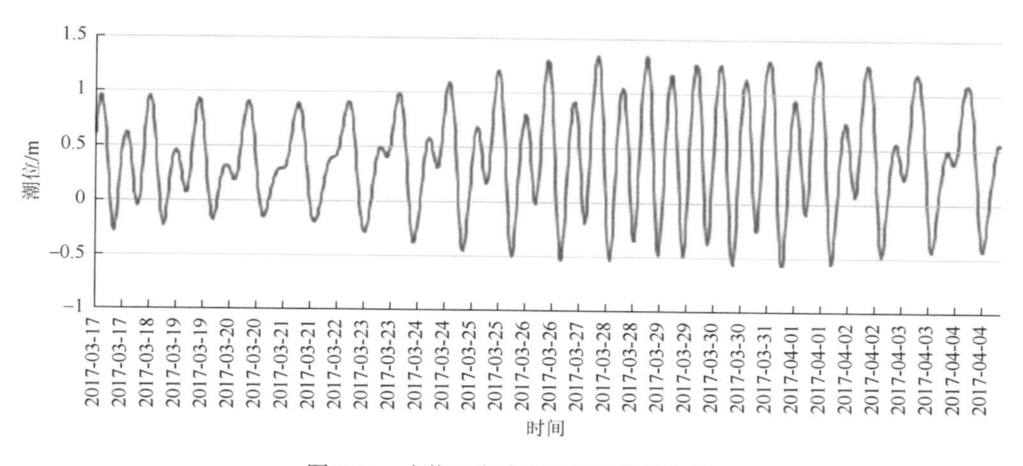

图 9-11　合拢口海流观测期间潮位变化

此时合拢口内的流态与前两个合拢口完全不同。深槽内的“齿轮”现象几乎消失，大的流速从表层一直延伸至底层（比较图 9-8 和图 9-10）。另外，合拢口南、北两侧流速的垂直结构也不同。在合拢口北侧，不论是涨潮或落潮，大流速主要位于上层，而合拢口南侧上层与下层同时出现大流速中心，尤其落潮位相最为明显。落急时，南侧上下层均有 1 m/s 以上的流速。涨急时，南侧下层的流速大于上层。

合拢口北侧和南侧，涨潮时上下层的流向为偏北向；落潮时，上层流方向为西南偏南，而下层流为南偏东（图 9-13）。

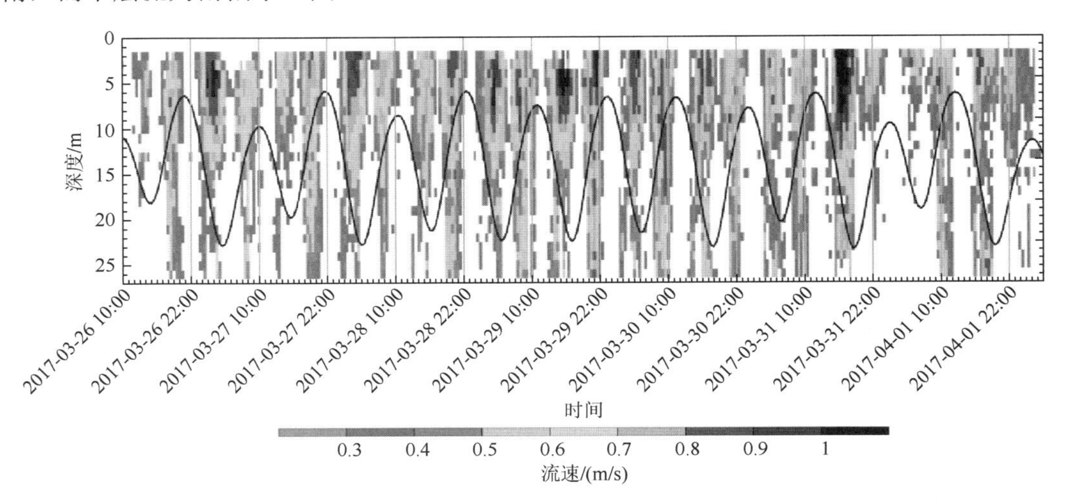

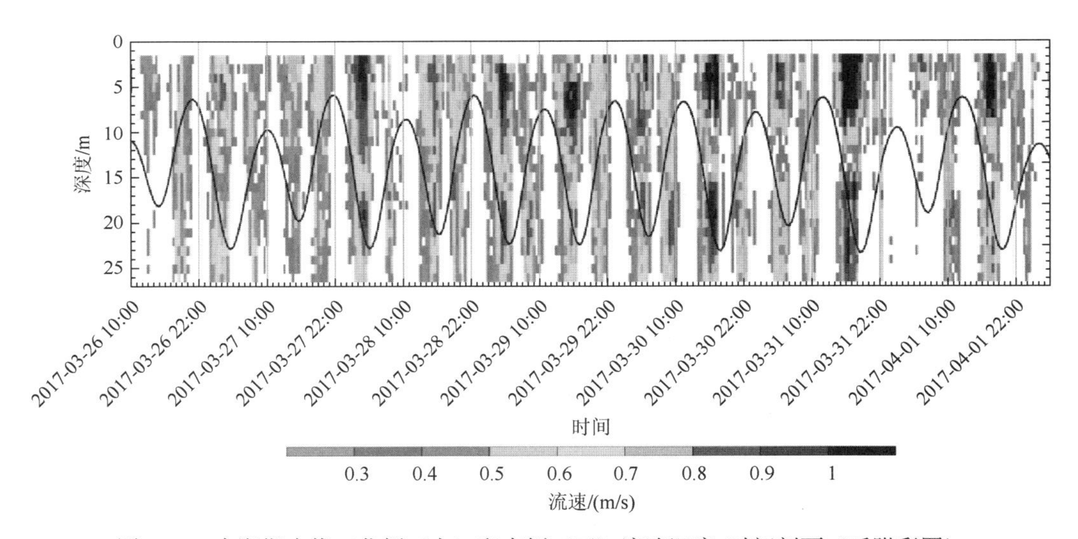

图 9-12　大潮期合拢口北侧（上）和南侧（下）流速深度-时间剖面（后附彩图）

中、小潮期合拢口流速分布见图 9-14。除中潮期前期外，大流速主要位于合拢口上方，合拢口内的流速相对较小，已无深槽海流“齿轮”现象。可见，“齿轮”现象不仅与基槽的深度有关，而且与东西方向宽度有关。

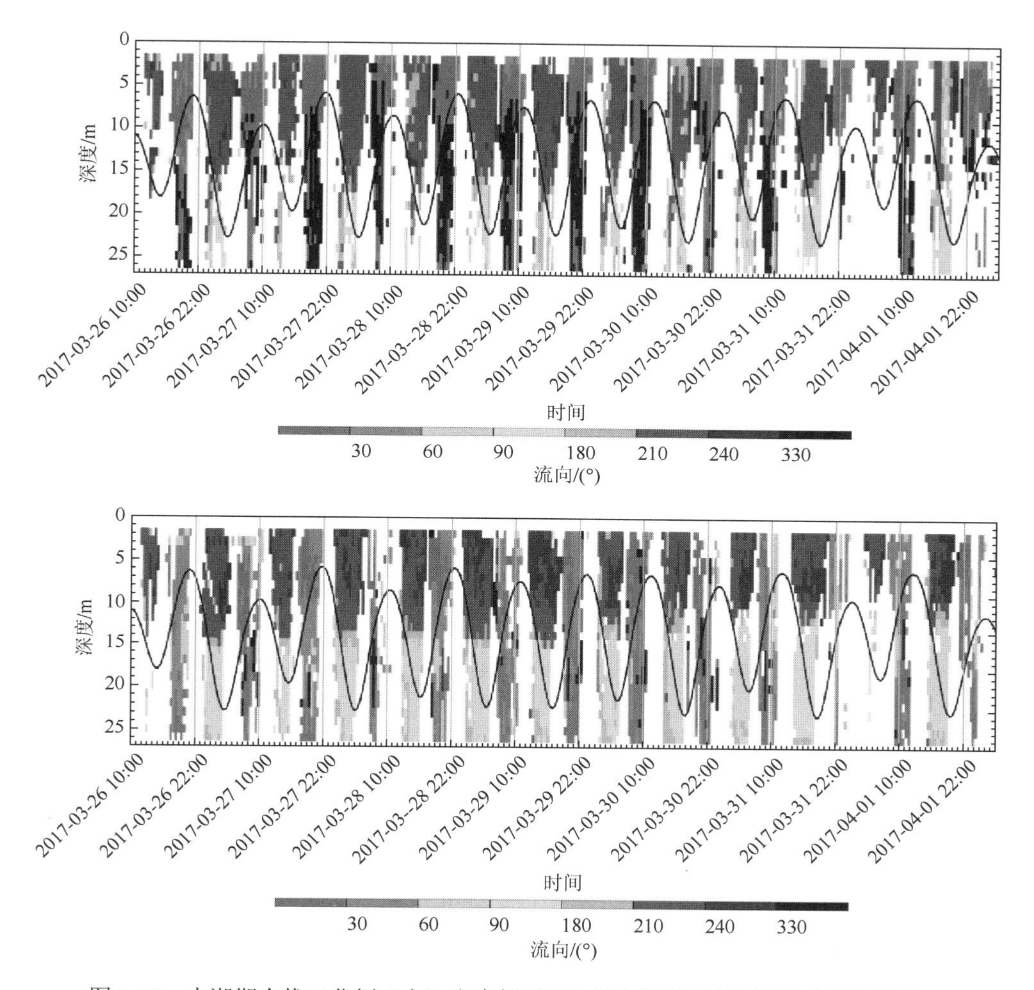

图 9-13　大潮期合拢口北侧（上）和南侧（下）流向深度-时间剖面（后附彩图）

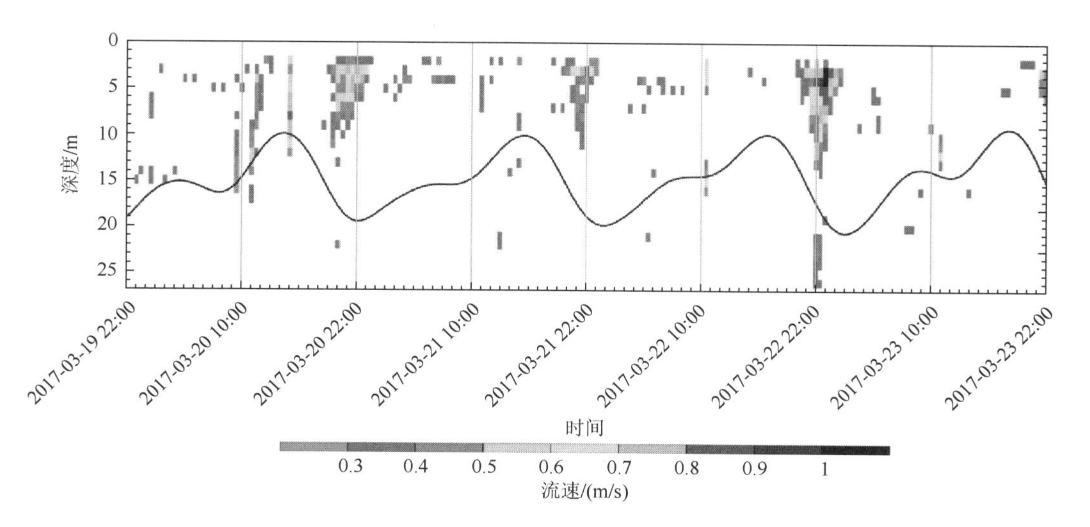

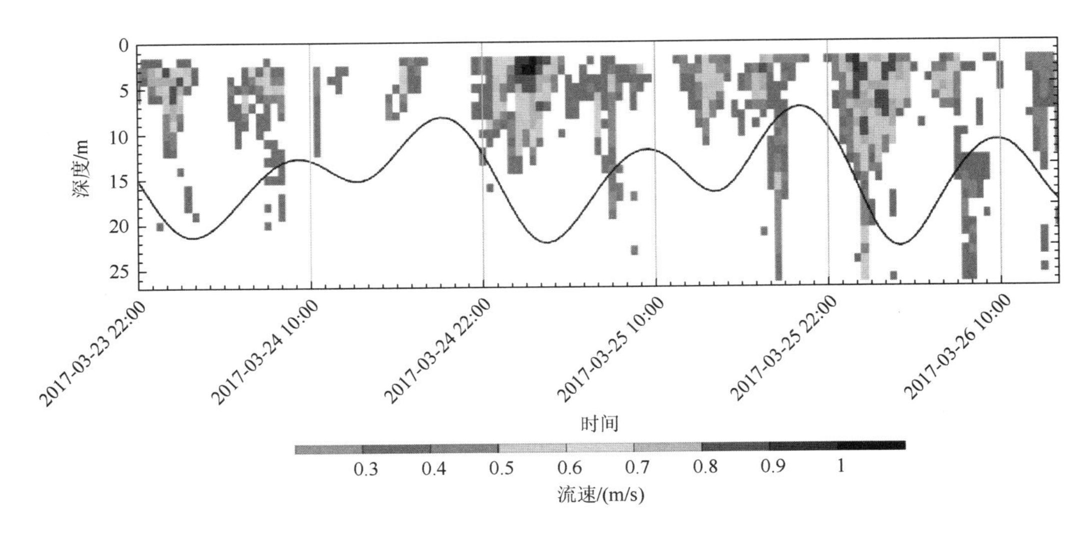

图 9-14 合拢口小潮期（上）和中潮期（下）流速深度-时间剖面（后附彩图）

9.4 最终接头安装窗口选择

最终接头与 E29、E30 管节间隙小，只有 15 cm。为降低碰撞风险，在吊装过程中要求始终保持水平姿态，其吊装精度远高于沉管施工安装对接。因此，需要重新设计最终接头安装窗口。该窗口不仅要考虑潜水员水下作业环境安全要求，而且还要考虑吊装过程中最终接头水压力变化，以及水流对浮吊船产生的倾斜和偏移。下面是最终接头安装窗口设计中考虑的几个主要因素。

9.4.1 流速与流向

依据现有的规定，潜水员水下作业的安全水流流速小于 0.5 m/s。2017 年 3 月 17～22 日合拢口海流观测表明（图 9-15），在没有浮吊船影响的情况下，流速连续 12 h 小于 0.5 m/s，只有 3 月 19～22 日的小潮期符合这一条件。当合拢口西侧安置浮吊船时，合拢口内及上方的流速明显发生变化。图 9-16 是 2017 年 3 月 19 日 14:00～20 日 14:00 受浮吊船影响的海流数值模拟结果。可见，落潮期，合拢口最大流速约 0.4 m/s；但涨潮期，合拢口最大流速达 0.85 m/s，大大超出了潜水员水下作业的安全流速。因此，单从流速来看，小潮期的涨急和落急都不符合潜水施工作业条件。

基于上述实测海流和数值模拟的分析，19 日 22:00～20 日 10:00 为最终接头的施工窗口。由于缺乏数值模拟试验，20 日 22:00～22 日 10:00 是否有施工窗口，有待进一步分析。

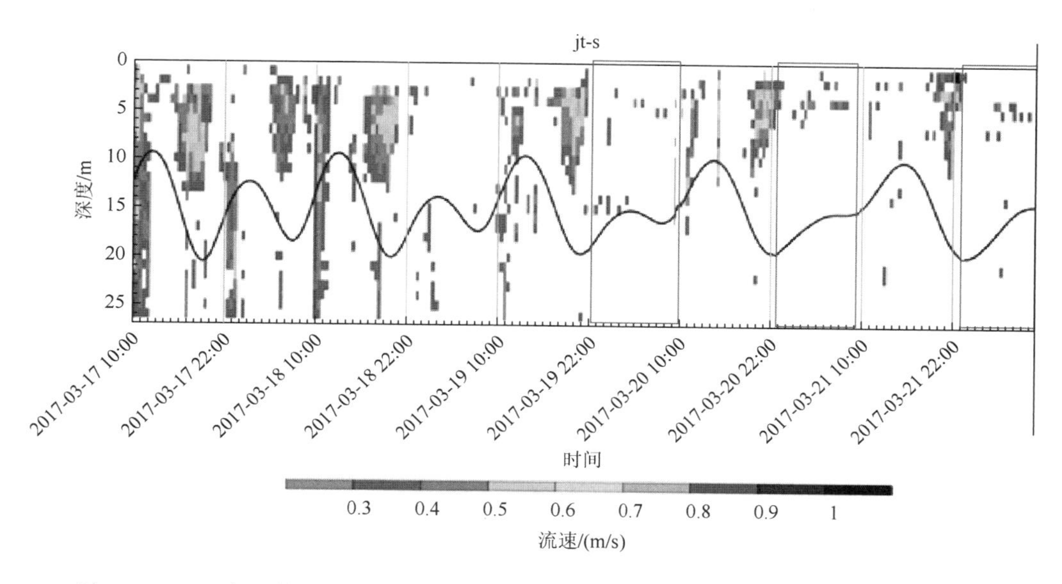

图 9-15　2017 年 3 月 17 日 10 时～22 日 10 时合拢口实测的流速垂直分布（后附彩图）

9.4.2　水流压力

水流压力的计算公式为 $F=0.5C\rho V^2S$，其中 C 为阻力系数，ρ 为密度，V 为水流速度，S 为横截面面积。对于静止的浮吊船和最终接头来说，水对其产生的压力，除与水流的横截面面积大小有关外，还与水流流速的平方成正比。图 9-17 和图 9-18 为 2017 年 3 月 19 日 14:00～20 日 14:00 小潮期，最终接头和浮吊船水中受力的变化。由图 9-17 可知，最终接头的最大受力出现在大涨急的时段，纵向（沿基槽轴线）受力 6.5 t。其余时刻，纵向和竖向的受力都小于 2 t。

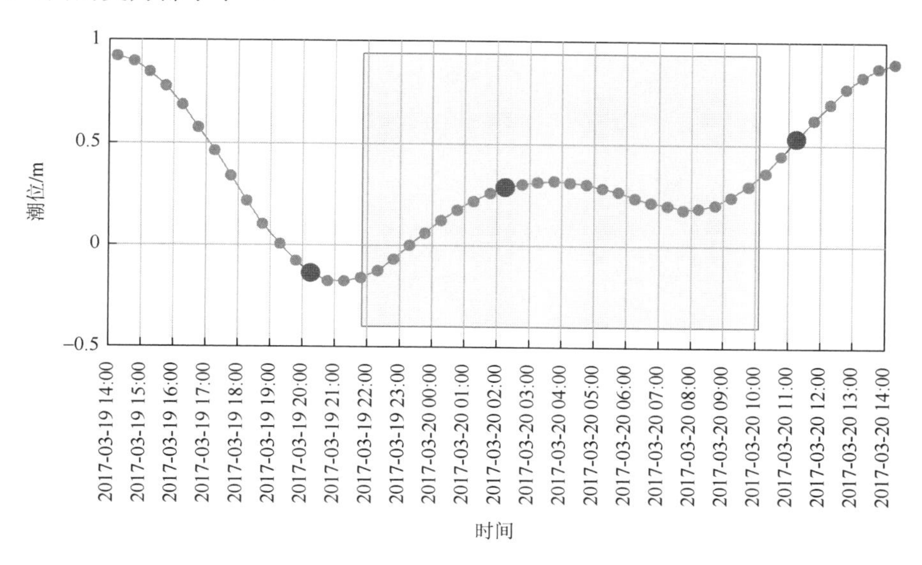

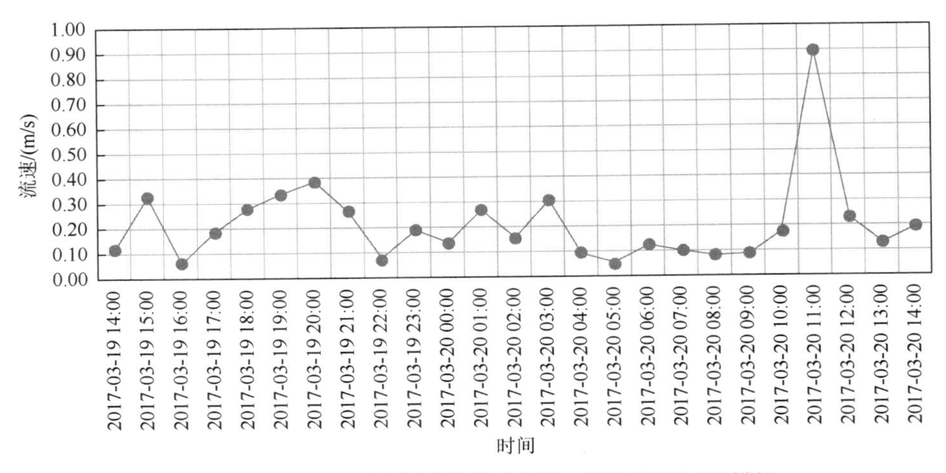

图 9-16 合拢口西侧有浮吊船时合拢口潮位和流速的模拟

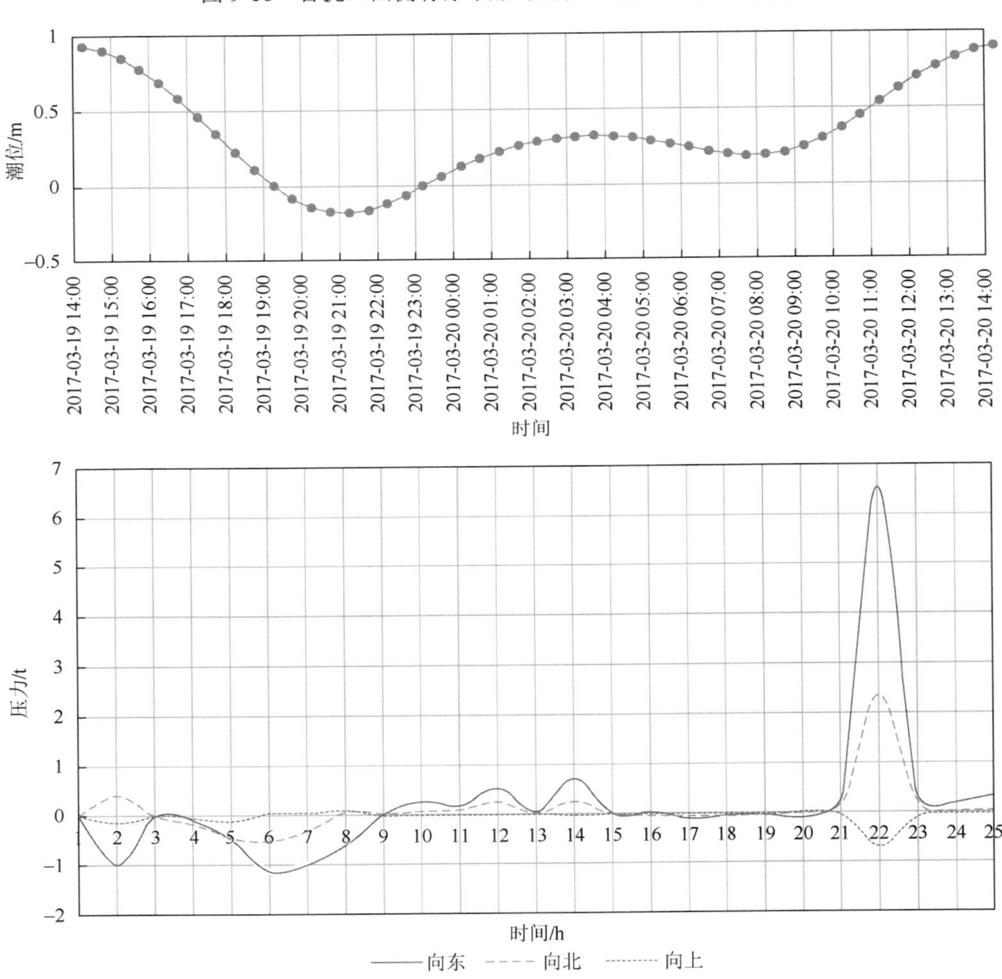

图 9-17 2017 年 3 月 19 日 14:00～20 日 14:00 最终接头纵向（东西）、横向（南北）和竖向受力（下）的变化

由于长 300 m 的浮吊船船体与基槽轴线平行，海流几乎垂直于船体，挡流现象十分显著。图 9-18 是 3 月 19～20 日小潮期，浮吊船纵、横及竖向受力随时间的变化。落急时，浮吊船横向和竖向受力不足 100 t，而涨急时船体的竖向受力约 260 t、横向受力 363 t。

总之，从最终接头和船体受力，以及流速考虑（不考虑气象窗口），3 月 19～20 日小潮期落急与涨急的小流速时段，可选为最终接头的安装窗口。

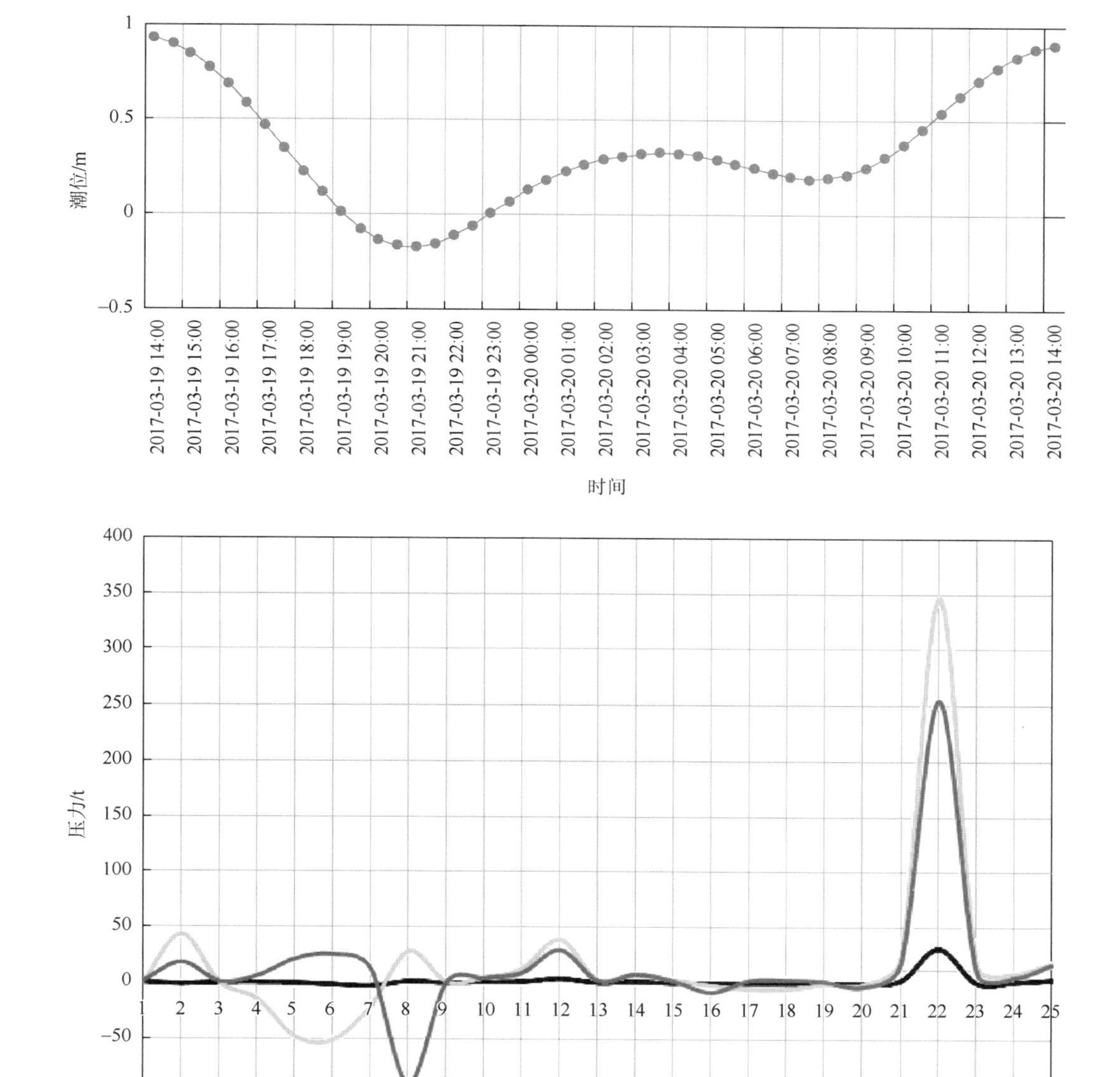

图 9-18　2017 年 3 月 19 日 14：00～20 日 14：00 浮吊船纵向（东西）、横向（南北）和竖向受力随时间的变化

第 10 章　深槽泥沙精细化数值预报

10.1　概　　述

10.1.1　泥沙数值预报现状

随着泥沙理论、数值计算技术和计算机的发展，泥沙数学模型有了长足的发展，相对统计模型而言，采用数值模型计算是解决泥沙输运及归趋问题的新方法。

20 世纪 80 年代初以来，一维数值模型已经成功应用于研究和工程实践中。大多数一维数值模型建立在直线坐标系下，采用有限差分法求解流体的质量守恒和动量守恒微分方程及泥沙质量守恒方程。20 世纪 90 年代初以来，数值计算研究开始向二维数值模型转变。二维数值模型是水深平均模型，它能提供河流、湖泊和河口中关于水深和河床变化的信息，以及深度平均的流向和横向流速分量的大小。河口与海岸环境中的泥沙输运具有明显的空间三维特性，很有必要发展和完善海岸河口三维数值模型。国外一些研究已经开始利用三维数值模型对河口的泥沙输运进行模拟和分析，如利用 ECOMSED 对得克萨斯州 Lavaca 湾水流及泥沙输运过程的模拟（HydroQual Inc.，1998）；利用 MIKE 3 对俄勒冈州上 Klamath 湖水流、泥沙输运过程及水质的模拟（Jacobsen and Rasmussen，1997）；利用 Delft3D 对香港吐露港和大鹏湾水流、泥沙输运过程及水质的模拟（Delft Hydraulics，1999）。但是，国内在近海河口、港湾利用三维数值模型开展的泥沙数值模拟并不多见，而在重大工程保障中的应用则更是少之又少。

海岸河口泥沙运动是在波浪潮流作用下的非恒定、非平衡输沙。河口海域泥沙迁移过程与泥沙来源、潮流和波浪共同作用下的输沙、泥沙絮凝沉降、泥沙扬动等紧密相关，近年来国内外关于潮流和波浪对海岸河口泥沙输运的作用机理方面研究开始增多，如匡翠萍等（2014）基于验证的 MIKE 21 软件中的潮流和泥沙数值模型，计算分析了 2011 年工况下港区的潮流场及泥沙浓度场对工程的响应；王海龙和李国胜（2009）利用 ECOMSED 潮流悬沙输运模型对黄河入海泥沙在潮流作用下的输运过程进行了数值模拟，分析了单纯潮流作用下的悬沙含量与悬沙输运特征；刘桂卫等（2010）采用 ECOMSED 三维数值模型，模拟大风浪对小清河口附近海域悬浮体浓度和底床冲淤变化的影响程度。因此，综合考虑潮流和波浪影响及泥沙输送过程，开发浪、潮、流与泥沙耦合的数值预报模式是目前三维数值模型发展的主要方向。当前的三维数值模型的空间分辨率基本在 1 km 以上，主要以模拟河口海岸的大区域泥沙输运为主，例如，朱泽南等（2013）基于 SELFE 模型开发的珠江口泥沙输运模型的分辨率在 1～2 km；温洪涌（2008）开展的南堡人工岛周围泥沙冲淤数值模拟的分辨率在 1 km 左右。

综上所述，现有泥沙预报在时间尺度上多数为年、季的尺度，空间尺度上一般为海区、河口及港湾等数十千米的大范围区域，所关注的泥沙淤积量精确到米。而港珠澳大桥沉管隧道需要了解每天、几十米到几百米小区域中的泥沙淤积量，关注的淤积量精确到厘米，目前这方面的工作国内外未见开展。小区域、精细化的回淤预报，需要综合考虑影响泥沙淤积的物理过程和水文地理条件，在高性能大型计算机提供的计算环境中建立高分辨率的数值预报模型，结合实际的泥沙观测资料不断对模型进行调试和优化。

10.1.2　研究目的和意义

针对沉管隧道基槽面临的复杂水动力环境和高回淤风险，开发了精细化回淤数值预报系统对沉管基槽所面临的回淤特征进行研究和预报，以解决工程建设中泥沙回淤的预报问题。为了建立该系统，需要开展多重网格嵌套方案的研究，以解决泥沙外源输入和局地沉降的问题，实现高分辨率和高运行效率；需要开发潮流、波浪及泥沙耦合的技术，来综合考虑影响泥沙淤积的各种物理过程和相互影响，实现对沉管基槽泥沙淤积的真实模拟和精确预测。

精细化回淤数值预报系统是一种多重网格嵌套、浪潮流泥沙耦合的预报系统，考虑港珠澳大桥沉管隧道深槽回淤环境和预报需求，系统运行的计算环境及系统预测的精细化程度远高于常规的回淤预测模型。

研究将重点实现多重网格嵌套方案与浪潮流及泥沙耦合关键技术，提升我国在复杂海洋水文环境下的泥沙回淤预测水平，为港珠澳大桥岛隧工程沉管科学、快速、安全地建设提供强有力的科学支撑，对于提升我国泥沙数值预报模型的创新能力及精细化回淤数值预报的业务水平，具有重要意义。

关键技术研究以港珠澳大桥沉管隧道工程中遇到的回淤难题为背景，通过总结关键技术，不仅可以为回淤环境下的沉管施工提供技术支撑，填补国内外空白，而且还可以在未来海洋工程建设的泥沙预报保障领域得到应用。

10.2　预 报 模 型

ROMS 模式耦合的泥沙模块是基于共享模式开发的泥沙输运模型 CSTM，它是在结合了 ECOMSED、EFDC、COHERENS 及 Delft3D 等模型优点的基础上开发的。在 CSTM

中，用户可以单独定义黏性和非黏性泥沙，每个类别的泥沙都可以单独定义粒径、密度、沉降速度和临界侵蚀应力等。

10.2.1 泥沙数值预报模型

1. 水动力模型控制方程

模式在流体静力近似和布西内斯克近似的前提下对雷诺平均 N-S 方程进行求解。模式的水动力控制方程组见 7.2 节。

2. 悬浮泥沙输运方程

悬浮泥沙输运方程和温盐对流扩散方程类似，不同的是悬浮泥沙输运方程增加了一个源项用于表征泥沙的垂直沉降和冲刷：

$$C_{\text{source}} = -\frac{\partial \omega_s C}{\partial z} + E_s \tag{10-1}$$

式中，ω_s——泥沙静水沉速；

E_s——冲刷率，它的计算如下：

$$E_s = E_0(1-\varphi)\frac{\tau_{sf} - \tau_{ce}}{\tau_{ce}}\text{，当}\ \tau_{sf} > \tau_{ce}\ \text{时} \tag{10-2}$$

式中，E_0——易蚀性常数；

φ——孔隙比（固体体积/总体积）；

τ_{sf}——底剪切应力；

τ_{ce}——临界冲刷应力。

推移质的输运速率：

$$q_{bl} = \Phi\sqrt{(\rho_s / \rho - 1) g D_{50}^3}\,\rho_s \tag{10-3}$$

式中，D_{50}——中值粒径；

ρ_s——粒密度；

对于 Φ，ROMS 模式有两种计算方法：

①采用 Meyer-Peter Müeller 用于单向流的公式；

②采用 Soulsby 和 Damgaard 考虑了浪流耦合影响的公式。

3. 浪潮流耦合模式

本书的泥沙数值预报模型采用了 ROMS 模式双向耦合 SWAN 模式，将 SWAN 波浪模型生成的波高、波向、波周期、波长、波浪破碎和波浪耗散数据传送到 ROMS 水动力模型，ROMS 水动力模型会将深度平均的 u 和 v 的流速场、水位及水深数据反馈给 SWAN 波浪模型。SWAN 波浪模型基于波能守恒方程，包含了波浪空间的传播、由流场和水深变化引起的波浪折射、波浪向浅滩的传播和波浪的反射及衍射。SWAN 波浪模型也考虑了波浪的生长和衰减过程：风浪生长、波浪破碎对能量的耗散、波浪白帽的能量耗散、底摩擦效应和波-波相互作用。

环流导致的底切应力的计算公式为

$$\tau_c = \frac{(u^2+v^2)\kappa^2}{\ln^2(z/z_0)} \tag{10-4}$$

式中，κ ——卡门常数（$\kappa=0.41$）；

z ——水位，z_0 是底部粗糙度。

波浪导致的底切应力的计算公式为

$$\tau_w = 0.5 f_w u_b^2 \tag{10-5}$$

式中，f_w ——Madsen 定义的波浪摩擦系数；

u_b ——波浪导致的底层波轨速度。

ROMS 水动力模型根据 Madsen 的底边界层内的波流相互作用计算波浪跟流场作用产生的底切应力和流场的变化。而风浪的辐射应力对流的作用和风浪引起的湍流混合没有在模式中考虑。

10.2.2　精细化模式的构建

1. 模式区域

考虑需要尽量消除边界效应对关键海区的影响，珠江口模式的区域范围为 113°30′E～114°10′E，22°N～23°N（图 6-5），水平采用正交网格，分辨率为 1/600°×1/600°（约为 200 m×200 m），垂向分为 10 个 σ 层。

2. 泥沙源设置

前期调查报告显示，从基槽内回淤物的泥沙中值粒径、淤积强度等特征及卫星遥感分析和现场考察等方面的综合分析，基槽出现的异常回淤的主要泥沙来源是内伶仃岛附近的采砂作业所致。采砂形成的高含沙浑水以直接输移和再搬运方式进入基槽。

因此，模式中的局地泥沙源（图 10-1）采用通量强迫的方式。由于对该泥沙源的定量观测十分困难，根据其下游海水中泥沙含量的实测数据，采用数值模拟方法，反推该泥沙源的强度。泥沙模块中的泥沙粒径、密度、沉降速度、孔隙比、表面侵蚀速率、侵蚀和沉降切应力等参数均使用经验值。

3. 边界条件

在近海，尤其是在河口、海湾内的潮汐、潮流水动力数值模拟中，开边界条件的确定是至关重要的，其准确度直接决定模型计算结果的好坏。

（1）潮汐开边界

泥沙数值预报模型的潮汐开边界数据采用俄勒冈州立大学 OTIS 全球潮汐模型提供的 9 个分潮（M2，S2，N2，K2，K1，O1，P1，Q1，M4）调和常数。然后将调和常数插值到泥沙数值预报模型开边界的各网格点上，采用式（5-1）给出开边界节点上的水位预报值。

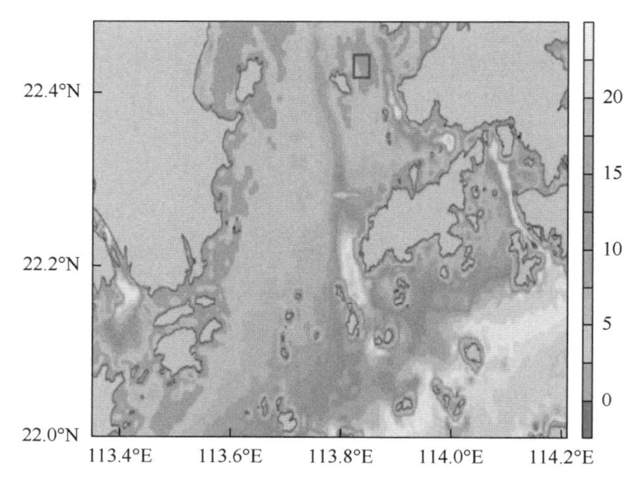

图 10-1　泥沙源位置（图中方框区域）

（2）河流开边界

河流开边界为虎门、蕉门、洪奇门和横门，径流量资料采用珠江主要干流实时的观测资料。

（3）大气强迫场

获取由珠江口精细化天气数值预报系统提供的海面风场及辐射、降水等气象要素场。

4. 初始条件

模式需要分别给温度、盐度、三维流场、海平面高度和泥沙浓度一个起算场，即初始条件。目前，由于实测资料在时间、空间上的缺乏，无法给出模式起算时刻的各种物理场。然而，由于三维流场和海平面高度对海洋动力强迫的响应迅速，因此将其均设为零值。温度、盐度的初始条件由 SODA 数据集气候平均值给出。

10.2.3　模式物理过程参数化的改进

由于模式网格是对连续的物理空间进行离散化处理，并由动力方程式对离散后的时间、空间进行求解，因此那些小于模式网格的物理过程（如扩散、黏性、三维涡流和内波破碎等）需要进行参数化处理，从而将这些过程引入模式中。为了满足基槽三维海流数值预报极高分辨率和极高预报精度的要求，数值预报模式采用了 Mellor-Yamada 湍流闭合方案。

Mellor-Yamada 湍流闭合方案是含有不同复杂等级的湍流闭合方案。本项目中采用了等级为 2.5 的湍流闭合方案（MY2.5），该方案是对 Mellor-Yamada 湍流闭合方案的改进。该方案引入了两个预测方程，一个是湍动能能量方程$\left(\frac{q^2}{2}\right)$，另外一个是湍动能与一个长度尺度的乘积（$q^2l$）。

湍动能能量方程为

$$\frac{D}{Dt}\left(\frac{q^2}{2}\right)-\frac{\partial}{\partial z}\left[K_q\frac{\partial}{\partial z}\left(\frac{q^2}{2}\right)\right]=P_s+P_b+\xi_d \tag{10-7}$$

式中，P_s——剪切项；

P_b——浮力项；

ξ_d——湍动能能量耗散项；

对这些项分别做如下定义：

$$P_s=K_m\left[\left(\frac{\partial u}{\partial z}\right)^2+\left(\frac{\partial v}{\partial z}\right)^2\right] \tag{10-8}$$

$$P_b=K_sN^2 \tag{10-9}$$

$$\xi_d=\frac{q^3}{B_1l} \tag{10-10}$$

式中，B_1——常数；

一个常规的水平拉普拉斯项或双调和耗散项（$\mathcal{D}_q$）也可以被加入湍动能能量方程中，该方程在模式坐标系下的表达式为

$$\begin{aligned}&\frac{\partial}{\partial t}\left(\frac{H_zq^2}{mn}\right)+\frac{\partial}{\partial\xi}\left(\frac{H_zuq^2}{n}\right)+\frac{\partial}{\partial\eta}\left(\frac{H_zvq^2}{m}\right)+\frac{\partial}{\partial s}\left(\frac{H_z\Omega q^2}{mn}\right)-\frac{\partial}{\partial s}\left(\frac{K_q}{mnH_z}\frac{\partial q^2}{\partial s}\right)\\&=\frac{2H_zK_m}{mn}\left[\left(\frac{\partial u}{\partial z}\right)^2+\left(\frac{\partial v}{\partial z}\right)^2\right]+\frac{2H_zK_s}{mn}N^2-\frac{2H_zq^3}{mnB_1l}+\frac{H_z}{mn}\mathcal{D}_q\end{aligned} \tag{10-11}$$

垂直边界条件如下。

海平面 $z=\zeta(x,y,t)$ 处：

$$\frac{H_z \Omega}{mn} = 0$$

$$\frac{K_q}{mnH_z} \frac{\partial q^2}{\partial s} = \frac{B_1^{\frac{2}{3}}}{\rho_o} [(\tau_S^\xi)^2 + (\tau_S^\eta)^2]$$

$$H_z K_m \left(\frac{\partial u}{\partial z}, \frac{\partial v}{\partial z} \right) = \frac{1}{\rho_o} (\tau_S^\xi, \tau_S^\eta)$$

$$H_z K_s N^2 = \frac{Q}{\rho_o c_P}$$

海底 $z = -h(x, y)$ 处：

$$\frac{H_z \Omega}{mn} = 0$$

$$\frac{K_q}{mnH_z} \frac{\partial q^2}{\partial s} = \frac{B_1^{\frac{2}{3}}}{\rho_o} [(\tau_b^\xi)^2 + (\tau_b^\eta)^2]$$

$$H_z K_m \left(\frac{\partial u}{\partial z}, \frac{\partial v}{\partial z} \right) = \frac{1}{\rho_o} (\tau_b^\xi, \tau_b^\eta)$$

$$H_z K_s N^2 = 0$$

该湍流闭合方程的积分方案类似于模式的温盐方程，包含对垂向过程的隐式求解方案和一个三阶迎风格式对流选项。

该湍流闭合方案中同时也包含一个湍混合长度（l）的方程：

$$\frac{D}{Dt}(lq^2) - \frac{\partial}{\partial z}\left[K_l \frac{\partial lq^2}{\partial z} \right] = lE_1(P_s + P_b) + \frac{q^3}{B_1}\tilde{W} \tag{10-12}$$

其中，$\tilde{W}$ 是墙式逼近方程：

$$\tilde{W} = 1 + E_2 \left(\frac{l}{kL} \right)^2 \tag{10-13}$$

$$L^{-1} = \frac{1}{\zeta - z} + \frac{1}{H + z} \tag{10-14}$$

该方程在模式坐标系下的表达式为

$$\frac{\partial}{\partial t}\left(\frac{H_z q^2 l}{mn} \right) + \frac{\partial}{\partial \xi}\left(\frac{H_z u q^2 l}{n} \right) + \frac{\partial}{\partial \eta}\left(\frac{H_z v q^2 l}{m} \right) + \frac{\partial}{\partial s}\left(\frac{H_z \Omega q^2 l}{mn} \right) - \frac{\partial}{\partial s}\left(\frac{K_q}{mnH_z} \frac{\partial q^2 l}{\partial s} \right) = \frac{H_z}{mn} lE_1(P_s + P_b) - \frac{H_z q^3}{mnB_1}\tilde{W} + \frac{H_z}{mn}\mathcal{D}_{ql} \tag{10-15}$$

式中，$\mathcal{D}_{ql}$ —— $q^2 l$ 的水平扩散项。

由以上湍流闭合方程可求出 q 和 l，由此可以求得垂向黏性和扩散系数：

$$K_m = qlS_m + K_{\text{mbackground}} \tag{10-16}$$

$$K_s = qlS_h + K_{\text{sbackground}} \tag{10-17}$$

$$K_q = qlS_q + K_{\text{qbackground}} \tag{10-18}$$

式中的稳定性系数 S_m，S_h 和 S_q 由以下式子给出：

$$S_s[1-(3A_2B_2+18A_1A_2)G_h]=A_2[1-6A_1B_1^{-1}] \tag{10-19}$$

$$S_m[1-9A_1A_2G_h]-S_s[G_h(18A_1^2+9A_1A_2)G_h]=A_1[1-3C_1-6A_1B_1^{-1}] \tag{10-20}$$

$$S_q=0.41S_m \tag{10-21}$$

式中，$G_h=\min\left(-\dfrac{l^2N^2}{q^2},0.028\right)$；$A_1,A_2,B_1,B_2,C_1,E_1,E_2$ 均为常数，其值分别为 0.92，0.74，16.6，10.1，0.08，1.8，1.33。特别值得注意的是：q^2 和 q^2l 的值均大于等于 10^{-8}，而 l 不大于 0.53 q/N。

10.2.4　泥沙预报模型验证

1. 水动力要素预报检验

港珠澳大桥岛隧工程海区附近设有多个波潮仪和测流锚系浮标，这些观测仪器提供了较好的潮位和海流观测数据。图 10-2 是选取 2015 年 4 月 11 日～2015 年 5 月 5 日的潮位和流速对模式进行检验的结果。模式计算的潮位平均误差超过 0.08 m，2～10 m 以上平均流速的平均误差为 0.087 m/s，模式的预报精度较高。同时也可以发现，珠江口的潮位变化存在明显的日不等现象，且珠江口的潮流在外海潮波、地形条件及珠江入海水流强度的共同影响下，形成涨、落潮流不对称的特点，在大潮时期表现更为明显。大体上落潮流速大于涨潮流速，落潮持续时间长于涨潮时间。

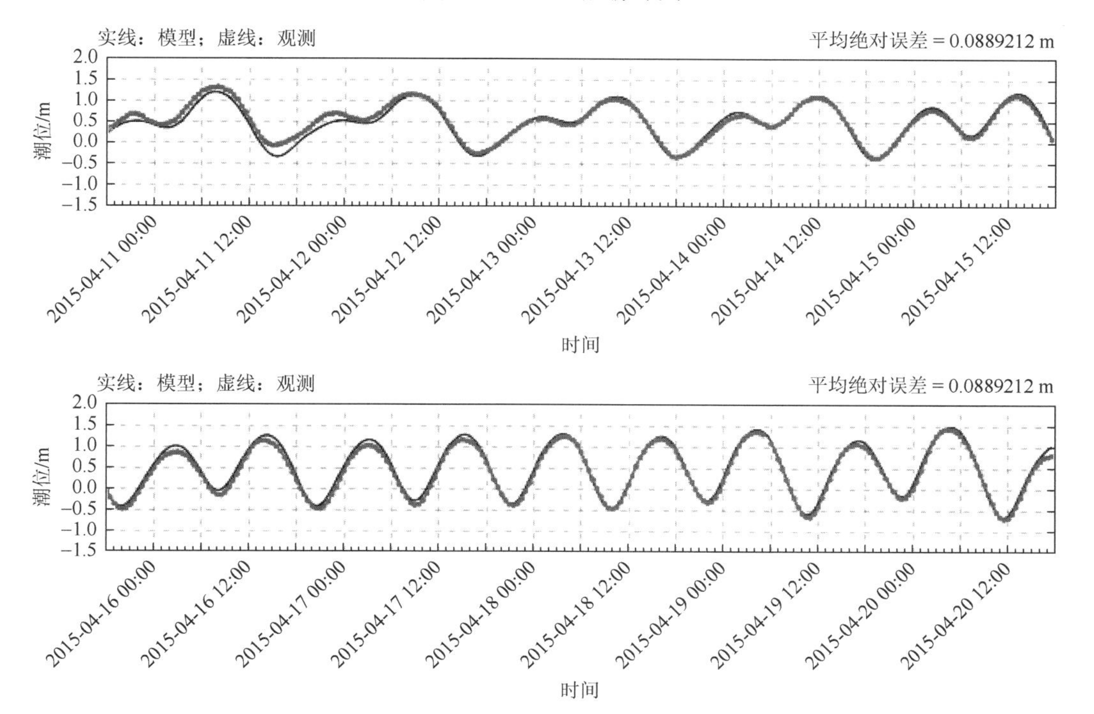

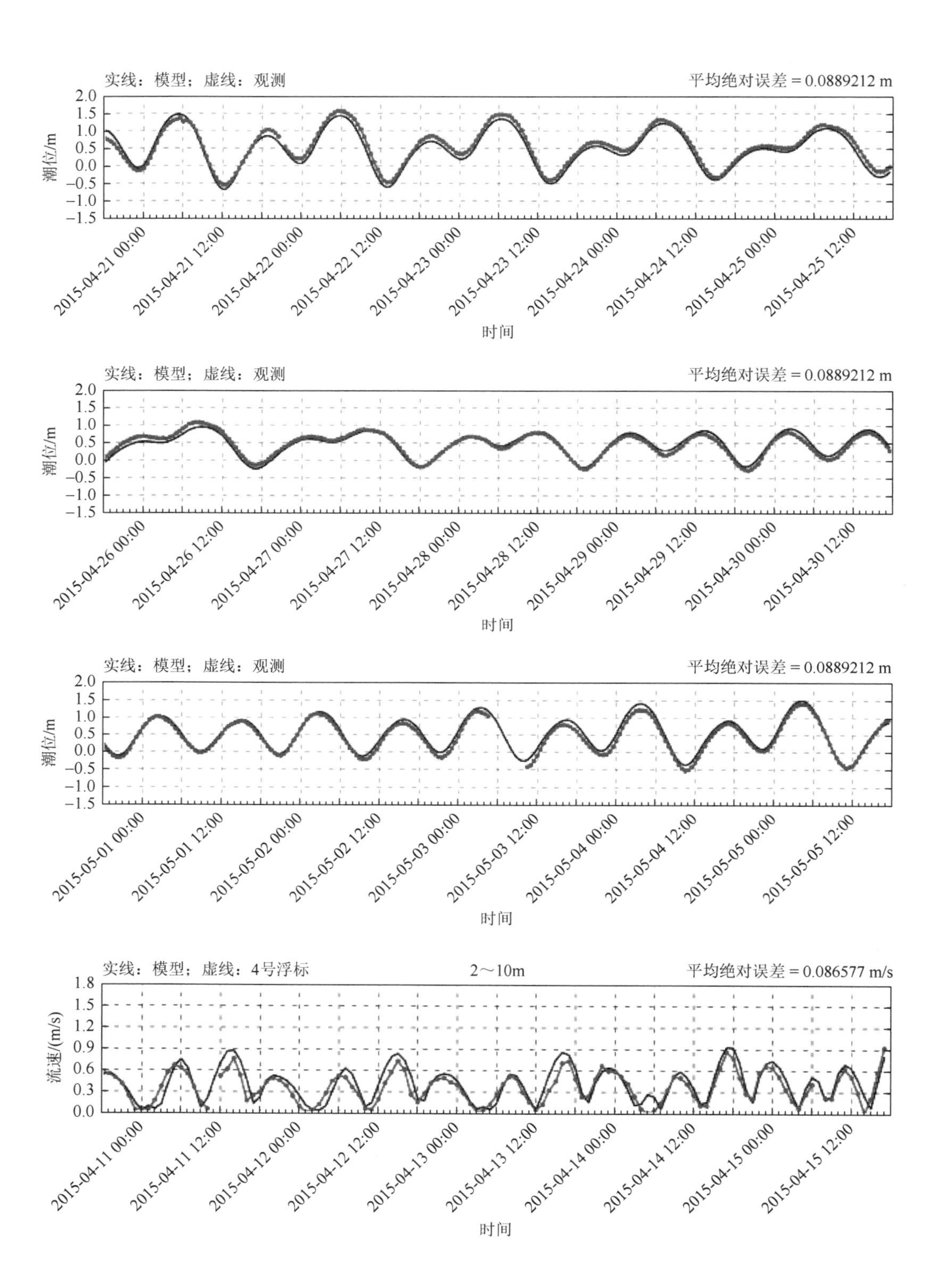
实线：模型；虚线：观测
平均绝对误差＝0.0889212 m
潮位/m
时间
实线：模型；虚线：观测
平均绝对误差＝0.0889212 m
潮位/m
时间
实线：模型；虚线：观测
平均绝对误差＝0.0889212 m
潮位/m
时间
实线：模型；虚线：4号浮标
2～10m
平均绝对误差＝0.086577 m/s
流速/(m/s)
时间

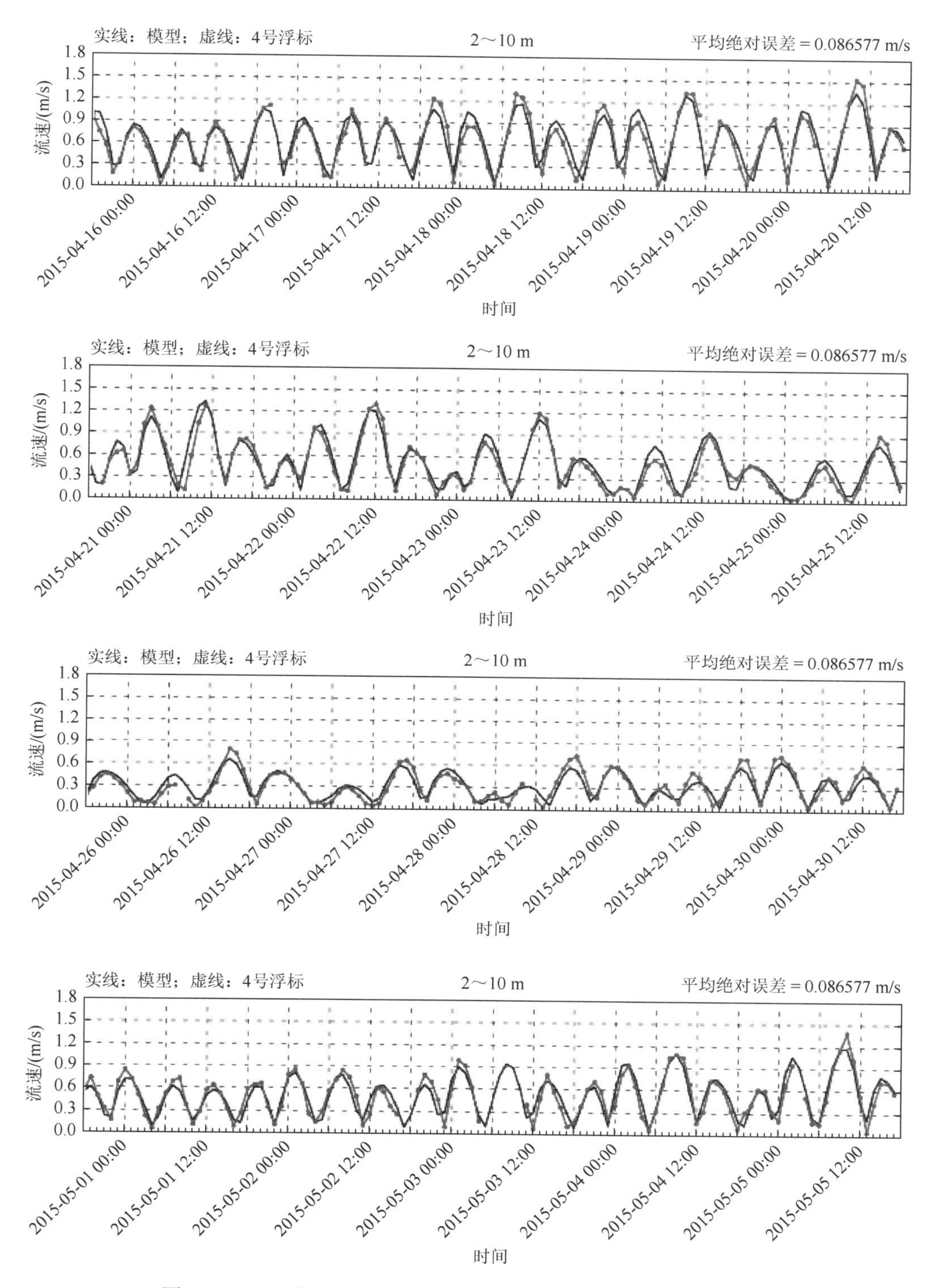

图 10-2　2015 年 4 月 11 日 00 时～5 月 5 日 23 时潮位、流速检验

2. 悬浮泥沙浓度预报检验

港珠澳大桥岛隧工程施工期间，基槽北侧设置了一个固定的泥沙浓度观测点。图 10-3 给出了 2015 年 2～4 月泥沙浓度数值模拟结果。可见，涨潮时泥沙减少，落潮时泥沙增多，模拟结果与实测数据基本一致，模拟的悬浮泥沙浓度平均误差为 15 g/m^3。模式计算的悬浮泥沙浓度能较好地反映该海区泥沙分布的特点。另外，潮流对基槽区悬浮泥沙的输送作用显著。大潮期时悬浮泥沙浓度远高于小潮期时的浓度。

总的来说，模式的预报精度较高，能较好地反映整个海区的水动力和泥沙输运特征。

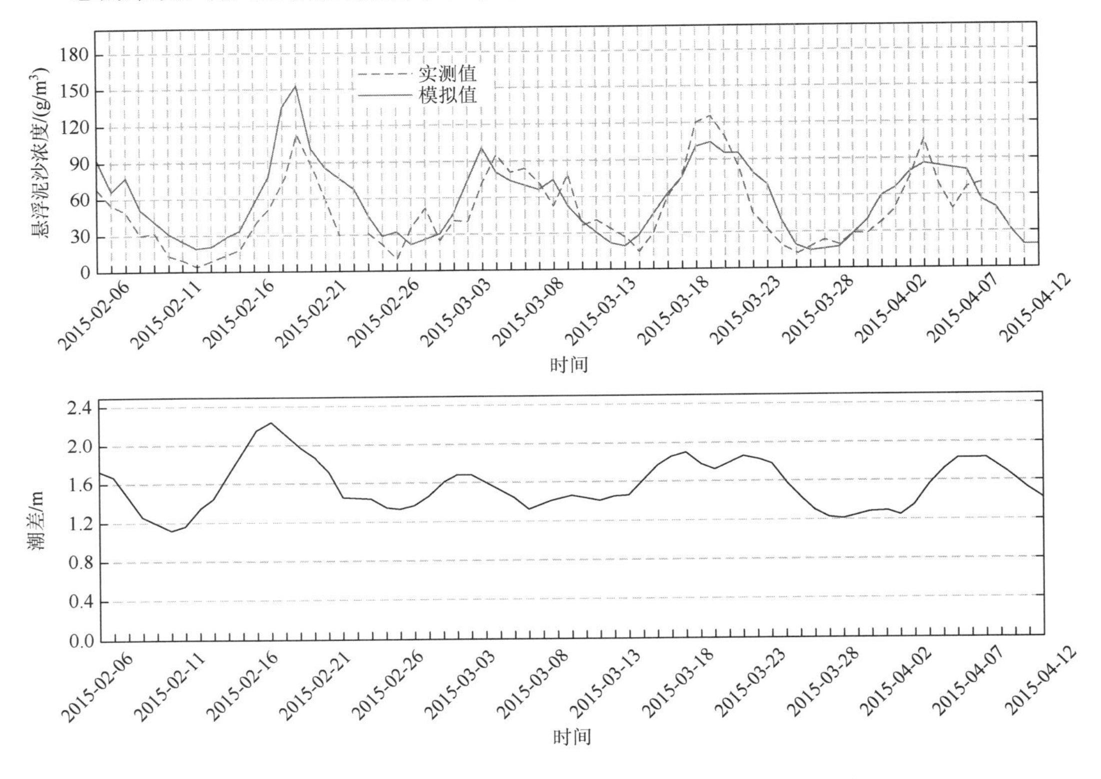

图 10-3　2015 年 2 月 6 日～4 月 13 日基槽区悬浮泥沙浓度的模拟值和实测值（上）及潮差（下）

3. 回淤厚度预报检验

港珠澳大桥岛隧工程 E15 管节基床施工期间在基槽内设置了多个回淤盒测量基槽内的回淤厚度，选取 2015 年 2 月 15～21 日的回淤厚度观测数据进行了检验，如图 10-4 所示，模式计算的日回淤厚度的平均误差为 0.38 cm，模式计算的回淤厚度能较好地反映基槽区泥沙分布的特点。

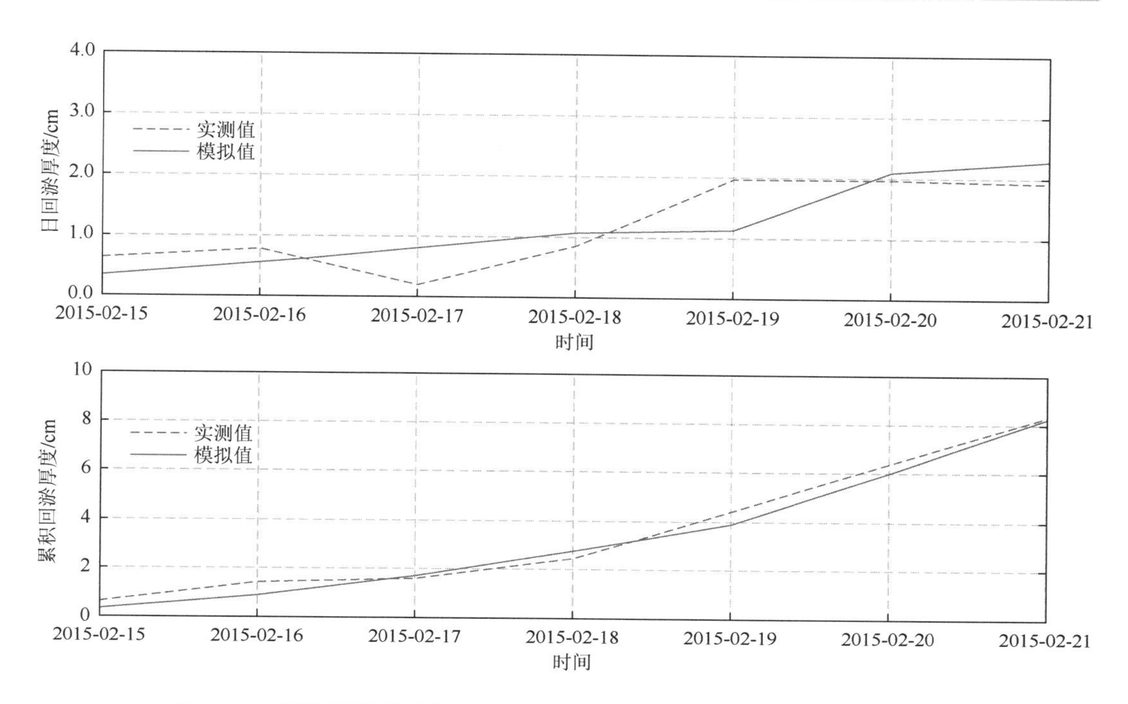

图 10-4　基槽区日回淤厚度（上）、累积回淤厚度（下）的模拟值和实测值

10.3　工 程 应 用

从 E16 管节施工开始，该泥沙数值预报模式开展深槽的泥沙预测。沉管施工安装的前 15 d，提供由气候模式风场驱动的泥沙数值预报结果；施工前 7 d，提供天气模式（GFS）风场驱动的精细化泥沙数值预报结果。泥沙数值预报产品主要有以下几种。

1. 施工区单点泥沙浓度变化

图 10-5 为 2016 年 3 月 20 日～6 月 12 日，施工区一参考点泥沙浓度随时间的变化。由于该时期珠江处于枯水期，水中泥沙浓度比较低（小于 90 g/m^3）。

2. 施工区单点泥沙日回淤厚度和累积回淤厚度

2016 年 3 月 20 日～6 月 12 日，施工海区参考点泥沙的日回淤厚度在 0.3～1.4 cm 变动（图 10-6 上），85 d 内该点泥沙累积回淤厚度为 68 cm（图 10-6 下），平均每天淤积 0.8 cm。

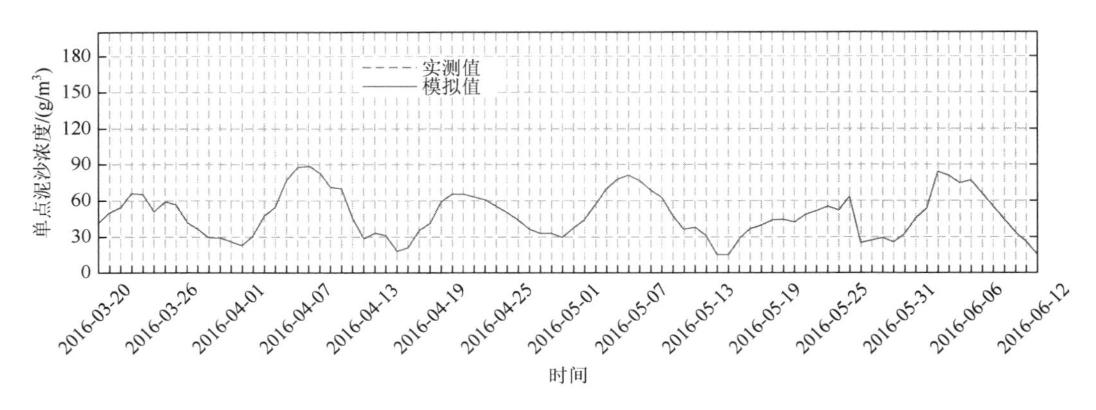

图 10-5　施工区单点泥沙浓度变化

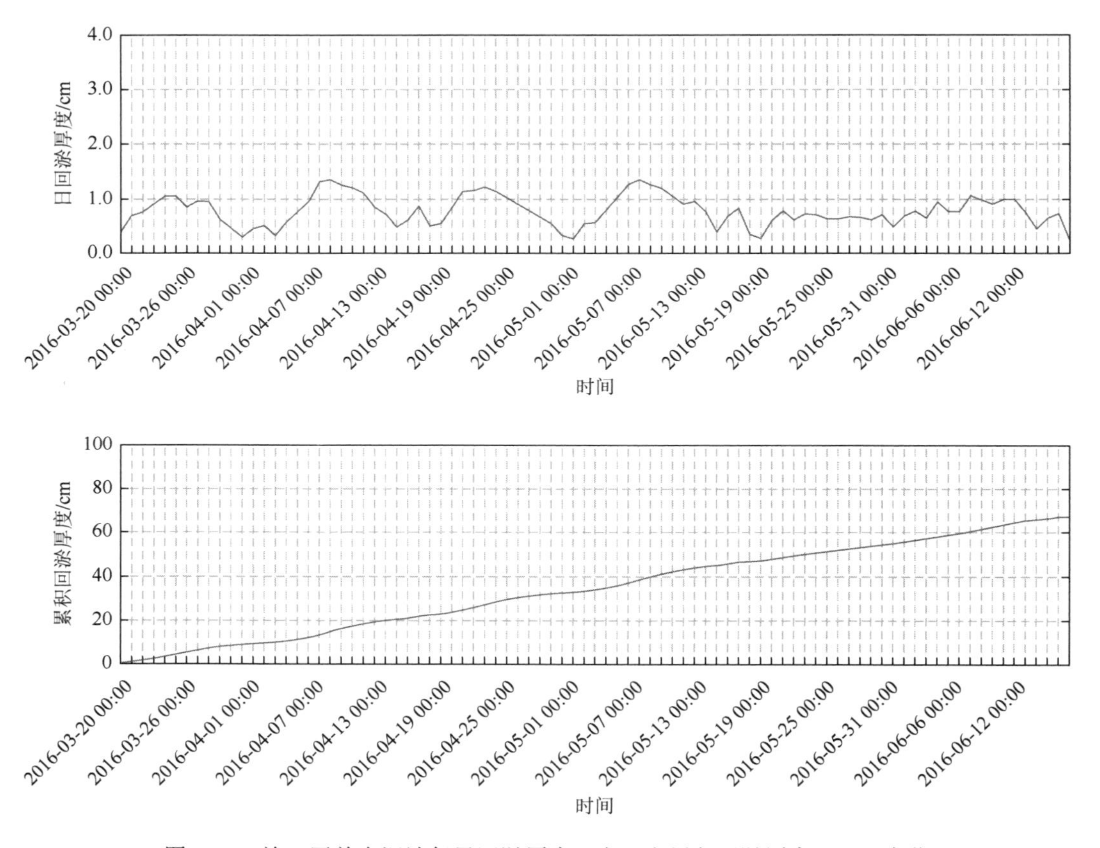

图 10-6　施工区单点泥沙每日回淤厚度（上）和累积回淤厚度（下）变化

3. 基槽区纵切面泥沙回淤强度变化

图 10-7 是基槽区纵切面泥沙回淤强度随时间的变化，其中纵轴代表基槽的南北方向，基槽中轴线在 330 m 处。从图 10-7 可以明显地看到，泥沙回淤强度在基槽南北两侧呈现

不对称分布，北侧回淤强度明显大于南侧。这是由深槽特殊的流态分布及落潮流携带泥沙共同作用所致。

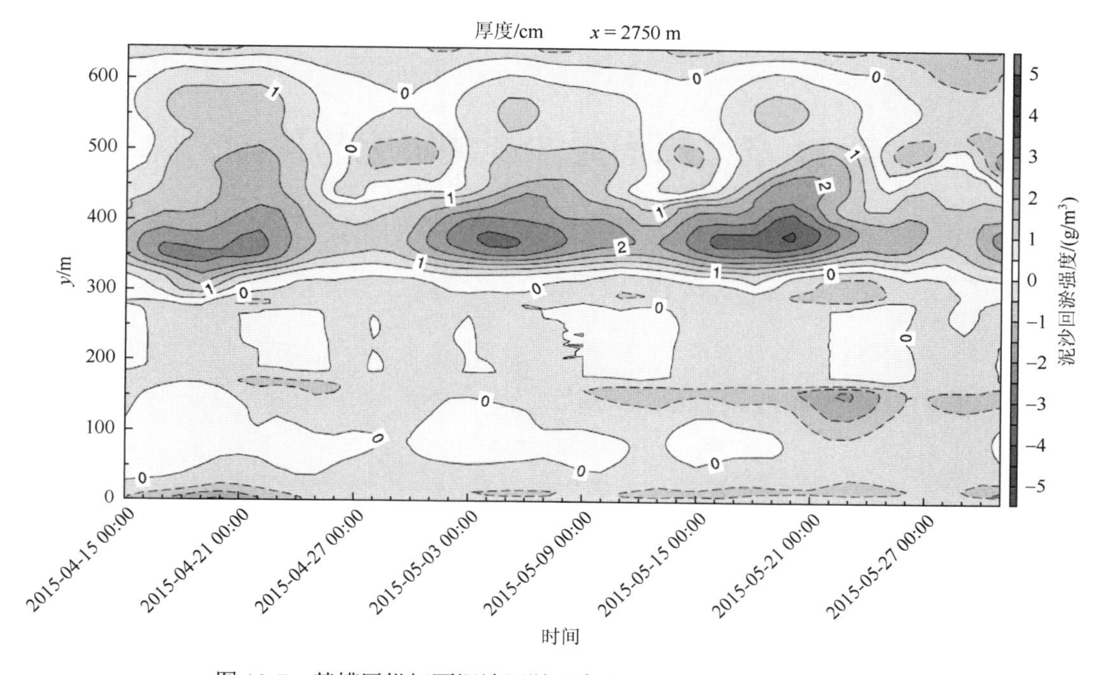

图 10-7　基槽区纵切面泥沙回淤强度随时间的变化（后附彩图）

第 11 章　深槽泥沙观测研究与预测

11.1　概　　述

11.1.1　国内外深槽泥沙淤积预报现状

国外对于基槽回淤研究较少，大多集中在对海沟或深槽的回淤监测分析研究。Pekka（2008）进行了芬兰 OL-TK14 海沟第四纪沉积物的调查，结合野外观测和室内实验对沉积物抽样资料进行了分析，结果显示 OL-TK14 海沟第四纪沉积物包括两个部分，表层是棕色氧化含沙层，底层是灰色未氧化含沙层。Kawamura 等（2011）对日本海底海沟地震后大规模沉积的现象进行了研究分析，并预测了地震一代海沟的轴线走向。Stuckless（2015）利用同位素的方法分析了内华达州试验场 14 号基槽脉状沉积物，解释了碳酸盐和硅质沉积物的形成过程，阐述了脉状沉积物的形成机制。Gonzalez 等（2016）调查分析了厄瓜多尔隐没带边缘海沟的沉积物，选取了 15 种主要沉积物，分析该地区的沉积物动力条件，基于高分辨影像、X 射线成像及沉积物物质属性（γ 密度、磁化率、纵波速度）测量等方法对其中 6 种沉积物进行识别并描述了其沉积过程。

国内对其相关的研究也非常少，主要集中在现场观测。现有相关规范中仅提出对回淤沉积物厚度的检测要求，但是没有明确检测方法；工程实践中对回淤沉积物厚度的检测方法各式各样。

张伟和朱继伟（2006）对华南某工程基槽清淤方法进行了探讨，利用 γ 射线法测定淤泥介质密度，并采用室内标定方法对 γ 射线密度仪进行标定和刻度，建立仪器读数与淤泥密度相关性；然后使用铅加重叉式双管 γ 射线密度仪插入新开挖基坑内测定浮泥、淤泥重度随深度分布及浮泥、淤泥厚度；水深和垂线深度测量用单点传感器测定。对工程基槽内的浮泥、淤泥重度及分布进行分析，证明了清淤方法及措施合理可行，并提出下一阶段应配以砣测，优化方法。

王照田（2010）为研究港珠澳大桥沉管基槽开挖后槽内的浮泥分布及适合浮泥观测的方法，对试挖槽采用 γ 射线密度仪法、双频测深仪法及音叉密度计法进行浮泥和淤泥测定，分析比较 3 种方法在浮泥和淤泥密度测定中的应用情况及适用条件，验证 3 种方法的准确性，并探索寻找 3 者之间的相互关系，认为 γ 射线密度仪法配合浮泥观测 Silas 系统完全能够满足类似项目的要求。

高耿明和潘润秋（2010）基于多波束回淤监测，验证了多波束测深技术监测在分析基槽水深变化和回淤情况方面的高精度、全覆盖等特点。

沈永芳等(2011)通过测扫声呐测量深度，GPS 水面平面坐标控制，扫测密度为 0.4 m；采用“水下地形测量仪 + GPS 自动导航”的检测方法对广州仑头—生物岛沉管隧道工程的基槽在开挖前、初挖成型后、精挖后及管节沉放前进行了质量检测。

辛文杰等（2012）依据港珠澳大桥沉管隧道试挖槽现场实测的 17 组水下地形资料，并结合 γ 射线密度仪在试挖槽基槽及边坡进行的浮泥、淤泥重度探测结果，对试挖槽的泥沙回淤特征进行分析，获得了试挖槽回淤的速率变化及分布特征，明确了稳定边坡的坡比，区分出槽内浮泥层和淤泥层的厚度及其变化趋势，并分析了洪水和台风对试挖槽回淤的不同影响，指出由枯转洪的首场洪水会明显增加淤积。另外，还对 3 种不同频率超声测深的对应数据进行了统计分析，发现多波束与低频测深仪所测数据之间存在 0.30 m 的水深差值，与现场实测的浮泥厚度基本吻合。

目前国内外深槽泥沙回淤常规预报技术，都无法满足港珠澳大桥沉管基槽工程的要求，主要存在以下不足。

（1）深槽淤积测量精度相对较低

港珠澳大桥沉管隧道施工采用沉管水下对接工法，这对沉管对接处的基础平整度提出了极高要求，在对应淤泥容重 1.26 t/m^3 的条件下，泥沙回淤不得超过 4 cm。精确测量与评估基槽泥沙回淤的数值成为控制沉管沉放的重要阈值。

目前国内外在对泥沙淤积的测量方面，精度较高的为多波束回声扫测手段，其优势在于测量分辨率高、测量范围广。然而，沉管基槽水深平均在 30 m 以上，最深处可达 48 m，且底部存在“绒泥”和浮泥现象。采用多波束测量虽可获取较大范围的回淤数值，但由于其基于声学理论和船舶动态测量，测量精度为 0.2 m 左右，误差较难精确控制在厘米量级，且由于床面淤泥存在较大的密度梯度，对声学反射的交界面选取存在一定潜在误差。因此，亟待开发一种精度高、现场代表性强的回淤测量手段。

（2）深槽淤积预报缺乏经验

对挖槽淤积的预报，一般多采用经验公式、数值模拟、物理模型等研究手段，这些研究手段在港口航道的泥沙回淤预报方面发挥了重要作用，取得了大量经验与成果。然而，沉管基槽与普通的航道、港池回淤相比具有独有的特征，体现在开挖深度较大（超过 40 m），远超过一般的港池航道水深，且开挖边坡达到 1∶5，因此基槽内部的水动力泥沙结构复杂性超过港池航道。因此，基于航道回淤的预测方法不能直接搬用到对深槽淤积的预报中。

在数值模拟预报方面，由于基槽挖深极大，形成的滩槽挖深比远超过航道港池，因此在槽内存在更加显著的垂向回流、次生涡旋、槽内螺旋流系等细部动力过程，其水沙运动机理远较航道更加复杂。在国内外关于水沙三维数值模拟的技术方面，由于一般航道工程的水深与滩面差异相对较小，垂向分层模拟的分辨率较易实现。然而，深槽内与两侧滩面的最大高差可超过 30 m，且边坡极为陡峭（达到 1∶2.5），基槽底宽为 41.95 m，这种“特异”的地形格局对三维数值模拟提出了更为严苛的要求，目前国内外未见针对此类地形条件件的三维精细化模拟案例。

（3）回淤预报精度与实际需求存在较大差距

在以往对港池航道挖槽回淤的研究中，常规手段一般仅适用于长时间尺度的模拟，预报周期以年计算。对基于过程的数值模拟而言，一般采用代表潮、浪的方式对年际淤积进行模拟，至多模拟一场风暴过程条件下的泥沙骤淤，在有大量实测资料验证的基础上，预报精度一般在分米量级。

对沉管施放而言，其晾晒时间为 10～15 d，淤积阈值仅为 4 cm 左右，即对泥沙淤积的时、空预报精度必须达到逐日、厘米级。目前，国内外尚未达到这一水平，是对泥沙回淤预报理论的重大考验。

（4）回淤预报响应的时效性较低

港珠澳大桥沉管隧道工期极为紧张，沉管预制、窗口晾晒、最终沉放必须保证“一气呵成”。在对沉管基槽泥沙回淤的预报中，必须做到高时效性，甚至要做到“提供数据的当天便要给出 7 d 内的预报结果”这一响应速度。

基槽位于珠江口下游的河口区，同时受珠江复杂河网和伶仃洋水沙环境的双重影响，特别是汛期径流、海上风浪等参数时刻变换，随机性强，又有陆架水和冲淡水的影响，对如此高效的预报响应速度提出了近乎严苛的要求。目前，国内外回淤常规预报技术均无法满足这一要求。

11.1.2　港珠澳大桥沉管隧道基槽泥沙情况

港珠澳大桥设计采用桥、岛、隧相结合的形式，其中海底沉管隧道总长 5664 m（图 11-1），采用沉管法进行施工（图 11-2），基槽开挖水深相对较大，相对挖深 30～40 m，设计基槽底宽度为 41.95 m，基槽边坡自下而上分别为 1∶2.5 和 1∶5。沉管自西向东共有 33 节管节。港珠澳大桥的沉管沉放对接，误差控制在 5 cm 以内，是整个工程最难的部分，也是当今世界上施工难度最大的海底隧道工程。

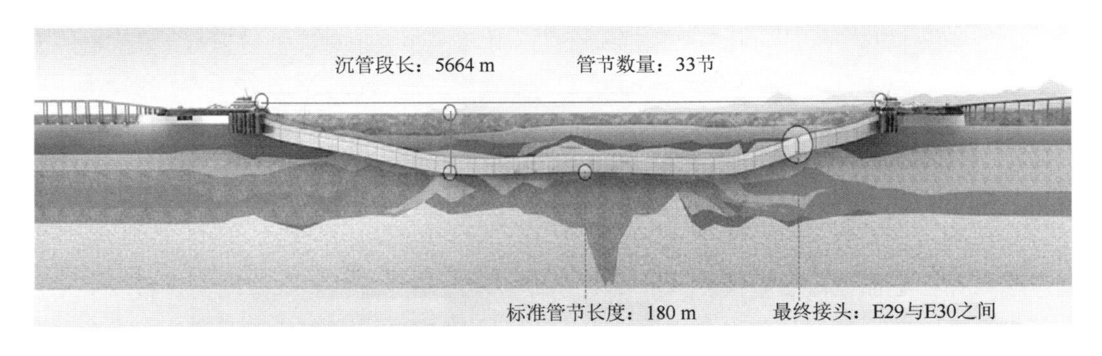

图 11-1　岛隧工程纵断面示意图

基槽床面的平整度是沉管沉放对接的基础。在碎石基床铺设到沉管安放施工周期内，沉管基槽内碎石基床上的超量泥沙淤积将显著改变基床平整度，影响相邻沉管精准对接，造成营运期沉管的不均匀沉降，对沉管施工的安全性造成极大风险。沉管基槽基床上的回淤是控制沉管安放的“关键”之一，对海底隧道的顺利施工意义重大。

E1 管节安放从 2013 年 5 月开始，至 2014 年 10 月完成了 E1～E14 管节的安放，基槽内泥沙回淤相对较小，管节安放相对顺利。2014 年 11 月 15～16 日在 E15 管节的浮运安装过程中，基槽内出现了异常的泥沙淤积现象，安装工作被迫中止，严重制约了海底隧道的建设进度。

图 11-2　沉管安放示意图

为保障海底隧道建设的安全、顺利实施，攻克沉管基槽泥沙回淤的难题成为重中之重。由于港珠澳大桥位于伶仃洋海域，在珠江口大型河口湾的复杂动力影响下，水沙条件本就极为复杂，再加之沉管基槽深度可超过 40 m，其动力环境又与普通的港口航道挖槽存在巨大差异。港珠澳大桥沉管隧道工期紧张，因此，查清基槽发生异常淤积的原因，找出主要泥沙来源，对基槽内的淤积实现精细化、高效的预警，采取可行有效的减淤措施解决泥沙问题等，成为非常迫切的需求。

11.2　现 场 测 量

11.2.1　现场测量内容

2014 年 11 月至 2017 年 4 月底，在港珠澳大桥沉管隧道基槽附近开展了泥沙现场测量，分两个阶段。

第一阶段：2014 年 11 月至 2015 年 3 月底。主要寻找基槽淤积泥沙来源、基槽泥沙淤积规律，建立基槽泥沙淤积计算公式等。该阶段现场测量时间相对较短，但涉及的测量项目、测量站位都较多，主要包括：

①基槽两侧 4 个固定站含沙量测量（图 11-3），每天 24 h 连续进行测量，每小时测取一次数据。

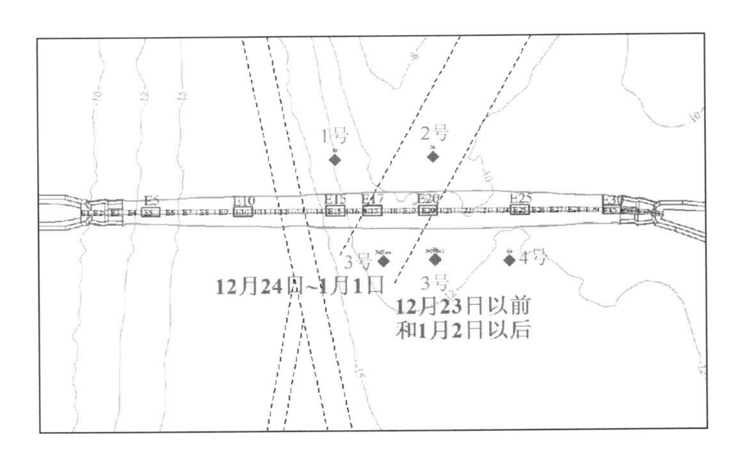

图 11-3　含沙量测量位置图

②基槽内外 3 条断面含沙量巡测。

③基槽内外纵、横断面 3 个潮型 14～25 h ADCP 走航流速流向测量。

④基槽内外底质泥沙取样及室内粒级分析。

⑤基槽内外悬沙取样及室内粒级分析。

⑥基槽内淤积物容重测量等。

⑦基槽内 3 个站位柱状泥沙取样及室内粒级分析。

⑧内伶仃岛东北侧海域采砂船调查，内伶仃岛东北侧至基槽之间 17～24 km 范围含沙量巡测（图 11-4），每 1 km 设一个取样站位，每天巡测一次。

⑨E15 管节回淤盒淤积物厚度和容重测量，以及泥沙粒径和静水密实试验分析等。

第二阶段：2015 年 4 月至 2017 年 4 月底。该阶段的现场测量主要为 E15～E33 管节预警预报提供基本数据，较第一阶段现场测量项目有所减少，但一直持续了两年时间。

①1 个长期固定站含沙量测量，每天 24 h 连续测量（图 11-5）。

②1 个流动站含沙量测量，站位随管节铺设进度进行调整，每天 24 h 连续测量。

③内伶仃岛东北侧海域采砂船调查及内伶仃岛东北侧至基槽之间的含沙量巡测（巡测路线与第一阶段相同），碎石基床铺设期间每天巡测一次，其他时间每 3 d 巡测一次。

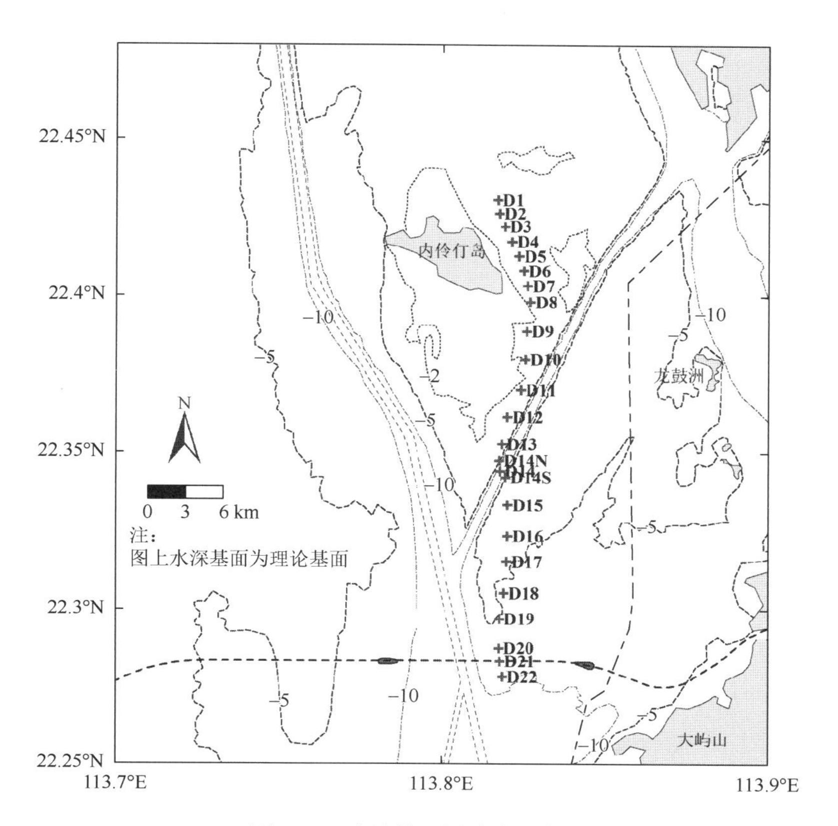

图 11-4　含沙量巡测路线示意图

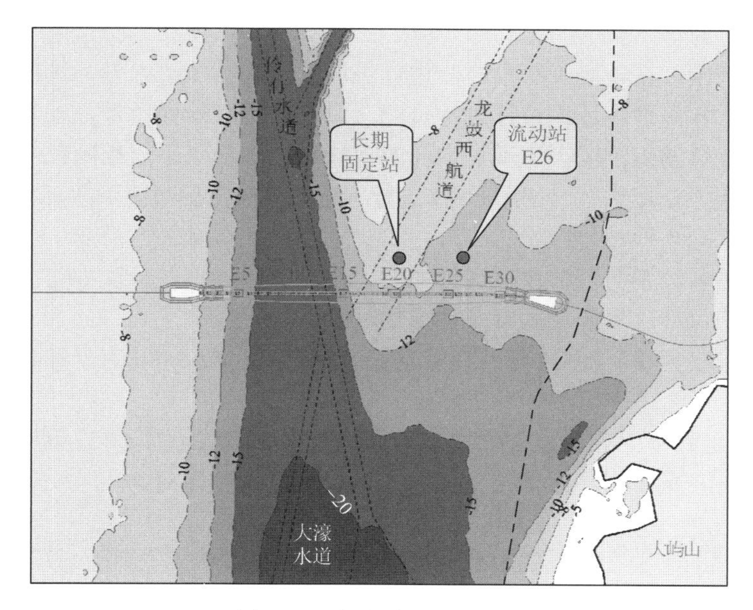

图 11-5　含沙量测量站位图

11.2.2 现场测量技术要求

2014 年 11 月至 2017 年 4 月，现场测量严格按《水运工程测量规范》（JTS 131—2012）、《水运工程水文观测规范》（JTS 132—2015）等相关规范要求进行控制，确保测量成果的质量和精度。

1. 控制系统

测量平面控制采用 WGS-84 世界大地坐标系，高程控制采用海图基准面。

平面控制采用实时差分的 DGPS 定位测量方式，即在测区附近至少选择一个已知的较高等级控制点，利用 NONATEL 十二通道 GPS 与单信标机接收基准站的信标差分信号进行实时差分动态测量，动态定位精度±0.75 m。

2. 含沙量观测

①1 号、2 号及 3 号三条固定垂线含沙量采用浮筒悬挂方式进行观测，浮筒安放时应采用 DGPS 导航仪进行准确定位，并提供现场各实测点坐标。浮筒及仪器应安装牢固。

②本次测量项目有垂线水深和含沙量。

③每次测量时间不得小于 2 min。全部数据记入相应表格，严禁涂改。

④各垂线水深、含沙量每整点观测一次，含沙量观测采用四点法，即表层（水面下 1 m）、中层（0.8 H，H 为垂线水深）和底层（海床上约 1 m），临近底层采用固定高度进行测量。

⑤含沙量率定：在现场采集水样，进行沉淀、过滤后的清水作为满度标准水样，即标定调零标准水样。取现场泥沙样进行过滤、烘干并称取沙样质量，配制不同含沙量的水样（配制含沙量的范围应大于现场水样的含沙量，沙样烘干、配制在中交第四航务工程勘察设计院有限公司进行），对测沙仪进行标定，将标定后数值调入标定曲线，即可得到不同水样的实际含沙量。

⑥正式施测前分别对每台仪器进行率定，以后每隔 5 d 做一次率定。整个测量过程中采取清洗措施保证仪器的灵敏度及稳定性。

⑦在现场采集悬移质泥沙样品，采用激光粒度分析仪 S3500 对悬移质泥沙粒度进行实验分析。

⑧仪器采用日本 ALEC 公司生产的自容式 COMPACT-CTD 型浊度仪和美国 Campbell 公司生产的 OBS 3A 浊度仪，并对两种仪器进行比对。

3. ADCP 断面流量测量

①根据潮汐预报及当地实际情况，确定测量时间，各垂线测船应在指定时间前到达指定地点，测量时采用 DGPS 导航仪进行准确定位，并提供现场各实测点坐标。

②本次水文测量项目有垂线水深、分层流速、流向及断面流量。

③水深、流速及流向，每次测量时间不得小于 2 min。全部数据记入相应表格，严禁涂改。

④ADCP 断面走航式水文测量，应按设计点位及方向进行连续测量，测量时应保证船速平稳匀速。

⑤各垂线流速、流向每整点各观测一次，沿垂线测点位置按表 11-1 的技术要求执行。

表 11-1　技术要求

垂线水深/m	测点数量/个	测点位置
＜1.0	1	0.6 H
1.0～3.0	3	0.2 H、0.6 H、0.8 H
3.1～5.0	5	表层、0.2 H、0.6 H、0.8 H、底层
＞5.0	6	表层、0.2 H、0.4 H、0.6 H、0.8 H、底层

注：H 为垂线水深。

⑥断面测量测满 26～28 h 后，其前提必须在每条垂线转流后才能收测，或统一收测。

⑦逐时水位测量资料由项目部验潮水位提供。

4. 底质泥沙采样

①按设计点进行采样，并用 DGPS 导航仪进行准确定位，提供现场各实测点坐标。

②采集底表层沙样，每个样品重量不少于 1 kg。

③按设计点位进行统一编号，对号装袋保管。

④泥沙粒级采用粒度分析仪或激光粒度分析仪进行实验分析，并由计算机绘出各点物质组成和泥沙粒级成果图或表。

11.2.3　现场测量仪器设备

1. 含沙量观测仪器

（1）COMPACT-CTD 型浊度仪

含沙量观测仪器采用日本 ALEC 公司生产的自容式 COMPACT-CTD 型浊度仪（图 11-6）。该仪器配备压力传感器，可按时间间隔和水深间隔测量水体的浊度（含沙量）；COMPACT-CTD 内部配有大容量存储器，可以自动记录数据，只需缆绳释放就可观测；可以依深度间隔、时间间隔反复观测，电源为可充电式锂电池，充满可用 10 h，使用防水插头，直接用专用传输线就能进行数据传输。传感器的技术参数如表 11-2 所示。

表 11-2 传感器的技术参数表

测量项目	类型	测量范围	分辨率	精度	时间常数/s
深度	压力传感器	0～600 m	0.01 m	0.3%	0.1
浊度	红外线背向散射	0～5.0×10^{-3}/NTU	3.0×10^{-8}/NTU	±2%	0.2

图 11-6 自容式 COMPACT-CTD 型浊度仪

（2）OBS 3A 浊度仪

OBS 3A 浊度仪是美国 Campbell 公司生产的一种观测仪器（图 11-7），用于测量悬浮物的浊度及含沙量。它采用了被业界证实的光学后散射传感器测量固态悬浮物和浊度，它集 OBS 探头、压力传感器、温度传感器及电导率传感器于一体，采用电池供电，并可内部自容式记录数据，测量最大量程浊度为 4 000 NTU 或浓度 5 000 mg/L，同时可以记录水深、温度和盐度数据。

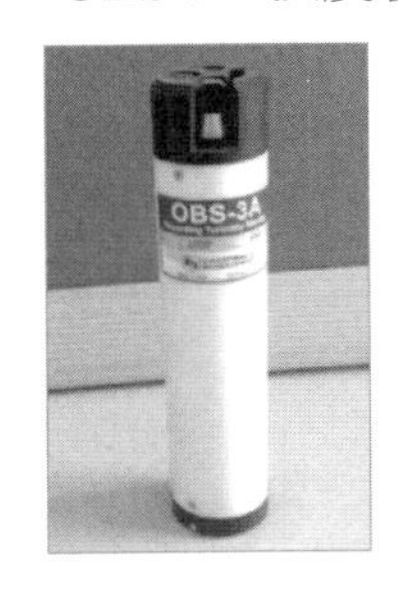

图 11-7 OBS 3A 浊度仪

OBS 3A 浊度仪最大工作水深 300 m，浊度范围为 0～4 000 NTU，可以选择自容式定点观测或在线测量。OBS 3A 浊度仪的技术参数如表 11-3 所示。

表 11-3 OBS 3A 浊度仪的技术参数

类型	测量范围	精度	最大数据频率
红外线背向散射	0～4 000 NTU	±2%	10 Hz

2. 断面海流测量仪器

断面海流观测采用声学多普勒流速流向仪（ADCP）进行走航式观测，并以 Trimble DGPS 定位仪进行导航定位，根据水深情况选用声学频率为 600 kHz 的 ADCP 进行海流观测（图 11-8），ADCP 设置为吃水 1 m，盲区 0.5 m，测流分层 0.5 m，短平均时间为 30 s。

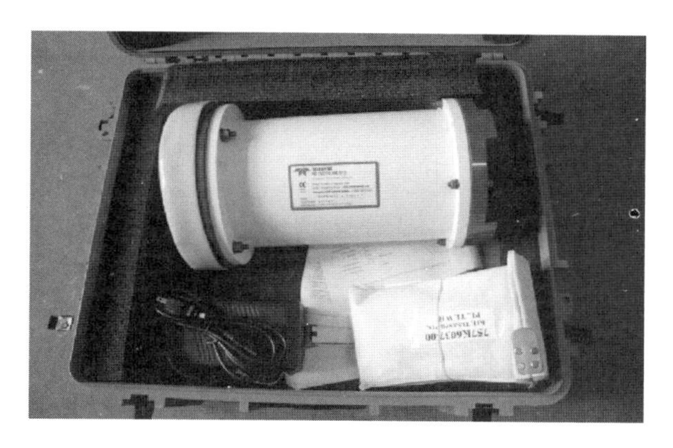

图 11-8　断面海流测量仪器

流速精度：水流速度的±0.25%±2.5 mm/s。
罗经（磁通门型）：精度为±2 °；分辨率为 0.01°；允许最大倾角为±15°。
标准耐压深度：200 m。
工作温度：–5～45℃。

3. 悬沙取样仪器

悬沙取样采用纵式采样器，按现场实际水深变化取指定位置的悬沙水样。

4. 底质采样器

底质采样采用蚌式采样器，取样时只取底表层样品。

5. 软件

主要应用软件及使用范围一览表见表 11-4。

表 11-4　主要应用软件及使用范围一览表

序号	软件名称	使用范围 / 功能
1	Hypack 海洋导航测量软件	水深测量 / 定位、打标、数据采集、内业成图
2	RBR 516	潮位观测 / 对仪器进行测前设置、测后提取数据
3	RDI：WinSC、VmDas	ADCP / 用于数据采集
4	RDI：WinADCP	用于数据显示和输出

续表

序号	软件名称	使用范围 / 功能
5	AutoCAD 2004	水深测量 / 水深图的绘制
6	Word XP	报告编写 / 文字处理
7	EXCEL XP	水文报表编写 / 表格处理
8	TIDE	水文分析计算 / 潮流、潮汐分析系统

11.2.4 执行规范和资料

2014 年 11 月至 2017 年 4 月现场测量工作期间主要执行如下规范和标准：

①《国家三、四等水准测量规范》（GB/T 12898—2009）；

②《水运工程测量规范》（JTS 131—2012）；

③《海港水文规范》（JTS 145-2—2013）；

④《海洋调查规范》（GB/T 12763—2007）；

⑤《海滨观测规范》（GB/T 14914—2006）；

⑥《全球定位系统（GPS）测量规范》（GB/T 18314—2009）；

⑦《水位观测标准》（GB/T 50138—2010）；

⑧《测绘成果质量检查与验收》（GB/T 24356—2009）；

⑨其他相关规范和规程。

11.2.5 现场测量技术的改进与创新

1. 含沙量测量

固定点的含沙量每小时测量一次，每天进行连续 24 h 测量，2014 年 11 月～2017 年 4 月从未间断，在碎石基床铺设期间每天提取一次数据进行分析，在其他时间每 3 d 提取一次数据进行分析。测量频次之高、数据量之大实属罕见。

按照现行规范，含沙量测量垂线分层按 6 点法施测（即表层、0.2 H、0.4 H、0.6 H、0.8 H、底上 0.5 m）。但实际上对基槽泥沙淤积影响较大的为临底层含沙量，故对含沙量测量方法进行了适当调整，重点施测 0.8 H、底上 1 m、底上 0.5 m 和底上 0.2 m 四层水体含沙量，提高了含沙量测量精度。

2. 碎石基床泥沙淤积的回淤盒测量

测量泥沙淤积厚度的传统方法多为水深测图对比法，测量精度无法满足岛隧工程项目要求，为此，岛隧工程项目创新性地发展了水下回淤盒测量技术。首次在深度达 40 m 以上的基槽底部放置回淤盒，真实取得每个管节基槽淤积的实际泥沙，避免了以往采用测深仪仅能“间接”测量泥沙淤积的弊端，回淤测量精度可达毫米级，且真实呈现了现场淤积物的密度状态，为正确评价基槽淤积强度提供了坚实的数据基础。

回淤盒由潜水员放在基槽床面上，底下有钢架固定，放好后记录初放的编号和时间。取回时，潜水员首先盖好回淤盒盖，以避免盒内泥沙撒漏。潜水员回到船上后，在每个回淤盒上贴上标签，记录编号、初放日期、时刻及取出日期和时刻。然后送到实验室。在实验室中，对回淤盒内的泥沙先量测初始厚度值，然后搅拌均匀，再静止沉降密实 24 h 后，进行一系列试验，得到最终的淤积厚度、泥沙粒径和淤积物容重等重要数据（图 11-9）。

图 11-9　回淤盒

碎石基床铺设期间，包括两个短期回淤盒和一个长期回淤盒。两个短期回淤盒分别测量 1 d 和测量 2 d 回淤量，取回短期回淤盒时会同时再放置，保证碎石基床上每天同时有三个回淤盒。长期回淤盒在沉管浮运前取出。这样可以保证能实时监测到碎石基床裸露期间每 1 d 及整体累加的泥沙淤积状况，如出现异常可及时报警，加大清淤力度，确保碎石基床的泥沙淤积厚度控制在设计要求范围内。

3. 基槽内外多波束回淤测量

针对港珠澳大桥沉管隧道基槽监测要求，选择大型专用测量船来应对复杂水文环境下高频率的回淤监测，采用船底固定安装换能器方法减小安装角度变化带来的误差影响，通过对各设备位置精确校准消除相对位置偏差造成的误差影响，通过多波束测深波束开角设定研究及声速剖面模型构建应用修正声速变化引起的测深误差，利用数据信号融合方法提高多波束测深精度，针对影响测深精度的因素，持续系统地开展误差分析、参数优化、比对训练，将多波束测深精度提高到厘米级。

基槽内多波束水下地形测量的频率为 1 天 1 次，此外，多波束进行整个碎石基床的平面测量，一定程度上弥补了回淤盒只能进行单点测量的不足。

此外，岛隧工程项目还采用了潜水员水下探摸的方法更直观地了解基床的实际淤积情况。经多种方法综合对比，确保了每个管节安放时基床的泥沙回淤情况符合设计要求。

11.3 基槽附近自然条件及采砂活动的影响

11.3.1 基槽附近水沙环境及滩槽演变

1. 珠江径流输沙对基槽水域的影响

①珠江水系主要由西江、北江和东江组成，多年平均径流量约 3020 亿 m^3/a，平均含沙量 0.28 kg/m^3，平均输沙量约 8800 万 t/a。西江、北江、东江经东四口门进入伶仃洋的径流量和输沙量，合计占总量的 55.3%和 41.6%，其中洪季约占全年的 80%和 90%。近年来伶仃洋四大口门含沙量呈下降趋势，这种变化对伶仃洋整体泥沙环境的改善是有利的。

②珠江东四口门下泄泥沙进入伶仃洋后，主要堆积在伶仃西滩，西滩的含沙量最高；伶仃西滩泥沙在潮流的作用下主要向南搬运，同时受伶仃水道—大濠水道—深槽及其潮流切变锋面的限制难以向东搬运，不会直接影响岛隧工程海域。

③岛隧工程位于伶仃洋湾口向口外海滨的过渡段，远离珠江入海分流口门，同时避开了珠江入海泥沙向南输送的主要通道，工程海域水体含沙量远低于东四口门，因而珠江径流输沙对基槽泥沙淤积影响很小。

2. 基槽附近水沙环境

①根据基槽附近水域 2009 年水文资料分析，涨落潮流基本呈往复运动，沿伶仃航道深槽内各站流速较大，浅滩流速稍小（图 11-10）。

②表 11-5 表明，2004 年伶仃洋几乎无人为采砂，自然状态下工程海域底层水体含沙量平均值为 0.011 1～0.028 4 kg/m^3；2007 和 2009 年，受人为采砂活动影响，工程海域底层水体含沙量已显现增大变化；2015 年内伶仃岛北侧采砂区显著南移，沉管基槽固定 2 号站监测表明，受内伶仃岛北侧水域挖沙扰动浑水直接输运和二次搬运的影响，工程海域底层最大含沙量和潮平均含沙量分别高达自然本底值的 33.17 倍和 7.66 倍！由此可见，自然条件下沉管基槽附近水体含沙量整体较小，近年来受人为采砂活动影响含沙量显著增大。

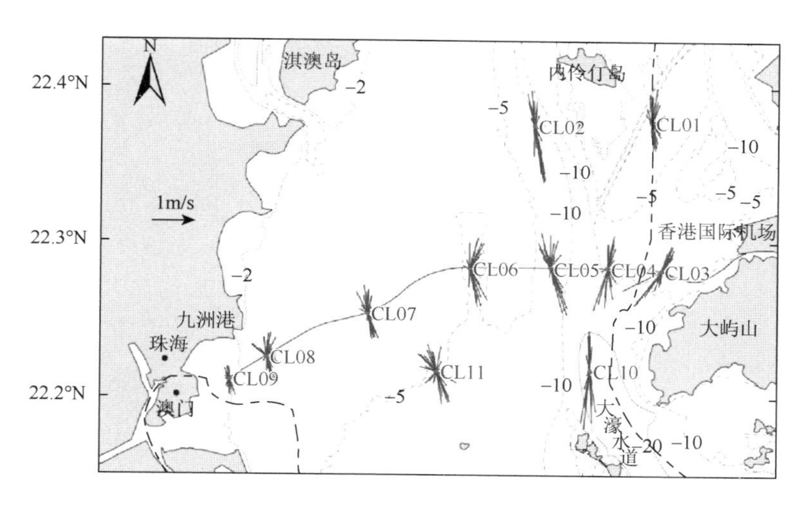

图 11-10　工程海域 2009 年洪季流速矢量

表 11-5　不同年份工程海域底层含沙量对比　　（单位：kg/m³）

年份	月份	大潮含沙量		中潮含沙量		小潮含沙量	
		最大值	潮平均	最大值	潮平均	最大值	潮平均
2004	6	0.069 8	0.028 4	0.022 4	0.009 8	0.029 0	0.011 1
2007	8	0.116 0	0.063 0				
2009	6	0.716 4	0.147 6			0.085 2	0.046 4
	3、4	0.102 3	0.058 3			0.059 8	0.043 9
2015	1	3.393 0	0.446 6	0.104 0	0.038 7	0.026 0	0.008 7

注：2004 年（SW02 站）、2007 年（大濠岛站）、2009 年（CL04 站）和 2015 年固定 2 站。

3. 基槽附近滩槽格局

①港珠澳大桥岛隧工程区位于珠江口伶仃洋湾口海域（图 11-11），南距内伶仃岛 16 km，西距大屿山约 5 km。在内伶仃岛和大屿山之间的涨、落潮流岛影区，发育形成“南沙咀—铜鼓—沙洲浅滩”“大濠水道—伶仃水道（西槽）”“龙鼓水道—矾石水道（东槽）”，分列于西、东两侧，横向上呈“两槽夹一滩”之势。

②2006～2010 年，基槽北部铜鼓浅滩水域–2 m、–5 m 等深线仍处于向南淤进趋势，其中内伶仃南侧南沙咀尾部南移 400 m、铜鼓浅滩尾部南移 2 000 m；东人工岛南侧–10 m 等深线也有明显向东南淤进趋势，向东南方向移动约 400 m；伶仃水道两侧–10 m 等深线及大濠水道头部–20 m 等深线保持稳定。近 30 年来，大濠水道—伶仃水道的深槽稳定少变，铜鼓浅滩尾部是有利于泥沙淤积的地貌部位，见图 11-12。

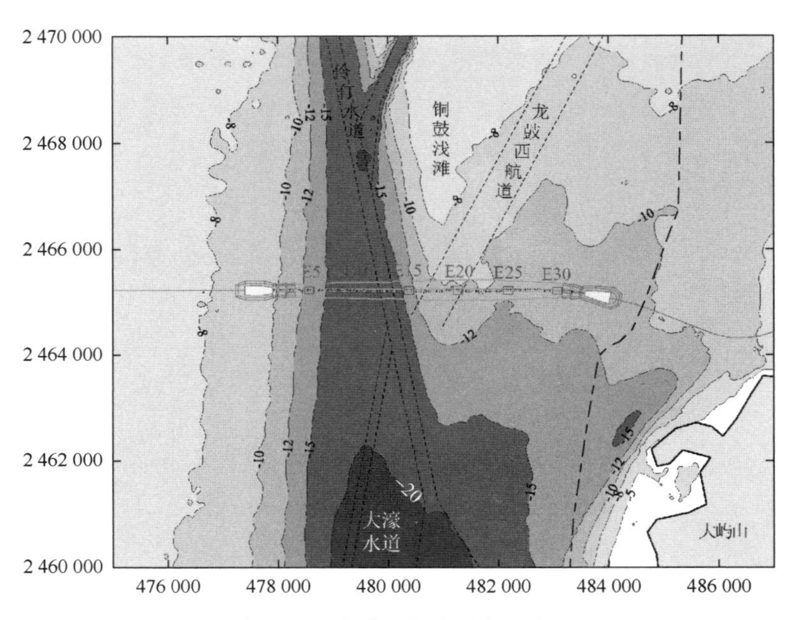

图 11-11　岛隧工程附近水下地形

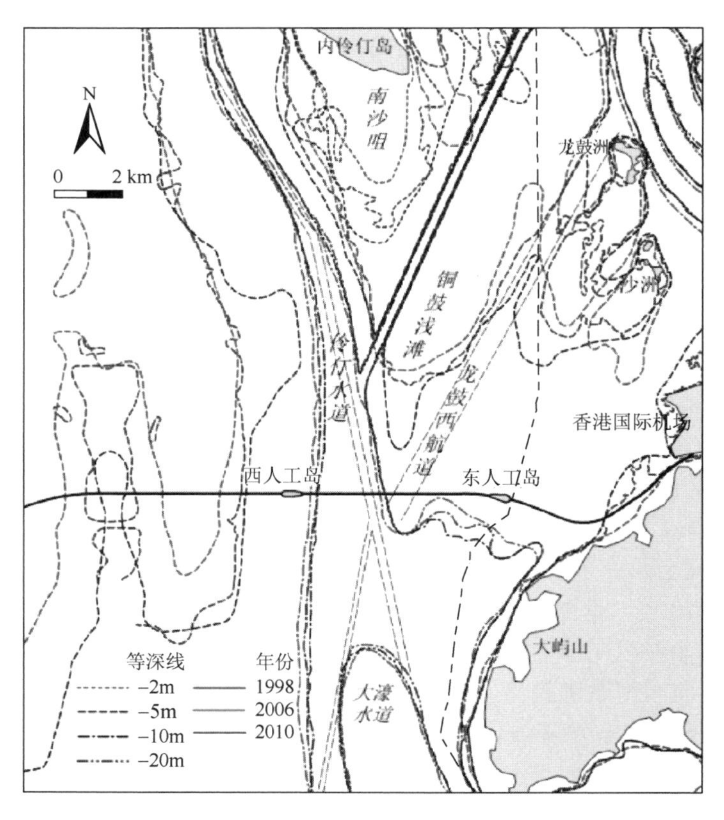

图 11-12　工程海域滩槽地貌和等深线对比

③以 E15 管节为界，基槽东部穿越相对较浅（−5～−10 m）的铜鼓浅滩南部滩尾和铜鼓浅滩东侧的龙鼓水道（图 11-12），基槽西部穿越伶仃水道，其滩槽高差明显小于东部（图 11-13）。由于基槽东部滩槽高差大，受铜鼓浅滩泥沙的直接影响，且基槽附近涨、落潮水流基本与基槽垂直，基槽东部的淤积大于西部（表 11-6）。

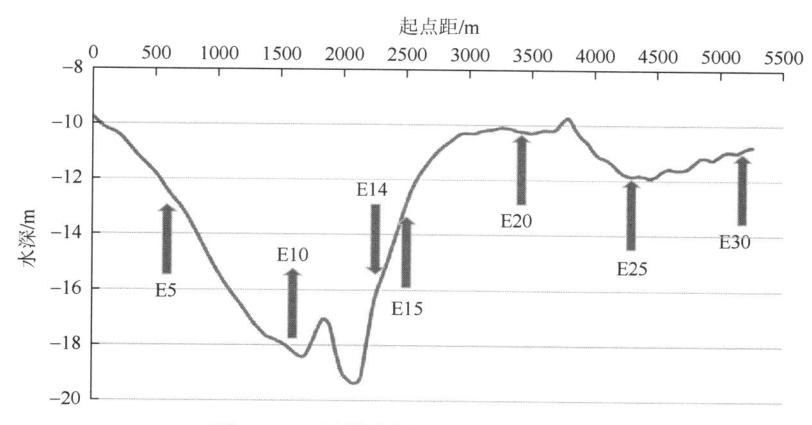

图 11-13　基槽北侧沿程滩槽地形剖面

表 11-6　港珠澳大桥基槽管节的地貌分段及其回淤差异

管节	E1～E4	E5～E6	E7～E14	E15～E17	E18～E21	E22～E23	E24～E33
水深/m	＜12	12～14	＞15	14～12	11～10	10～11	12～11
地貌部位	伶仃水道				铜鼓浅滩尾		大濠水道 NE 向末端
基槽回淤	已安管节，回淤较小			淤积增大	回淤强度最大区段		E24～E26 相对较大
注	回淤资料：E15～E26 管节，2013 年 7 月至 2014 年 12 月						

④动力架构

从沉管基槽附近动力格局来看（图 11-14）有以下特征：

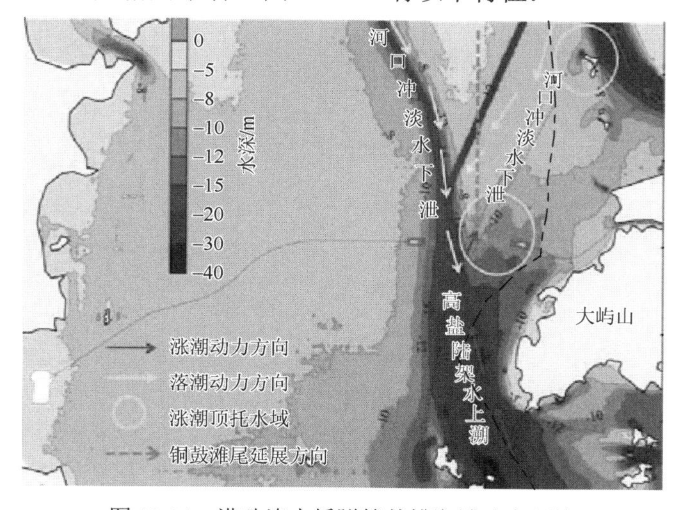

图 11-14　港珠澳大桥隧管基槽海域动力环境

自伶仃洋湾口（大屿山西侧）向北伸入的“大濠水道—伶仃水道”受高盐、少沙的陆架水入侵动力体系控制，涨、落潮流强劲，流速大，悬沙几乎无落淤。

受伶仃水道 N—S 的落潮流和 NE—SE 向的龙鼓水道落潮流的汇合“挟持”，内伶仃岛以南的铜鼓浅滩动力相对较弱，呈自然缓慢淤积状态。

铜鼓浅滩尾和沙洲浅滩位于南侧高盐陆水入侵顶托北侧河口混合冲淡水下泄的过渡带，是易于发生悬沙淤积的动力环境。

⑤铜鼓—沙洲浅滩沉积动力作用。如图 11-15 所示，铜鼓—沙洲浅滩区多为盐度15‰～25‰的河口混合水，而其东、西两侧分别受龙鼓水道和伶仃水道下段侵入的高盐陆架水控制。西、东两侧深槽的盐度大，产生指向中部浅滩的密度梯度驱动力，铜鼓—沙洲浅滩下泄的河口混合水及其悬沙，因受东、西两侧深槽区陆架水入侵的顶托影响，使其动力消能减弱、流速减小而产生泥沙落淤。

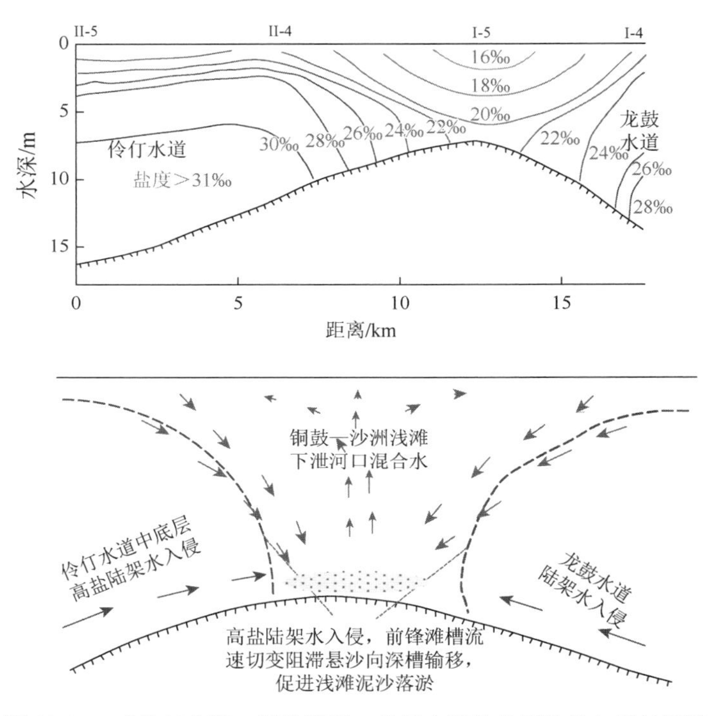

图 11-15　“伶仃水道—铜鼓浅滩—龙鼓水道”盐度结构与悬沙沉降

4. 小结

基槽海域为“两槽夹一滩”的地貌格局，既受高盐、少沙的陆架水入侵动力体系控制，也受表层含沙量相对较高的冲淡水的影响。自然条件下工程海域水体含沙量较少，工程海域邻近滩槽动力地貌体系较为稳定。铜鼓浅滩尾的自然淤积速率缓慢，E15 管节以东的基槽处于铜鼓浅滩南部滩尾，受河口冲淡水和浅滩下泄泥沙的直接影响，铜鼓浅滩尾部淤积南移，处于有利于泥沙落淤的水动力泥沙环境中，特别在冬季、春季，受潮流和东向风浪等的作用，铜鼓浅滩泥沙再次启动扩散，可直接影响 E15 管节以东基槽区域，因而基槽淤积会相对大一些。但由于邻近海域大量的采砂活动，沉管基槽回淤厚度和回淤物性状均发生明显改变，对 E15 及其以东各管节的安全沉放带来难以控制的不利影响。

11.3.2　采砂活动对深槽基床回淤的影响

1. 内伶仃附近采砂活动现场调查

2015 年 1 月 6～8 日，基槽回淤攻关组对内伶仃岛北侧挖砂区进行现场考察及含沙量取样工作，现场调查线路见图 11-16。现场考察时内伶仃岛附近出现 52 条挖砂船，挖砂船采砂导致该水域出现与伶仃洋天然水沙环境截然不同的高含沙量的浑水带（图 11-17），巨大的浑水带随落潮流向南延伸目测可达 3～4 km，1 月 8 日表层含沙量最大可达 2.5 kg/m^3，悬沙中值粒径 0.013～0.034 mm（表 11-7）。现场调查结果表明，内伶仃岛附近的挖砂船作业是无序的，挖砂船舶的数量、作业强度及对表层含沙量的影响都具有不确定性。内伶仃岛附近挖砂船作业产生的高含沙水体触目惊心，对基槽淤积的影响不容忽视。

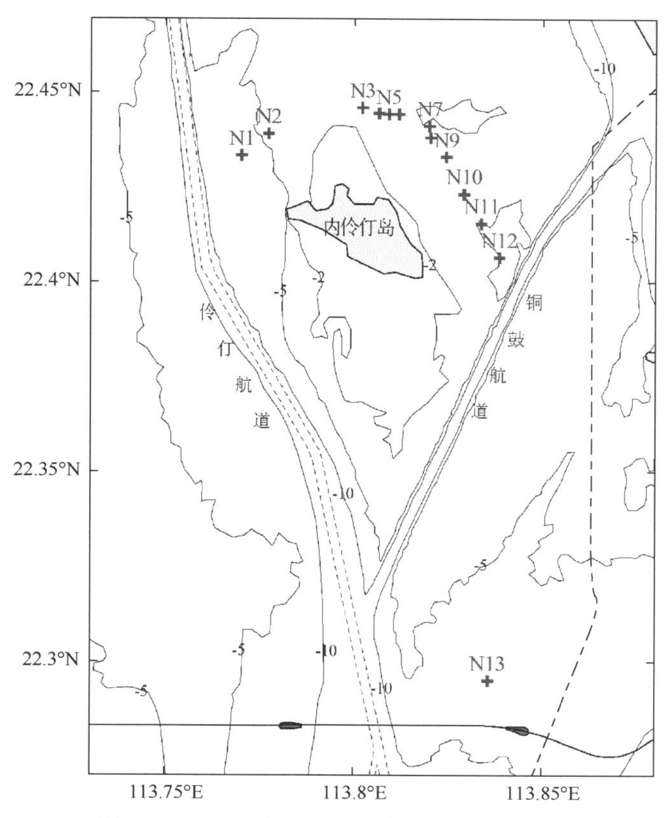

图 11-16　2015 年 1 月 8 日内伶仃岛调查站位

图 11-17　2015 年 1 月 8 日内伶仃岛附近的浑水（后附彩图）

表 11-7　内伶仃岛至基槽调查悬沙粒径及含沙量统计

调查时间	取样站位	中值粒径/mm	含沙量/(kg/m^3)
1 月 6 日	3 个	0.032～0.05	0.9～1.67
1 月 7 日	3 个	0.031～0.036	0.63～1.61
1 月 8 日	14 个	0.013～0.034	最大 2.5

2. 遥感影像分析

根据 2010～2015 年不同年份的遥感卫星影像分析，伶仃洋内采砂区的位置有明显的变化：2010 年和 2011 年的遥感卫片显示，伶仃洋中滩采砂区主要位于矾石浅滩北部，靠近深圳宝安国际机场东侧；2013 年 8 月和 12 月的遥感卫片显示，大部分采砂船已南移至大铲岛西侧，在内伶仃岛北侧也出现了少量的挖砂船；2014 年 12 月和 2015 年 1 月的遥感卫片显示内伶仃岛北侧出现大量挖砂船，主要采砂区已经由矾石浅滩北部南移至内伶仃岛附近。

近期伶仃中滩采砂区南移至内伶仃岛附近，内伶仃岛附近挖砂船数量明显增多，采砂强度明显增大，对工程的影响相对增大。

根据工程海域 2013～2015 年不同潮况的真彩色合成影像及其含沙量反演结果，经分析可知：

①内伶仃岛附近存在大量挖砂船，挖砂船所产生的高含沙浑水在内伶仃岛周边形成明显的浑水带，其最大含沙量在 0.6 kg/m^3 以上。该浑水带位于伶仃水道和龙鼓水道之间，呈“梭状”分布在内伶仃岛南北两侧，其范围随着涨落潮水流的变化而有所变化。在小潮的落潮末期，浑水带的南端可达基槽附近水域，这说明采砂形成的高含沙浑水对本工程有直接影响，而且卫星影像所反映的悬沙运动为表层悬沙，随着表层泥沙的沉降，中底层的含沙量更大，影响范围更广。

②Landsat 卫星从珠江口过境的时间为上午 10～11 时，高分一号卫星从珠江口过境的时间为上午 11 时左右。由工程海域内伶仃站潮位过程线及基槽附近实测流速过程线分析得知，卫星过境时，小潮时处于落潮末期或者涨潮初期，中潮和大潮时基本为涨潮中

期或者涨潮末期。收集到的遥感影像均为大潮涨潮末期或落潮初期、中潮涨潮中期和小潮落潮末期时的影像。这两种情况下，基槽海域的水体含沙量均较小：大潮和中潮时受外海底含沙水体影响，基槽含沙量基本在 0.05 kg/m^3 以下；小潮时落潮流速小、悬沙输移的距离短，基槽含沙量也较低。

③由于内伶仃岛北侧挖沙区距大桥施工海域约 15 km，挖沙区的高含沙浑水只有在中潮和大潮的大落潮阶段才能向南运移至基槽水域。由于该时段卫星遥感影像的缺失且遥感主要反映表层水体含沙量，无法反映底部含沙量运移情况，因而难以从定量上判断挖沙区悬沙输移对基槽淤积的影响。从悬沙运动趋势及泥沙来源角度，可以定性地判断采砂区的高含沙浑水对基槽淤积的影响较大。

④由以上分析可以看出，悬沙卫星遥感技术反映出内伶仃岛附近挖沙区存在高含沙浑水，并在落潮阶段可对基槽水域产生直接影响，这就从定性上可以说明采砂区为基槽东部异常淤积的主要泥沙来源。

3. 含沙量巡测资料分析

根据交通运输部天津水运工程科学研究院（简称天科院）2015 年 1 月 8 日～8 月 10 日在内伶仃岛至基槽沿线每天落潮期进行的含沙量巡测结果（巡测路线见图 11-4），考虑表层含沙量的沿程落淤影响，资料分析时采用巡测点底部含沙量作为依据。按照 2015 年 1 月 8 日～2 月 9 日采砂期、2 月 10 日～4 月 30 日采砂区关闭期、5 月 1 日～20 日采区恢复期、2015 年 5 月 21 日～8 月 10 日采砂区关闭期 4 个时间段，对沿程含沙量进行对比分析（表 11-8 和图 11-18）。

表 11-8　内伶仃岛—基槽沿程巡测含沙量数值统计　　（单位：kg/m^3）

测量站位	1 月 8 日～2 月 9 日平均（采砂区关闭前）	2 月 10 日～4 月 30 日平均（采砂区关闭）	5 月 1 日～20 日平均（采砂区恢复）	5 月 21 日～8 月 10 日平均（采砂区关闭）
D01	0.746	0.041	0.506	0.055
D02	0.799	0.042	0.546	0.060
D03	0.630	0.047	0.571	0.064
D04	0.547	0.048	0.486	0.070
D05	0.456	0.049	0.443	0.076
D06	0.402	0.050	0.319	0.079
D07	0.335	0.055	0.231	0.085
D08	0.345	0.056	0.243	0.083
D09	0.343	0.052	0.220	0.081
D10	0.275	0.054	0.224	0.079
D11	0.186	0.052	0.220	0.084
D12	0.146	0.045	0.240	0.088

续表

测量站位	1月8日～2月9日平均（采砂区关闭前）	2月10日～4月30日平均（采砂区关闭）	5月1日～20日平均（采砂区恢复）	5月21日～8月10日平均（采砂区关闭）
D13	0.129	0.033	0.211	0.057
D15	0.072	0.035	0.170	0.056
D16	0.065	0.040	0.171	0.061
D17	0.072	0.038	0.148	0.061
D18	0.072	0.039	0.159	0.063
D19	0.072	0.038	0.162	0.063
D20	0.075	0.035	0.160	0.061

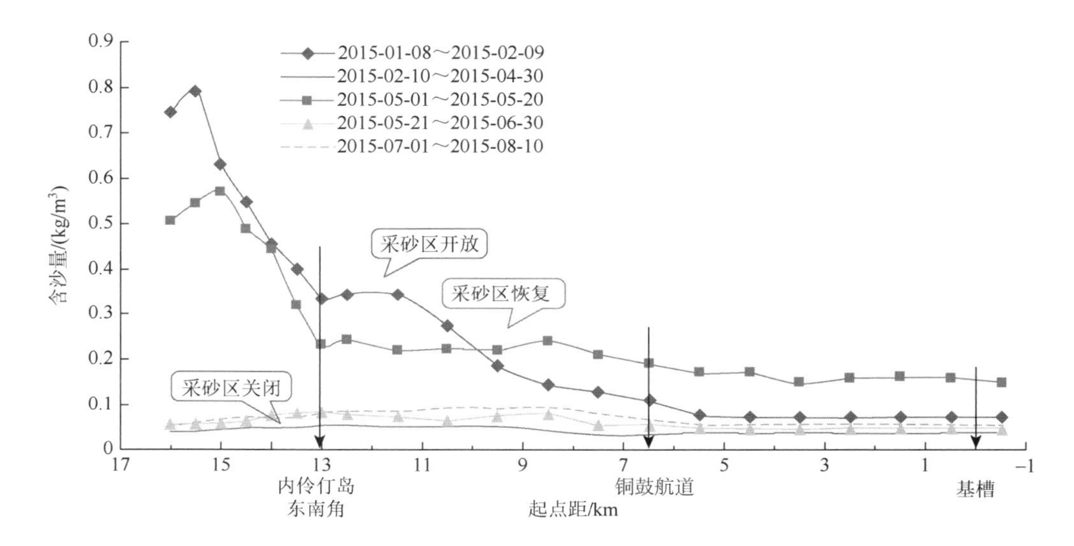

图 11-18　采砂区关闭前后内伶仃至基槽沿线近底含沙量变化曲线

图表显示了 4 个不同时段采砂区至基槽沿线的含沙量统计数据和对比结果，可以清晰地看出：

①从采砂区“开放—关闭—恢复—关闭”四个时期内伶仃岛至基槽沿程含沙量变化来看，含沙量也经历了“大—小—大—小”过程，含沙量的大小与采砂密切相关。

②1 月 8 日～2 月 9 日是珠江口枯水期，挖沙区引起的高含沙浑水可随落潮流向南扩散至基槽水域，内伶仃岛至基槽沿程多日平均含沙量为 0.799～0.065 kg/m^3，基槽以北 500 m（D20）水域多日平均含沙量达 0.075 kg/m^3，导致基槽附近底部含沙量异常偏高。

③2 月 10 日～4 月 30 日采砂区关闭，珠江口径流量与 1 月 8 日～2 月 9 日基本相当，内伶仃岛至基槽沿程多日平均含沙量为 0.056～0.033 kg/m^3，基槽以北 500 m（D20）水域多日平均含沙量达 0.035 kg/m^3，与 1 月 8 日～2 月 9 日相比大幅降低。

④5 月 1 日～5 月 20 日采砂区恢复，内伶仃岛至基槽水域沿程多日平均含沙量为 0.905～0.109 kg/m^3，基槽以北 500 m（D20）水域多日平均含沙量达 0.16 kg/m^3，与采砂关闭期相比增幅达 400%。含沙量沿程分布趋势和量值与 1 月 8 日～2 月 9 日关闭采砂区前基本一致，基本恢复到关闭采砂区前的状态。

⑤5 月 21 日～8 月 10 日，即使在珠江口较强径流的影响下，内伶仃岛至基槽水域沿程多日平均含沙量为 0.088～0.054 kg/m^3，基槽以北 500 m（D20）水域多日平均含沙量达 0.061 kg/m^3，与采砂区恢复期相比减少了 62%。

以上实测资料证明，采砂引起的高含沙浑水在落潮流的作用下以直接输移和再搬运方式进入基槽，是基槽异常回淤的主要泥沙来源。关闭采砂区从源头上切断了影响基槽回淤的主要泥沙来源，为减少基槽淤积提供了重要的保证。

4. 固定站含沙量资料分析

根据天科院在基槽北侧 500 m 处设置的 2 号固定站（站位见图 11-3）长期进行的逐时底部含沙量连续观测数据分析，图 11-19 为 2 号固定站 1 月 8 日～8 月 10 日每日逐时底部含沙量变化曲线，由图可知：

①在采砂区关闭（2 月 10 日）前、采砂区关闭期间（2 月 10 日～4 月 30 日）、采砂区恢复（5 月 1 日～5 月 15 日）及再关闭后（5 月 15 日～8 月 10 日）这 8 个月，工程海域日平均最大含沙量也经历了大、小、大和小的变化；采砂期间，日平均含沙量最大值在 0.30 kg/m^3 左右；采砂区关闭期间，即使叠加洪季大径流影响，日平均含沙量最大值通常在 0.15 kg/m^3 以下。

②从大中小潮差异看，基槽水域小潮时底部含沙量很小，基本小于 0.03 kg/m^3，中潮时含沙量比小潮时略大；大潮时含沙量明显增大。

③从采砂区关闭前、采砂区关闭及采砂区恢复的差异看，小潮时基槽底部含沙量均很小；大潮时差异明显。

工程海域 2 号固定站逐时含沙量的长期序列数据表明：采砂区关闭后，大潮期间基槽水域含沙量大幅降低，工程海域泥沙环境得到了明显改善。

5. 基床淤积资料分析

根据采砂区关闭前 2014 年 12 月 17 日～2015 年 1 月 28 日和采砂区关闭后 2015 年 2 月 11 日～3 月 29 日基槽内多波束测量结果（每个管节的平均值），以及 2015 年 2 月～7 月在安装管节期间基槽底部安放的回淤盒资料分析，统计分析结果见表 11-9～表 11-11，从表中可以明显看出：

①采砂区关闭前的 2014 年 12 月 17 日～2015 年 1 月 28 日，E18～E26 管节基槽 14 d 累积淤积厚度的平均值为 0.55 m，折合每天淤积厚度为 3.9 cm。

②2015 年 2 月 11 日～3 月 29 日采砂区关闭后，E18～E26 管节基槽 14 d 累积淤积厚度的平均值为 0.19 m，折合每天淤积厚度为 1.3 cm。

③无采砂情况下的 E18～E26 管节基槽的日平均淤积厚度比有采砂情况下的日平均淤积厚度显著降低，减小了 65%。

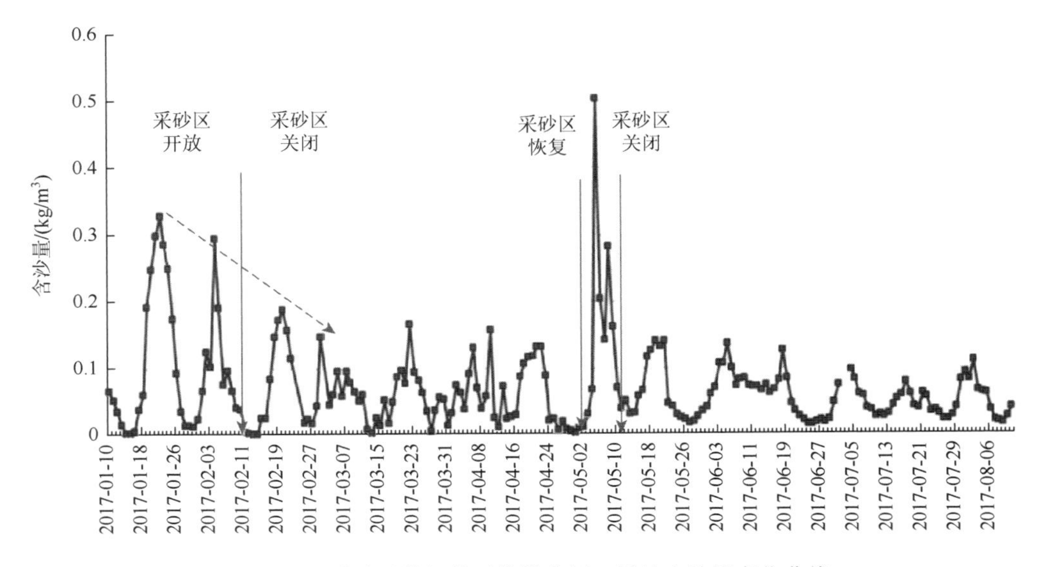

图 11-19　采砂区关闭前后基槽北侧 2 号站含沙量变化曲线

表 11-9　采砂区关闭前基槽淤积情况　　（单位：m）

时间段（14 d）	淤积厚度									
	E18	E19	E20	E21	E22	E23	E24	E25	E26	平均
2014-12-17～2014-12-30	0.68	0.83	0.80	1.05	0.83	0.6	0.83	0.7	0.74	0.78
2014-12-31～2015-01-14	0.58	0.58	0.39	0.51	0.38	0.35	0.59	0.62	0.59	0.51
2015-01-15～2015-01-28	0.14	0.25	0.31	0.56	0.26	0.24	1.03	0.31	0.23	0.37
14 d 累积平均	0.47	0.55	0.50	0.71	0.49	0.40	0.82	0.54	0.52	0.55

表 11-10　采砂区关闭后基槽淤积情况　　（单位：m）

时间段（14 d）	淤积厚度									
	E18	E19	E20	E21	E22	E23	E24	E25	E26	平均
2015-02-11～2015-02-24	0.32	0.4	0.41	0.54	0.16	0.03	0.03	0.03	0.13	0.23
2015-03-15～2015-03-29	0.06	0.15	0.28	0.24	0.27	0.11	0.09	0.02	0.08	0.14
14 d 累积平均	0.19	0.28	0.35	0.39	0.22	0.07	0.06	0.03	0.11	0.19

表 11-11　采砂区关闭前后基槽淤积情况比较　（单位：cm）

时间段	资料来源	日平均淤积厚度									
		E18	E19	E20	E21	E22	E23	E24	E25	E26	平均
采砂区关闭前	多波束	3.4	3.9	3.6	5.1	3.5	2.9	5.9	3.9	3.7	3.9
采砂区关闭后		1.4	2.0	2.5	2.8	1.6	0.5	0.4	0.2	0.8	1.4
采砂区关闭后	回淤盒	1.29	1.43								

④在 2015 年 2 月 10 日～4 月 30 日和 2015 年 5 月 16 日～7 月 29 日采砂区关闭期（5 月 1 日～5 月 15 日采砂区恢复期回淤盒没有资料），回淤盒资料显示 E15～E19 管节日平均淤积厚度为 0.74～1.7 cm，日平均淤积厚度为 1.32 cm。与 2015 年 2 月 11 日～3 月 29 日采砂区关闭后的多波束资料相近。

以上资料充分说明，无论是多波束资料还是回淤盒资料，采砂区关闭后，基槽回淤明显减少。多波束资料总体结果：有采砂作业情况下，基槽内 14 d 累积回淤厚度大体在 50 cm 左右，且沿槽分布差异不大；无采砂作业情况下，基槽内 14 d 累积回淤厚度远小于有采砂情况，且以 E21 为界，以西和以东逐渐减小。

6. 采砂对基槽泥沙环境影响的数值模拟研究

上文通过动力地貌分析，结合对现场实测水沙自然条件、卫星遥感影像的分析，认为内伶仃岛附近采砂活动为港珠澳大桥基槽异常回淤的重要泥沙来源。

根据现场调查，当前内伶仃岛附近的挖沙船作业是无序的，其挖沙船舶的数量、作业强度以及对表层含沙量的影响都具有不确定性。因此，为评价采砂对基槽处泥沙扩散的影响，天科院、南科院采用各自建立的伶仃洋大范围潮流泥沙数学模型，针对无序采砂对基槽处泥沙条件变化进行深入研究。

（1）采砂计算工况及参数

内伶仃岛北侧共 7 个审批采砂区位置，按照距内伶仃岛由远及近的顺序对采砂区进行编号，分别为 1～7 号。

在对审批采砂区的模拟中，结合现场调查资料，控制采砂源强范围半径为 0.5 km，半径边缘含沙量源强为 5 kg/m^3。

（2）采砂区条件下基槽含沙量分析

根据单个大、中、小潮典型潮况条件下，内伶仃岛处规划审批采砂全部作业时引起基槽处落潮含沙量增量平面分布等，以及对应不同潮况条件下的基槽处含沙量增量（图 11-20），得到以下主要结论：

①在典型大潮落潮时，内伶仃岛处高浓度水体在扩散过程中可直接到达基槽附近，引起基槽处含沙量增量达 0.2～0.3 kg/m^3，远超过天然海域的本底含沙量数值（0.1 kg/m^3 以内）。

②典型中潮作用下，流速较大潮虽有所降低，但一个落潮期间，基槽处海域平均含沙量增量仍达 0.2 kg/m^3 左右，仍明显高于天然水体的平均本底含沙量，对基槽仍有一定的直接突淤风险。

③从含沙量增量沿槽分布来看，对基槽东区而言（E21 管节附近），含沙量增幅最高，西区（E15 管节附近）相对略低。

综上分析，即使无序采砂得到规整，采砂船全部于审批采砂区内作业，内伶仃岛处采砂活动引起的悬浮泥沙落潮扩散仍将在大、中潮作用下直接跨过基槽，引起基槽内淤积。因此，即使在审批采砂条件下，内伶仃岛采砂活动仍是基槽内出现突淤的重要泥沙来源之一。

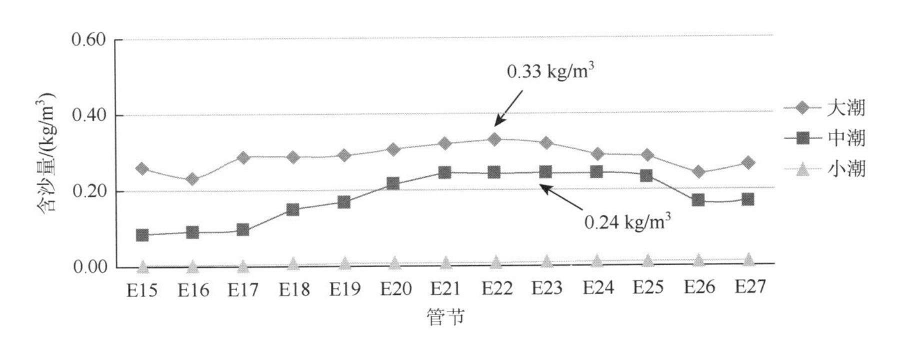

图 11-20　不同潮况条件下审批采砂区引起基槽处含沙量增量分布

（3）采砂区数量变化对基槽内淤积的影响分析

为进一步明晰不同采砂工况对基槽内淤积的影响，图 11-21、图 11-22 中分别给出了天科院和南科院模拟得到的不同采砂工况基槽内的淤厚情况（E15～E27 管节），并统计了淤厚增幅。经统计，得到以下主要结论：

即使在单个大潮作用下，当全部审批采砂区均作业时（1～7 号采砂区），由于高浓度含沙量水体可直接跨越基槽，从而引起槽内淤积增加，较天然本底条件下淤厚平均增幅在 54.5%～61.8%，最大增幅达 66.7%～124.6%；当采砂区数量减少至 5 个时（1～5 号采砂区），基槽内含沙量有所降低，因而槽内淤厚增幅亦降低，平均增幅为 9.1%～18.9%，最大增幅为 16.7%～56.3%；当采砂区数量进一步减少至 3 个时（1～3 号采砂区），由于采砂区距离基槽较远，从而引起悬浮泥沙无法一潮到达基槽内。

即使在单个中潮作用下，基槽内淤积增幅较大潮有所降低，当全部审批采砂区均作业时（1～7 号采砂区），槽内淤厚平均增幅为 24.0%～50%，最大增幅达 60.0%～61.4%；当采砂区数量减少至 5 个时（1～5 号采砂区），槽内淤厚平均增幅为 12.5%～14.9%，最大增幅为 20%～42.2%；当采砂区数量进一步减少至 3 个时（1～3 号采砂区），淤积无明显影响。

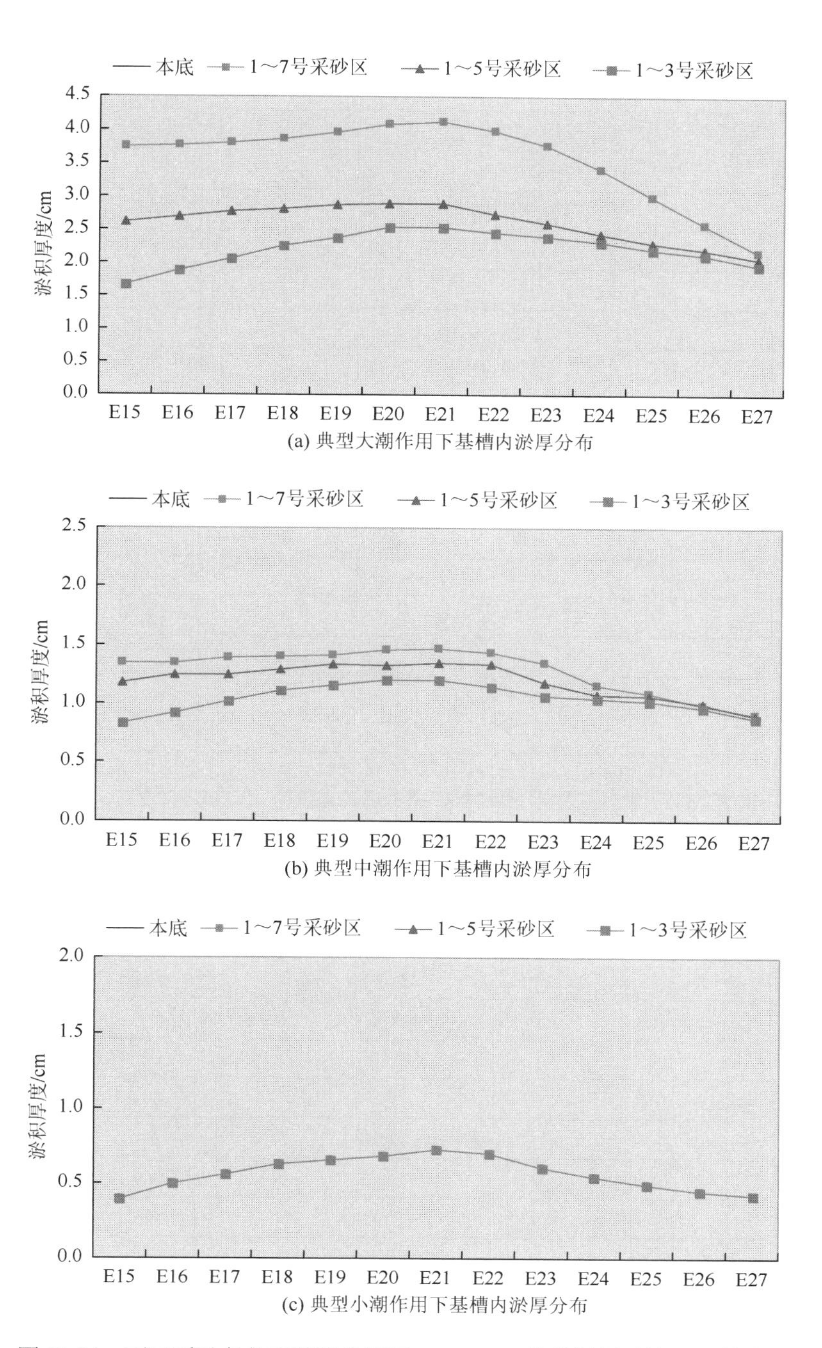

图 11-21　不同采砂条件和潮型作用下 E15～E27 管节淤厚对比（天科院）

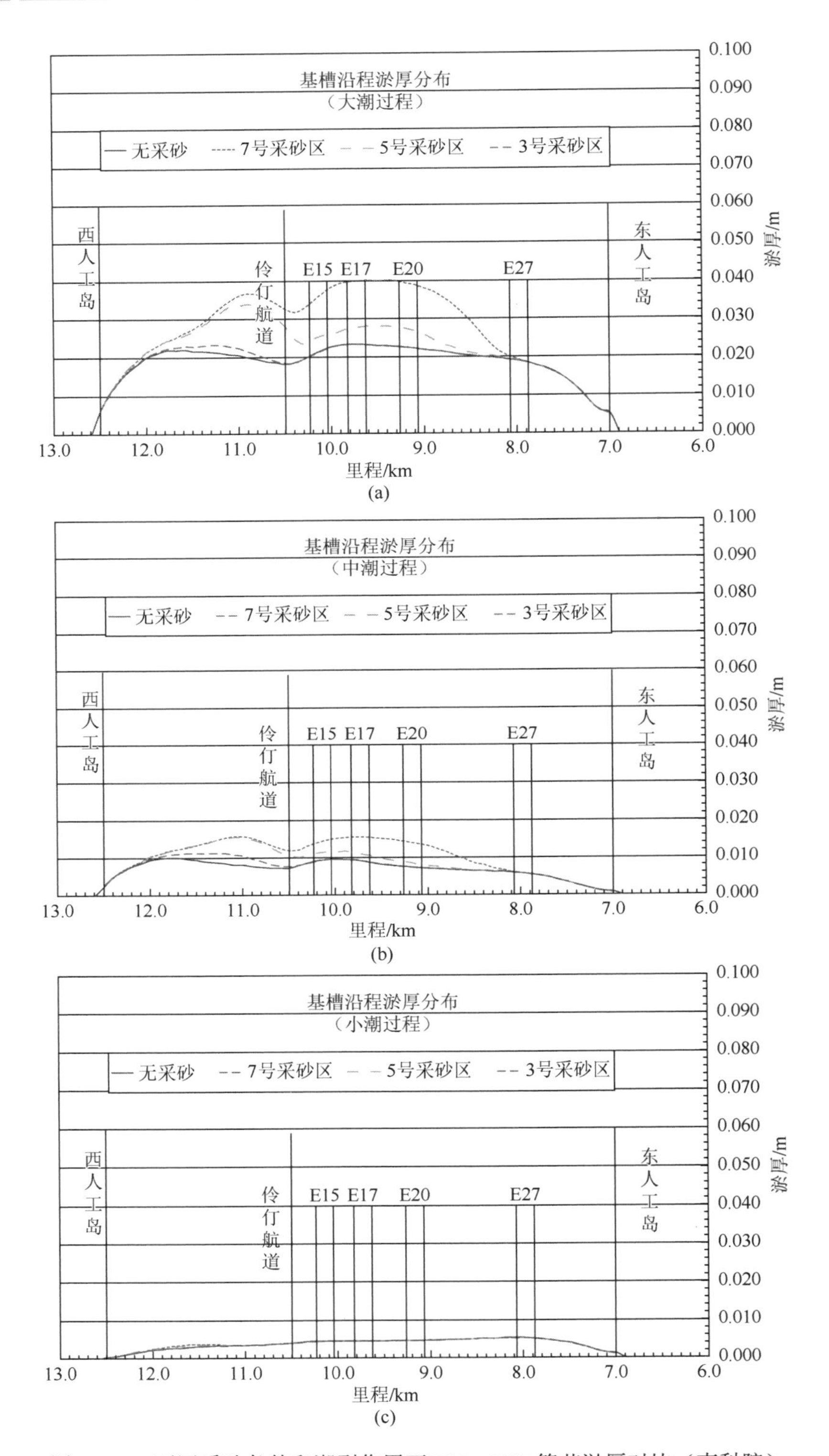

图 11-22　不同采砂条件和潮型作用下 E15～E27 管节淤厚对比（南科院）

（4）小结

根据现场调查资料、最新实测水文泥沙资料、大量卫星遥感影像、近期基槽回淤资料及数学模型等进行综合论证分析可知，挖沙引起的高含沙浑水随落潮流向基槽水域扩散，是造成基槽异常泥沙淤积的主要泥沙来源。挖沙形成的高含沙水体随潮流运移导致工程水域含沙量增大，同时它沉积在海床上。泥沙在潮流和风浪作业下，极易再次起悬运移，可通过直接和再搬运的形式对基槽淤积产生影响。

11.4　基槽回淤综合预报模型构建

为保证港珠澳大桥沉管的顺利施工，我们自主创新建立了一套“多因素、复合型”的基槽回淤预警预报系统。所谓“复合型”，即同时兼顾“面向表现”的回淤预报公式法和“面向过程”的数值模拟法。

11.4.1　回淤预报公式

1. 等效潮差

在海区自然环境相对稳定的前提下，潮流、波浪、径流等动力条件影响海域含沙量，而含沙量又决定了基槽的淤积大小。通过现场大量的潮差、潮流、含沙量、基槽淤积量等资料分析发现，基槽水域滩面流速与潮差关系明显。

在考虑风浪对淤积的影响时，通过风推算波浪大小，计算波浪引起的底流速，并通过相关分析法将其转换成“潮差”，并与潮流对应的潮差进行叠加，来反映波浪潮流对基槽回淤的影响。这一点在径流方面也是同样的机理。

根据海岸动力学基本理论，提出“等效潮差”的概念。所谓等效潮差，即将可能影响基槽淤积的关键动力因子以“潮差”这一参量的形式体现。

伶仃洋海域天然潮汐较为规则，且与潮流流速有关，因此天然潮差 R_t 与垂向平均潮流流速 $\bar{V}$ 存在很强的相关度，即

$$R_t = f_1(\bar{V}) \tag{11-1}$$

对基槽回淤而言，其关键的控制性动力为近底流速 V_b，而垂向平均潮流流速 $\bar{V}$ 又与近底流速相关，即

$$V_b = f_2(\bar{V}) \tag{11-2}$$

进而得到

$$R_t = f_3(V_b) \tag{11-3}$$

式中，V_b——单独潮流引起的近底流速，由三维潮流数学模型试验给出。

波浪和径流对潮差的作用，究其本质亦可折算至近底流速中。因此，特定义“波浪等效潮差”和“径流等效潮差”两个概念，即

$$R_e = R_t + R_w + R_d \tag{11-4}$$

式中，R_e——总等效潮差；

R_w——波浪等效潮差，$R_w = \alpha_w R_t$；

R_d——径流等效潮差，$R_d = \alpha_d R_t$。

则

$$R_e = R_t + \alpha_w R_t + \alpha_d R_t \tag{11-5}$$

式中，α_w、α_d 分别为波浪等效潮差系数和径流等效潮差系数，可由以下表达式计算：

$$\alpha_w = V_{wb} / V_b \tag{11-6}$$

$$\alpha_d = V_{db} / V_b \tag{11-7}$$

式中，V_{wb}——波浪底部平均流速，可由海岸动力学公式计算；

V_{db}——径流引起的底部流速，可由三维水动力数学模型计算结果给出。

综合式（11-5）～式（11-7），最终得到等效潮差的数理表达式：

$$R_e = \frac{V_b + V_{wb} + V_{db}}{V_b} R_t \tag{11-8}$$

在实际应用中，等效潮差的计算遵循以下步骤：

①通过现场潮汐预报数据得到沉管施放窗口期内的潮汐过程；

②将潮汐过程输入水动力数学模型，得到潮位与底部流速过程，并统计得到窗口期内的每日天然潮差 R_t 及预报管节处的对应近底流速 V_b；

③根据窗口期内的波浪预报成果，采用波浪数学模型推算得到拟施放沉管区位的波浪参数，并通过海岸动力学公式计算得到波浪底部平均流速 V_{wb}，进而计算得到波浪等效潮差 R_w；

④根据窗口期内的上游径流预报成果，将其代入水动力数学模型模拟得到拟施放沉管区位的径流底部流速 V_{db}，并计算得到径流等效潮差 R_d；

⑤将天然潮差 R_t、波浪等效潮差 R_w 与径流等效潮差 R_d 相加，最终得到总等效潮差 R_e。

2. 总等效潮差与含沙量关系推求

等效潮差概念提出后，根据海岸动力学理论，推导得到总等效潮差与含沙量的关系表达式：

$$S = k\rho_s \frac{R_e^{\beta}}{ghT^2} \tag{11-9}$$

式中，T——半潮周期；

ρ_s——泥沙密度；

h——平均水深；

g——重力加速度；

k、β——分别为经验系数，应根据现场实测资料推求。

图 11-23 中显示了总等效潮差与含沙量的关系，图中可见，总等效潮差与含沙量的关系良好，可为后续泥沙数学模型试验提供准确的边界条件。在实际预报过程中，根据实测资料的积累，对经验系数 k、β 进行持续订正，保证计算的准确性。

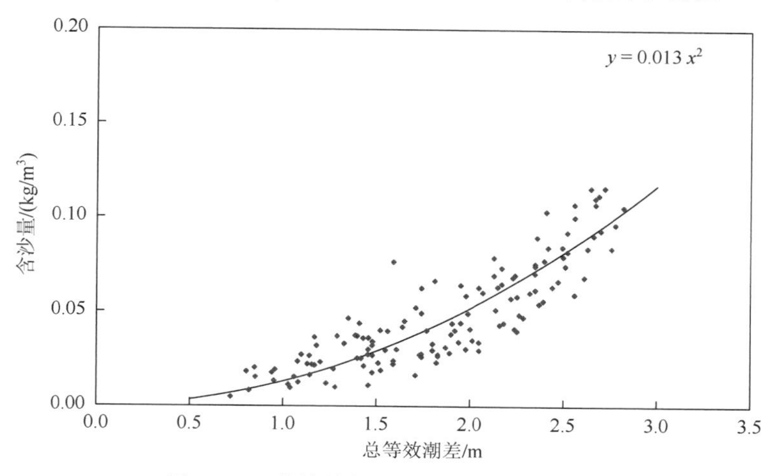

图 11-23　总等效潮差与含沙量的关系曲线

3. 总等效潮差与基槽淤积厚度关系推求

等效潮差概念提出后，根据现场回淤盒资料，通过相关分析法推导得到总等效潮差与基槽淤积厚度的关系表达式：

$$D_{ep} = \lambda R_e^{\theta} \tag{11-10}$$

式中，　D_{ep} ——基槽淤积厚度；

λ、θ ——分别为经验系数，应根据现场实测资料推求。

图 11-24 中示意了等效潮差与基槽淤积的关系，图中可见，总等效潮差与基槽淤积

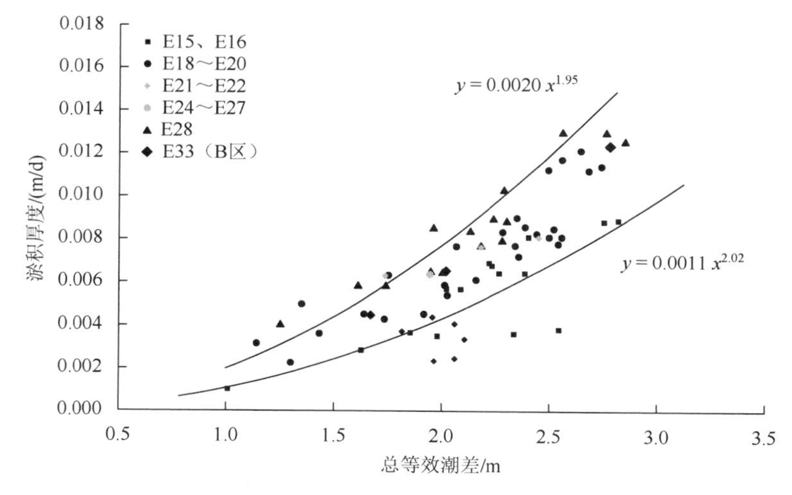

图 11-24　总等效潮差与基槽淤积的关系曲线

厚度的关系良好，可直接应用于预报中。由图 11-24 可知，$\lambda = 0.0011$～0.0020；$\theta = 1.95$～2.02（随区域而变化）。

11.4.2 预警预报系统

1. 复合型预警预报整体思路

在预警预报过程中，公式计算和数值模拟两种方法呈现出“交织”衔接，体现在：

①公式计算中所需重点参数由数值模拟给出；

②数值模拟的含沙量初始边界条件又利用经验公式的结果；

③对潮流形态较为单一的管节（即 E15～E32 管节），一般采用针对性强、响应迅速的经验公式进行预报；而对岛隧结合部处的 E33 管节，由于受两侧掩护体的遮挡，在接头处存在回流现象，条件更加复杂。因此，对岛隧结合部附近管节的预警预报采用数值模拟方法。图 11-25 为基槽回淤预警预报系统流程图。

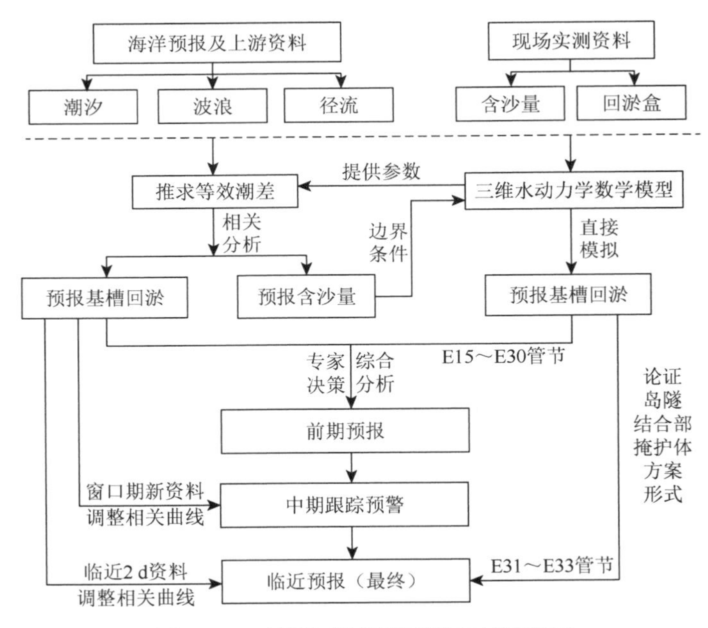

图 11-25 基槽回淤预警预报系统流程图

2. 预警预报系统的组成

（1）前期预报

沉管安装气象窗口确定后，碎石基床铺设前，根据潮汐、径流和风况，采用预报模型预报碎石基床铺设至沉管安放期间未来10～15 d每天的工程水域含沙量和基槽淤积厚度及累积淤积厚度，作为碎石基床铺设施工的决策依据。

（2）中期跟踪、预警

①跟踪及预警：在碎石基床裸露期间，逐日跟踪现场的含沙量、气象及基槽内泥沙淤积变化，与预测结果进行对比，并根据情况进行不同级别的预警，为碎石基床铺设的继续实施或减淤等决策提供基本依据。

②预警级别：分为绿色、黄色、橙色、红色四级，见表 11-12。

表 11-12　预警级别对应表

预警级别	对应的状况	备注
0—绿色	含沙量、风浪及基槽淤积厚度均正常	如发生 1 级以上预警，将视情况提出建议
1—黄色	含沙量或风浪大于预报值	
2—橙色	基槽淤积厚度大于当日预报值	
3—红色	基槽淤积厚度大于安全值	

③预报曲线调整：如本期动力-含沙量-泥沙淤积厚度关系曲线发生变化，将及时调整预报曲线。

（3）临近预报

在沉管浮运前 2 d 进行最后一次预报，结合最新的气象、径流和实测回淤盒、含沙量资料，适时修订预报数值进行最终核定，为沉管出坞浮运及安装决策提供基本依据。

11.5　预报系统应用和推广

11.5.1　预报系统的应用

1. E24 管节沉放基床泥沙淤积预报

针对 E24 管节 12 月 19 日安放窗口期的泥沙淤积，建立了 E24 管节基槽淤积预报分析模型，进行预警预报。

（1）前期预报

表 11-13、表 11-14 分别列出了 E24 管节安装施工计划和安装期间的径流情况，图 11-26 为安装期间气象和波浪预报情况，图 11-27 和表 11-15 为前期预报结果。

表 11-13　E24 整平及安装期间海上施工计划

序号	工作内容	工作时间计划
1	整平船进场	12 月 8 日
2	第一船位铺设施工	12 月 9～16 日
3	第二船位铺设施工	
4	第三船位铺设施工	
5	第四船位铺设施工	

续表

序号	工作内容	工作时间计划
6	第五船位铺设施工	12 月 9～16 日
7	第六船位铺设施工	
8	第七船位铺设施工	
9	整平船撤场、潜水探摸	12 月 17 日
10	E24 管节浮运	12 月 18 日
11	E24 管节沉放、对接	12 月 19 日
备注	根据监控组要求尽量每天进行一次多波束测量，每施工完成两个船位进行一次潜水探摸	

表 11-14　上游河道径流量　　（单位：m^3/s）

日期	径流量			
	西江马口站	北江三水站	东江博罗站	合计
2015-11-28	11 200	3 570	439	15 209
2015-11-29	11 200	3 380	323	14 903
2015-11-30	10 400	3 000	356	13 756
2015-12-01	7 840	2 630	330	10 800
2015-12-02	6 890	2 660	301	9 851
2015-12-03	6 750	2 570	325	9 645
2015-12-04	6 430	2 220	380	9 030
2015-12-05	6 650	2 320	368	9 338
2015-12-06	6 700	2 410	374	9 484
2015-12-07	6 680	2 360	387	9 427

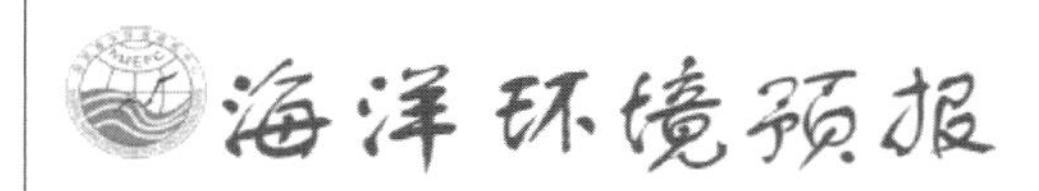

（七　天）

国家海洋预报台（预报员：李志强 李洁）　　2015 年 12 月 06 日 16 时发布

值班电话：010-62173596　　传真：010-62173620

发往：中交股份联合体港珠澳大桥岛隧工程项目总经理部

预报提要：

一股冷空气正在影响你区。偏北风 5 级，阵风 6 级，明天上午转北-东北风 4-5 级。后天上午转东北风 4 级，阵风 5 级。后天夜间转东-东北风 3-4 级。

要素预报：

日期-时间	风向 (dir)	风速 (m/s)	阵风 (m/s)	有效波高(m)	浪向 (dir)	周期 (s)	天气现象	能见度 (km)
06-20	n	9	12	0.6	n	3.6	阴	10
07-02	n	9	12	0.6	n	3.6	阴	10
07-08	nne	8	11	0.5	nne	3.5	阴	10
07-14	nne	7	9	0.4	nne	3.4	多云	11
07-20	nne	6	8	0.35	nne	3.3	多云	11
08-02	nne	5	7	0.3	nne	3.3	阴	10
08-08	ne	6	8	0.35	ne	3.3	多云	11
08-14	ne	5	7	0.3	ne	333	多云	11
08-20	ne	5	7	0.3	ne	3.3	多云	11
09-02	ene	6	8	0.35	ene	3.3	多云	11
09-08	ene	5	7	0.3	ene	3.3	阴	10
09-14	ene	5	7	0.3	ene	3.3	多云	10

六级以上大风警报：

展望：

09 日 14 时-10 日 14 时：东-东北风 3-4 级。浪高：0.2~0.4 米。

10 日 14 时-11 日 14 时：东-东北风 3-4 级转偏北风 4-5 级。浪高：0.2~0.4 米增大到 0.3~0.6 米。

11 日 14 时-12 日 14 时：东北风 4 级，阵风 5 级。浪高：0.2~0.5 米。

12 日 14 时-13 日 14 时：东-东北风 3-4 级。浪高：0.2~0.4 米。

图 11-26　管节安放窗口期气象和波浪预报结果

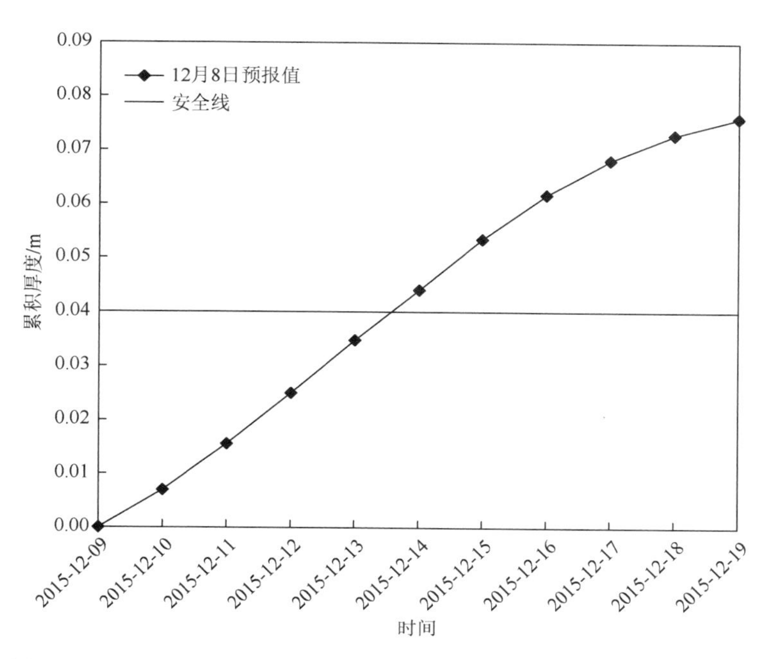

图 11-27　E24 管节基槽累积淤积预报曲线（回淤盒法，容重 1.26 t/m³）

表 11-15　E24 管节基槽累积淤积厚度预报结果　（单位：m）

日期	多波束法（容重 1.05 t/m³ 以下）		回淤盒法（容重 1.26 t/m³）	
	逐日	累积	逐日	累积
12 月 10 日	0.022	0.022	0.0070	0.007
12 月 11 日	0.026	0.048	0.0085	0.015
12 月 12 日	0.029	0.077	0.0094	0.025
12 月 13 日	0.030	0.107	0.0098	0.035
12 月 14 日	0.029	0.136	0.0094	0.044
12 月 15 日	0.029	0.164	0.0094	0.053
12 月 16 日	0.025	0.189	0.0082	0.062
12 月 17 日	0.020	0.209	0.0065	0.068
12 月 18 日	0.014	0.224	0.0047	0.073
12 月 19 日	0.009	0.232	0.0031	0.076
不同容重值对应的淤积厚度	容重 1.05 t/m³ 以下	0.232		
	容重 1.15 t/m³ 以下	0.150	容重 1.15 t/m³	0.143
	容重 1.26 t/m³ 以下	0.081	容重 1.26 t/m³	0.076
备注	预报时间：12 月 10 日 0 时～12 月 20 日 0 时			

在内伶仃岛北侧采砂区处于关闭状态的前提条件下，从 2015 年 12 月 10 日 0 时～12 月

20日0时，气象条件基本处于正常情况，E24管节碎石基床平均累积淤积厚度前期预报值如下。

1）多波束法

容重按1.05 t/m^{3}以下计，淤积厚度为0.232 m；

容重按1.15 t/m^{3}以下计，淤积厚度为0.150 m；

容重按1.26 t/m^{3}以下计，淤积厚度为0.081 m。

2）回淤盒法

容重按1.15 t/m^{3}计，淤积厚度为0.143 m；

容重按1.26 t/m^{3}计，淤积厚度为0.076 m。

按照上述预报情况，根据E22、E23的安装经验，在目前各项减淤措施得以保障和有力执行的情况下，从基槽回淤的角度，攻关组认为E24管节基床具备碎石铺设条件。

建议：①加强基床回淤监测；②加强潜水扰动等减淤措施；③做好使用整平船清淤设备的准备。

（2）中期跟踪及预警

表11-16和图11-28为中期预报值与实际跟踪情况，从图11-28中可以看出，预报值与实际吻合较好。

表11-16　E24管节基槽淤积预警

日期	预警级别	备注
12月9日	0—绿色	径流略大 风浪、含沙量基本正常
12月10日	0—绿色	径流略大 风浪、含沙量、基槽淤积基本正常
12月11日	1—黄色	径流连续3 d超标，密切关注未来几天的变化 风浪、含沙量、基槽淤积基本正常
12月12日	1—黄色	径流有所回落，密切关注未来几天的变化 风浪、含沙量、基槽淤积基本正常
12月13日	1—黄色	径流有所回落，密切关注未来几天的变化 风浪、含沙量、基槽淤积基本正常
12月14日	1—黄色	径流仍超标，密切关注未来几天的变化 风浪、含沙量、基槽淤积基本正常
12月15日	1—黄色	径流、风浪超标，密切关注未来几天的变化 含沙量、基槽淤积基本正常
12月16日	1—黄色	径流基本恢复正常 风浪超标，无含沙量和基槽淤积数据，密切关注未来几天的变化
12月17日	1—黄色	径流、风浪超标，密切关注未来几天的变化 基槽淤积基本正常
12月18日	1—黄色	径流超标，密切关注未来几天的变化 风浪、含沙量、基槽淤积基本正常
12月19日	0—绿色	径流呈下降趋势 风浪、含沙量、基槽淤积基本正常
12月20日	0—绿色	径流持续呈下降趋势 风浪、含沙量基本正常

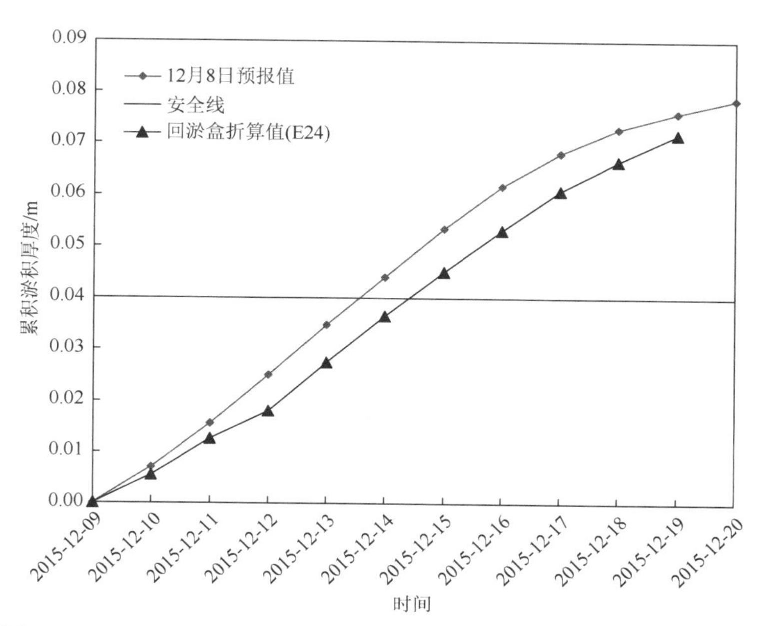

图 11-28　12 月 9～19 日基槽淤积跟踪曲线（回淤盒法，容重 1.26 t/m^3）

（3）临近预报（确认报告）

在沉管浮运前 2 d，结合最新的气象、径流和实测回淤盒、含沙量资料，适时修订预报数值，提出了最终确认报告：

①本次基槽回淤预报方法是基于基槽现场淤积实测资料经相关分析所得，经 2015 年 2 月 24 日、3 月 25 日、4 月 12 日、6 月 8 日、6 月 26 日、7 月 25 日、8 月 25 日、9 月 23 日、11 月 5 日和 11 月 19 日 E15～E23 管节 10 次沉放过程中的基床淤积验证是正确的，又经 12 月 9 日～16 日 E24 管节基槽多波束扫测资料和回淤盒的观测资料检验是合理可信的。

②本次临近预报给出 E24 管节碎石基床 2015 年 12 月 10 日 0 时～12 月 20 日 0 时平均累积淤积厚度为：

容重按 1.26 t/m^3 计，0.080～0.086 m；

容重按 1.15 t/m^3 计，0.148～0.158 m。

③根据五工区 12 月 10～15 日多波束及回淤盒逐日测量结果，E24 碎石基床淤积基本正常。但近日径流及风浪较大，建议根据基床回淤监测情况，加强潜水扰动减淤措施，必要时动用整平船清淤，以保证 E24 碎石基床淤积厚度控制在设计要求范围以内。

④根据现场回淤盒纳淤情况及底部颗粒组成，碎石基床上可存在 2～3 cm 厚的回淤层。

2. E33 管节基床泥沙淤积预警预报

E33 管节位于东人工岛接头处，岸线形态极为复杂，天然状态下流速较大，难以满足管节沉放施工的水流条件，E33 管节沉放施工时采用导流堤进行掩护。从碎石基床铺设到沉管安放时间长达 45 d，受两侧导流堤的影响，水流较弱，淤积较大，采用回淤预报公式法由于无法考虑回流引起的附加淤积，适用性不强，因此，以数值模拟为主要研究手段，对掩护体方案实施后工程水域的流态及淤积情况进行模拟和预报。

（1）最终掩护体方案的布置

在前期大量研究认识的基础上，确定了最终掩护体方案（简称“最终方案”）的基本布置，如图 11-29 所示。

（2）最终方案下水流和淤积预报

由于最终方案实施后，正常大、小潮情况下，E33 管节整个区域内水流均满足 0.5 m/s 的控制标准。因此，水流预报采用洪季大潮过程进行安全校核，保证在大径流叠加大潮位条件下，掩护区内的流速仍能满足控制标准的要求。

以 2009 年 6 月 23 日洪季大潮过程对最终方案进行流速掩护安全校核，该校核计算中，考虑上游径流量为 20 000 m^3/s。

图 11-30 和图 11-31 分别为涨急、落急时的表层流速等值线图。从中可以看出，洪季大潮条件下，受上游河流下泻，涨潮流速并不大，南堤对涨潮流的掩护效果较好，掩护区内流速小于 0.5 m/s。

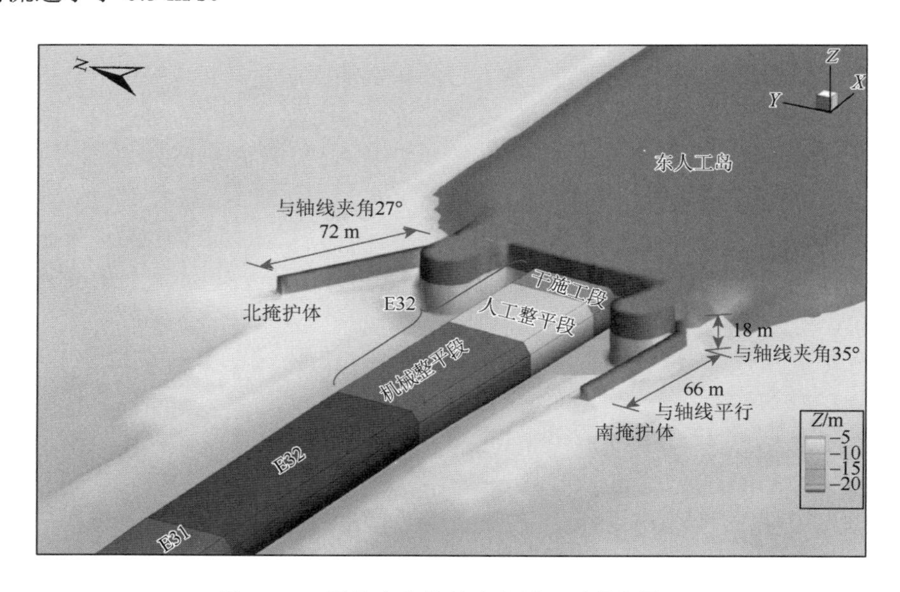

图 11-29　最终方案的基本布置（后附彩图）

洪季大潮落潮时，受落潮大潮差（3.0 m）叠加上游洪水径流量（20 000 m^3/s）综合作用，掩护区范围外表层流速均大于 1.0 m/s，E32 管节东端水域表层流速最大达到 1.7 m/s。而在受北堤掩护的 E33 管节水域，流速依然保持在 0.2 m/s 以内。

因此，最终方案在洪季大潮时能够保证良好的流速作业条件。

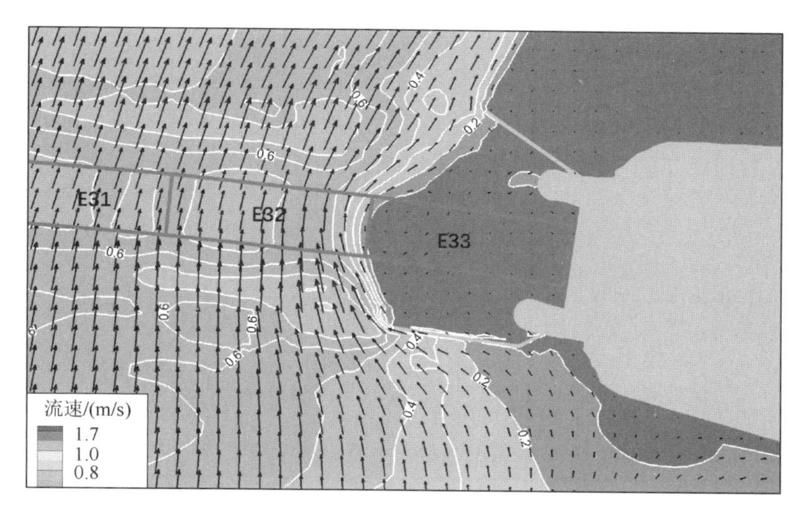

图 11-30　最终方案在洪季大潮涨急表层的流速等值线图（后附彩图）

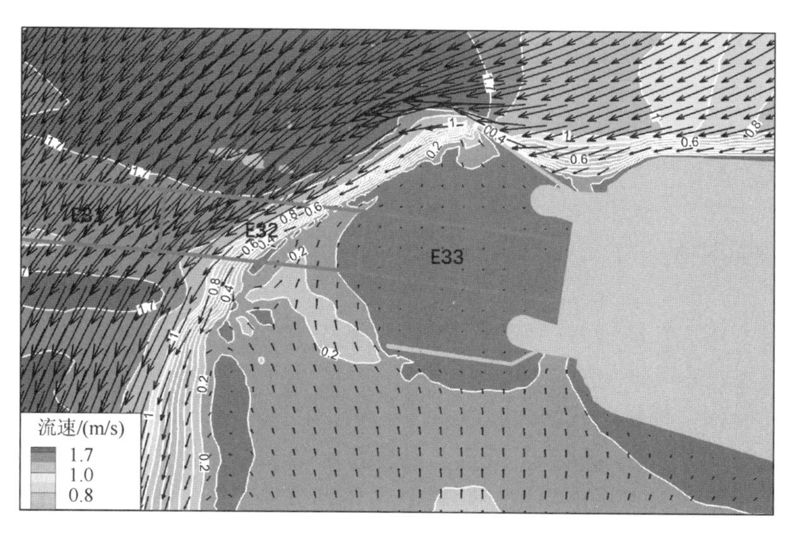

图 11-31　最终方案在洪季大潮落急表层的流速等值线图（后附彩图）

E33 基槽的晾槽期为 45 d，模拟得到最终方案实施后晾槽期内 E33 管节基槽淤厚沿程分布如图 11-32 所示，E31～E33 管节基槽最大及平均淤厚统计结果见表 11-17。从计算结果可以得出以下主要结论：

①最终方案实施后，E31～E33 管节基槽最大淤厚位置位于 E33 管节整平船施工段，45 d 最大淤厚 0.55 m。

②E33 管节干施工段最大淤厚 0.29 m，平均淤厚 0.27 m；人工整平段最大淤厚 0.36 m，平均淤厚 0.33 m；整平船施工段最大淤厚 0.55 m，平均淤厚 0.51 m。

③E31 管节最大淤厚 0.45 m，平均淤厚 0.43 m；E32 管节最大淤厚 0.48 m，平均淤厚 0.45 m；E33 管节最大淤厚 0.55 m，平均淤厚 0.41 m。

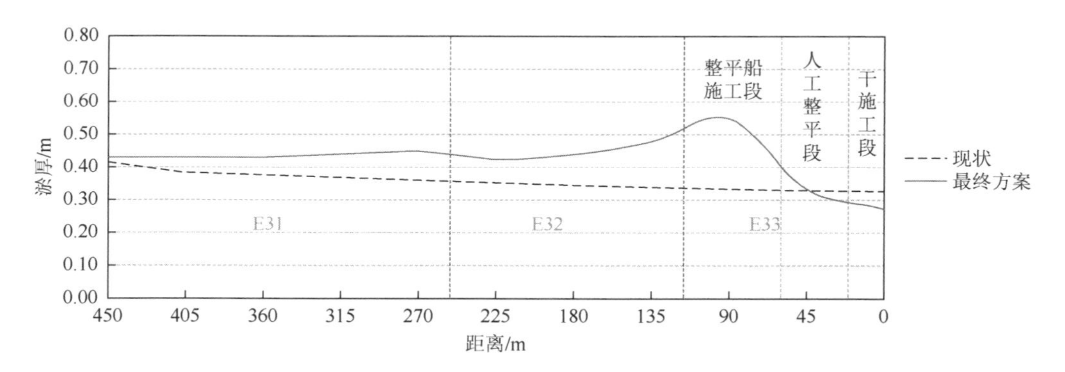

图 11-32　最终方案 E31～E33 管节基槽淤厚沿程分布（45 d）

表 11-17　最终方案 E31～E33 管节基槽最大及平均淤厚统计（45 d）　　（单位：m）

分类		现状	最终方案
基槽最大淤厚	E31	0.42	0.45
	E32	0.36	0.48
	E33	0.34	0.55
基槽平均淤厚	E31	0.38	0.43
	E32	0.35	0.45
	E33	0.33	0.41

11.5.2　预报系统的推广

①港珠澳大桥沉管隧道基槽回淤预警预报系统由前期预报、中期跟踪预警和临近预报三大部分组成。采用研发的泥沙淤积预警预报系统进行了 E15～E33 管节共 19 节管节的基槽泥沙淤积预警预报，预报总次数为 24 次。其中，由于其他施工安排等原因 E15、E17、E22、E26、E29 分别预报了两次。从预报后碎石基床泥沙淤积实测结果的跟踪曲线来看，每次的泥沙淤积预报都是成功的，为各管节的顺利、安全沉放提供了保障。

②在 E15～E33 管节安装过程中，通过对基槽泥沙淤积的预警预报及必要的清淤措施的运用，有效地保证了各管节的安全沉放，避免了 E17、E22、E26 和 E33 管节基床因泥沙淤积出现回拖施工而增加工程费用和延误工期。

③岛隧工程项目依据现场精细化观测大数据资料，开发的沉管基槽高精度、高效率的“多因素、复合型”基槽回淤预警预报系统，适时预报每个管节安放窗口期基床淤积，实现了基槽泥沙淤积预报从宏观到局部，从“年、月”精确到“逐天”，预报精度从米级达到厘米级的精细化，极大地提升了回淤预警预报的精确度和时效性。研究成果在 E15～E33 管节安放中得到了全面应用，为工程施工提供了科学依据。港珠澳大桥沉管隧道基床的回淤研究为国际首次，岛隧工程项目的研究成果，无论从基础理论、模拟技术，还是预警预报模式等均取得了“开创性”的突破，对我国工程建设和泥沙研究的理论具有极大的提升和促进意义。

参考文献

安永宁，杨鲲，王莹，等，2013. MIKE21 模型在海洋工程研究中的应用[J]. 海岸工程，32（3）：1-10.
卞建春，杨培才，2003. 关于大气过程可预报性问题的一些讨论[J]. 高原气象，22（4）：315-323.
曹民雄，应强，孔祥柏，1997. 河口地区航槽开挖后槽内流速变化[J]. 海洋通报，16（6）：51-58.
丑纪范，1986. 为什么要动力-统计相结合？——兼论如何结合[J]. 高原气象，5（4）：367-372.
范滋胜，2010. 数值模拟技术在某海堤工程龙口合龙中的应用[J]. 港工技术，47（6）：38-41.
高耿明，潘润秋，2010. 基于多波束测深的海底沉管基槽回淤监测与分析[J]. 测绘地理信息，35（4）：32-33.
韩涛，张文忠，2010. 曹妃甸围海工程龙口合龙的水动力数值模拟及抛石稳定性研究[C]//中国交通建设股份有限公司 2010 年现场技术交流会，210-218.
季永兴，卢永金，姚华生，2000. 浦东国际机场围海大堤龙口水力数学模型研究[J]. 水利水电科技进展，20（6）：36-38.
贾后磊，谢健，吴桑云，等，2011. 近年来珠江口盐度时空变化特征[J]. 海洋湖沼通报，（2）：142-146.
匡翠萍，钱从锐，姚凯华，等，2014. 潮流与泥沙输运对黄骅港工程的响应分析[J]. 同济大学学报（自然科学版），42（10）：1516-1522.
李安中，李国臣，刘光臣，1986. 近海开敞水域挖槽回淤试验研究[J]. 河海大学学报，14（3）：119-131.
李青云，1991. 近海开敞水域挖槽中水流结构试验研究[D]. 南京：河海大学.
林鸣，刘晓东，林巍，等，2018. 沉管隧道与人工岛的理念与实现：港珠澳大桥岛隧工程[J]. 水道港口，39（S2）：23-31，42.
刘光臣，1990. 横跨挖槽水流结构试验研究[D]. 南京：河海大学.
刘桂卫，黄海军，丘仲锋，2010. 大风浪影响下海域泥沙输运异变数值模拟[J]. 水科学进展，21（5）：701-707.
刘云，林登荣，王斌，等，2016. 瓯飞一期围垦工程龙口二维数值模拟研究[J]. 浙江水利科技，（1）：43-47.
潘丽红，朱建荣，俞相成，等，2010. 河口大型围垦工程中龙口水动力特点[J]. 海洋工程，28（1）110-116.
沈永芳，吴刚，赵强，2011. 广州仑头—生物岛隧道工程基槽的水下检测[J]. 地下空间与工程学报，7（5）：983-988.
史宏达，孙传余，刘栋，2010. 围海造地工程龙口流场的数值模拟研究[J]. 中国水运，（2）：89-90，110.
孙桂生，1992. 开敞水域斜跨挖槽上边坡水流结构试验研究[D]. 南京：河海大学.
陶诗言，赵思雄，周晓平，等，2003. 天气学和天气预报的研究进展[J]. 大气科学，27（4）：451-467.
王海龙，李国胜，2009. 黄河入海泥沙在渤海中悬移输送季节变化的数值研究[J]. 海洋与湖沼，40（2）：129-137.
王垚，孙林云，诸裕良，等，2017. 横跨航槽水流结构变化规律试验研究[J]. 中国港湾建设，37（5）：

58-62.
王照田，2010. 浮泥观测在港珠澳大桥试挖槽中的应用[J]. 人民珠江，（5）：7-9.
温洪涌，2008. 海岸泥沙输移的数值模拟及其应用[D]. 大连：大连理工大学.
谢锐，吴德安，严以新，等，2010. EFDC 模型在长江口及相邻海域三维水流模拟中的开发应用[J]. 水动力学研究与进展，25（2）：165-174.
辛文杰，贾雨少，何杰，2012. 港珠澳大桥沉管隧道试挖槽回淤特征分析[J]. 水利水运工程学报（2）：71-78.
尹海卿，2014. 港珠澳大桥岛隧工程设计施工关键技术[J]. 隧道建设，34（1）：60-66.
张立奎，吴建政，李巍然，等，2011. 莱州湾东北部人工岛群建设对水动力环境影响的数值研究[C]//第二十三届全国水动力学研讨会暨第十届全国水动力学学术会议，西安，618-625.
张伟，朱继伟，2006. 深基槽清淤验收方法的探讨[J]. 水运工程，（11）：38-42.
赵庚润，吴卫，刘桦，2008. 龙口垂向二维流场数值模拟[J]. 力学季刊，30（2）：250-256.
赵焕庭，1983. 珠江三角洲的水文特征[J]. 热带海洋，（2）：108-117.
中交天津航道局有限公司，中交天津港航勘察设计研究院有限公司，2012. 水运工程测量规范（JTS 131—2012[S]. 北京：人民交通出版社.
朱泽南，王惠群，管卫兵，等，2013. 丰水期珠江口黏性泥沙输运的三维数值模拟[J]. 海洋学研究，31（3）：25-35.
Alfrink B J，van Rijn L C，1983. Two-equation turbulence model for flow in trenches[J]. Journal of Hydraulic Engineering，109（7）：941-958.
Arango H G，2006. ROMS/TOMS tangent linear and adjoint models：Testing and applications[R]. Rutgers，The State University New Brunswick New Jersey Institute of Marine and Coastal Science.
Basara B，Younis B A，1995. Prediction of turbulent flows in dredged trenches[J]. Journal of Hydraulic Research，33（6）：813-824.
Battjes J A，Janssen J P F M，1978. Energy loss and set-up due to breaking of random waves[C]. Proceedings of 16th International Conference on Coastal Engineering，Hamburg，Germany，16：569-587.
Benestad R E，Hanssen-Bauer I，Chen D，2008. Empirical-statistical Downscaling[M]. [S.l.]：World Scientific Publishing Company.
Boer S，1985. The flow across trenches at oblique angle to the main flow direction [R]. Report S. Delft Hydraulics Lab，490：39.
Christian C D，Corney P A，2004. Three dimensional model of flow over a shallow trench[J]. Journal of Hydraulic Research，42（1）：71-80.
Dean R，1990. Freak waves：A possible explanation[C]//Tørum A，Gudmestad O. Water Wave Kinematics. Dordrecht：Kluwer Academic：609-612.
Delft Hydraulics，1999. Delft 3D Users' Manual[Z]. The Netherlands：Delft Hydraulics.
Draper L，1964. ‘Freak’ ocean waves[J]. Oceanus，10：13-15.
Draper L，1971. Severe wave conditions at sea[J]. The Journal of Navigation. 24（3）：273-277.
Dykes J D，Hsu Y L，Kaihatu J M，2003. Application of Delft3D in the nearshore zone[Z/OL]. http://citeseerx.ist.psu.edu/viewdoc/download?doi=10.1.1.507.755&rep=rep1&type=pdf.
Franz G，Leitão P，Pinto L，et al.，2017. Development and validation of a morphological model for multiple sediment classes[J]. International Journal of Sediment Research，（4）：585-596.
Gasparini N M，2014. Earth science：A fresh look at river flow[J]. Nature，513：490-491.
Gonzalez M，Proust J N，Michaud F，et al，2016. Nature and architecture of the sedimentary deposits in the

trench of the ecuadorian subduction margin[C]//EGU General Assembly Conference，https://meetingorganizer.copernicus.org/EGU2016/EGU2016-17006.pdf.

Han R，Cherry J，Kallenberg R，2010. Modeling an oscillating water foil for hydro-kinetic power generator using COMSOL 3.5a[C]//Excerpt from the Proceedings of COMSOL Conference，Boston. https://www.comsol.se/paper/download/62739/kallenberg_paper.pdf.

Hunt B，2007. Experiments on the morphological controls of velocity inversions in bedrock canyons[Z/OL]. https://core.ac.uk/download/pdf/85004166.pdf.

Hunt B，Venditti J G，Kwoll E，2018. Experiments on the morphological controls of velocity inversions in bedrock canyons[J]. Earth Surface Processes and Landforms，43（3）：654-668.

HydroQual Inc.，1998. Development and application of a modeling framework to evaluate hurricane impacts on surficial mercury concentrations in Lavaca bay[Z]. HydroQual Inc，Mahwah，New Jersey.

Jacobsen F，Rasmussen E B，1997. MIKE 3 MT：A3-dimensional mud transport model[R]. Technical Rep DG-12 to the Commission of the European Communities.

Kawamura K，Kasaya T，Sasaki T，et al，2011. Japan trench studies on earthquake，mass-wasting deposits and related tsunami based on most recent submarine survey[Z]. American Geophysical Union，2011.

Kristian D，Harald E K，Peter M，2008. Oceanic rogue waves[J]. Annual Review of Fluid Mechanics，40：287-310.

Lavrenov I V，1998. The wave energy concentration at the Agulhas Current of South Africa[J]. Natural Hazards，17（2）：117-127.

Lee J W，Teubner M D，Nixon J B，et al.，2006. Applications of the artificial compressibility method for turbulent open channel flows[J]. International Journal for Numerical Methods in Fluids，51（6）：617-633.

Lee K S，Park K D，Oh J H，2011. Free surface flow in a trench channel using 3-d finite volume method[J]. Journal of Korea Water Resources Association，44（6）：429-438.

Lesser G R，Roelvink J A，van Keste J A T M，et al.，2004. Development and validation of a three-dimensional morphological model[J]. Coastal Engineering，51（8-9）：883-915.

Lorenz E N，1969a. The predictability of a flow which possesses many scales of motion[J]. Tellus，21（3）：289-307.

Lorenz E N，1969b. Three approaches to atmospheric predictability[J]. Bulletin of American Meteorological Society，50：345- 349.

Mallory J K，1974. Abnormal waves in the south-east coast of South Africa[J]. International Hydrographic Review，51：99-129.

Mori N，Liu P C，Yasuda T，2002. Analysis of freak wave measurements in the sea of Japan[J]. Ocean Engineering，29：1399-1414.

Neves R J，1985. A bidimensional model for residual circulation in coastal zones：Application to the Sado Estuary[J]. Annales Geophysicae，3-4：465-472.

Paul S，Walakira D D，Oppelstrup J，et al.，2014. Hydrodynamics of lake victoria：Vertically integrated flow models in COMSOL multiphysics® software[C]. COMSOL Conference，2014，Bangalore. https://www.comsol.se/paper/download/210741/paul_abstract.pdf.

Pekka H，2008. Studies of quaternary deposits of investigation Trench OL-TK14 at the Olkiluoto Study Site，Eurajoki，SW Finland[R]. Working Report，（5）：1-36.

Pinto L，Fortunato A B，Zhang Y，et al.，2012. Development and validation of a three-dimensional morpho-dynamic modelling system for non-cohesive sediments[J]. Ocean Modelling，57-58：1-14.

Roelvink J A，2003. Implementation of roller model，draft Delft3D manual[Z]. Delft Hydraulics Institute.

Shchepetkin A F，McWilliams J C，1998. Quasi-monotone advection schemes based on explicit locally adaptive dissipation[J]. Monthly Weather Review，126：1541-1580.

Shchepetkin A F，McWilliams J C，2003. A method for computing horizontal pressure-gradient force in an oceanic model with a nonaligned vertical coordinate[J]. Journal of Geophysical Research，108（C3）：1-34.

Shchepetkin A F，McWilliams J C，2005. The regional ocean modeling system（ROMS）：A split-explicit，free-surface，topography following-coordinate oceanic model[J]. Ocean Modelling，9（4）：347-404.

Song Y T，Haidvogel D，1994. A semi-implicit primitive equation ocean circulation model using a generalized topography-following coordinate system[J]. Journal of Computational Physics，115（1）：228-244.

Stansberg C，1990. Extreme waves in laboratory generated irregular wave trains[C]//Tørum A，Gudmestad O. Water Wave Kinematics. Dordrecht：Kluwer Academic：573-590.

Stansby P K，Zhou J G，1998. Shallow-water flow solver with non-hydrostatic pressure：2d vertical plane problems[J]. International Journal for Numerical Methods in Fluids，28（3）：541-563.

Stuckless J S，2015. An evaluation of evidence pertaining to the origin of vein deposits exposed in Trench 14 Nevada Test Site Nevada[R]. Office of Scientific & Technical Information Technical Reports，1429-1438.

Tomas G，Bleninger T，Rennie C C，et al.，2018. Advanced 3D mapping of hydrodynamic parameters for the analysis of complex flow motions in a submerged bedrock canyon of the Tocantins river，Brazil[J]. Water，10（4）：367.

Van den Abeele F，Voorde J V，2010. Flow induced oscillations of Marine risers with wake interference[C]. Proceedings of the COMSOL Conference，Paris. https://www.comsol.fi/paper/download/63681/van_den_abeele_paper.pdf.

Van Rijn L C，1982. The computation of the flow and turbulence field in dredged trenches[R]. Report S 488-1. Delft Hydraulics Laboratory. Delft，The Netherlands.

Venditti J G，Bomhof J，Rennie C C，et al.，2014. Flow in bedrock canyons[J]. Nature，513：534-537.

Vermeulen B，Hoitink A J F，Labeur R J，2015. Flow structure caused by a local cross-sectional area increase and curvature in a sharp river bend[J]. Journal of Geophysical Research：Earth Surface，120（9）：1771-1783.

Warner J C，Sherwood C R，Signell R P，et al.，2008. Development of a three-dimensional，regional，coupled wave，current，and sediment-transport model[J]. Computers and Geosciences，34（10）：1284-1306.

White B S，Fornberg B，1998. On the chance of freak wave at sea[J]. Journal of Fluid Mechanics 355：113-138.

Zhang Y L，Baptista A M，2008. SELFE：A semi-implicit Eulerian-862 Lagrangian finite-element model for cross-scale ocean circulation[J]. Ocean Modelling，21（3-4）：71-96.

彩　图

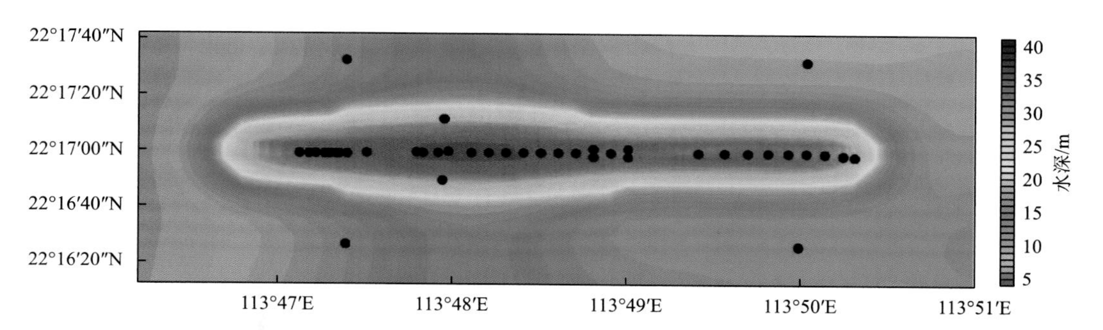

图 3-4　港珠澳大桥基槽海流观测站位分布

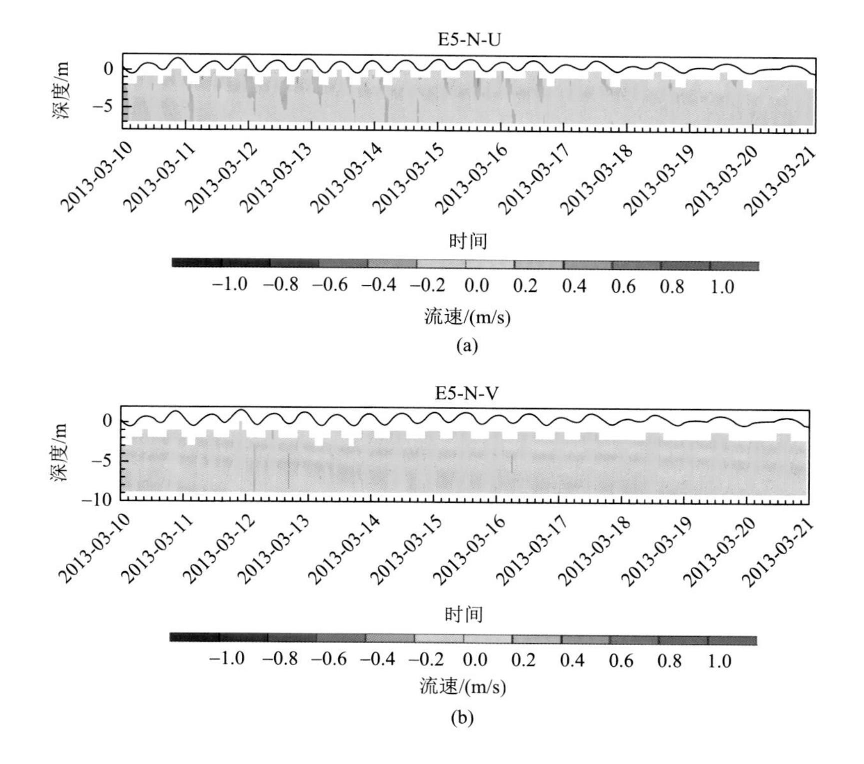

(a)

(b)

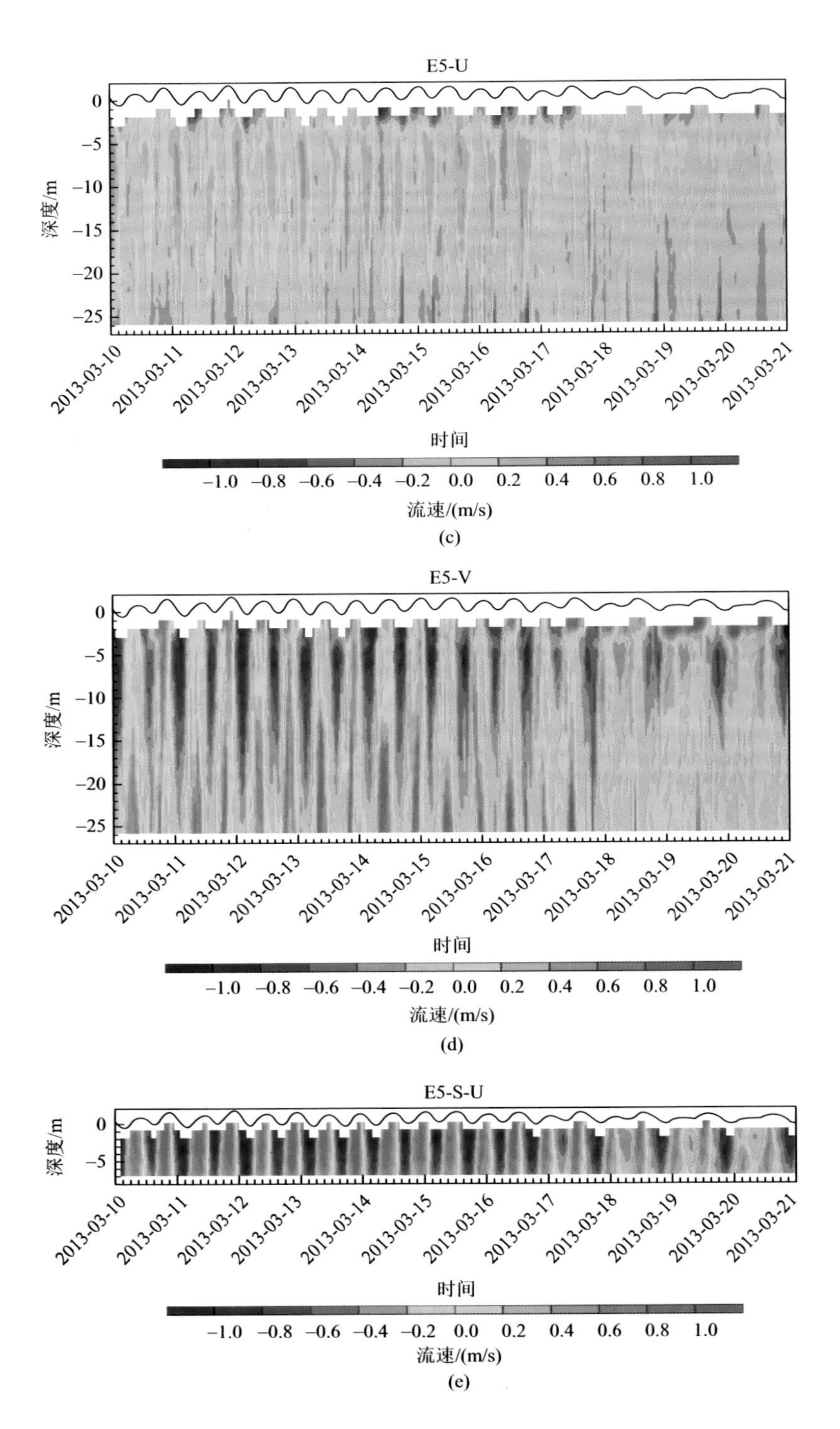

E5-U
深度/m
0
−5
−10
−15
−20
−25
2013-03-10
2013-03-11
2013-03-12
2013-03-13
2013-03-14
2013-03-15
2013-03-16
2013-03-17
2013-03-18
2013-03-19
2013-03-20
2013-03-21
时间
−1.0 −0.8 −0.6 −0.4 −0.2 0.0 0.2 0.4 0.6 0.8 1.0
流速/(m/s)

(c)

E5-V
深度/m
0
−5
−10
−15
−20
−25
2013-03-10
2013-03-11
2013-03-12
2013-03-13
2013-03-14
2013-03-15
2013-03-16
2013-03-17
2013-03-18
2013-03-19
2013-03-20
2013-03-21
时间
−1.0 −0.8 −0.6 −0.4 −0.2 0.0 0.2 0.4 0.6 0.8 1.0
流速/(m/s)

(d)

E5-S-U
深度/m
0
−5
2013-03-10
2013-03-11
2013-03-12
2013-03-13
2013-03-14
2013-03-15
2013-03-16
2013-03-17
2013-03-18
2013-03-19
2013-03-20
2013-03-21
时间
−1.0 −0.8 −0.6 −0.4 −0.2 0.0 0.2 0.4 0.6 0.8 1.0
流速/(m/s)

(e)

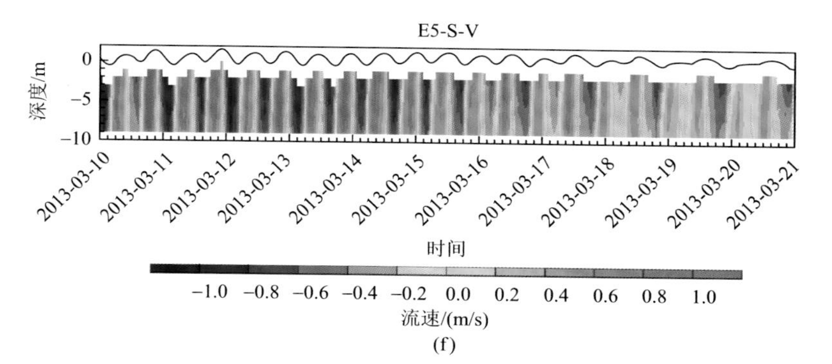

图 3-7　E5 管节观测期间的东西向（a）、（c）、（e）和南北向（b）、（d）、（f）流速的深度-时间剖面图

注：曲线为工程区潮位实测值

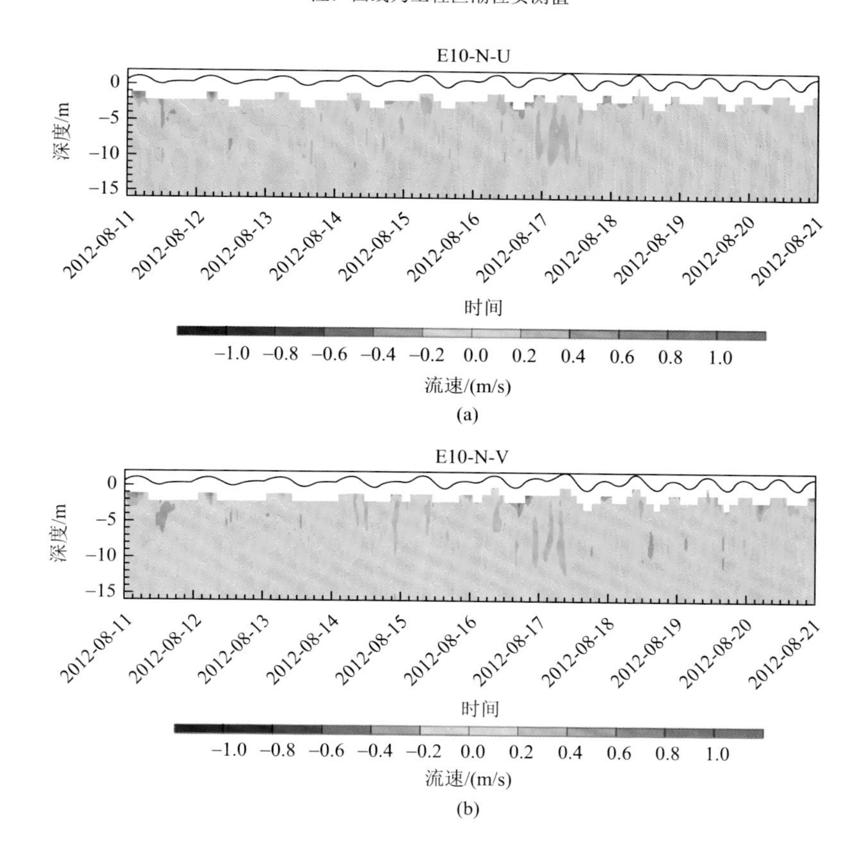

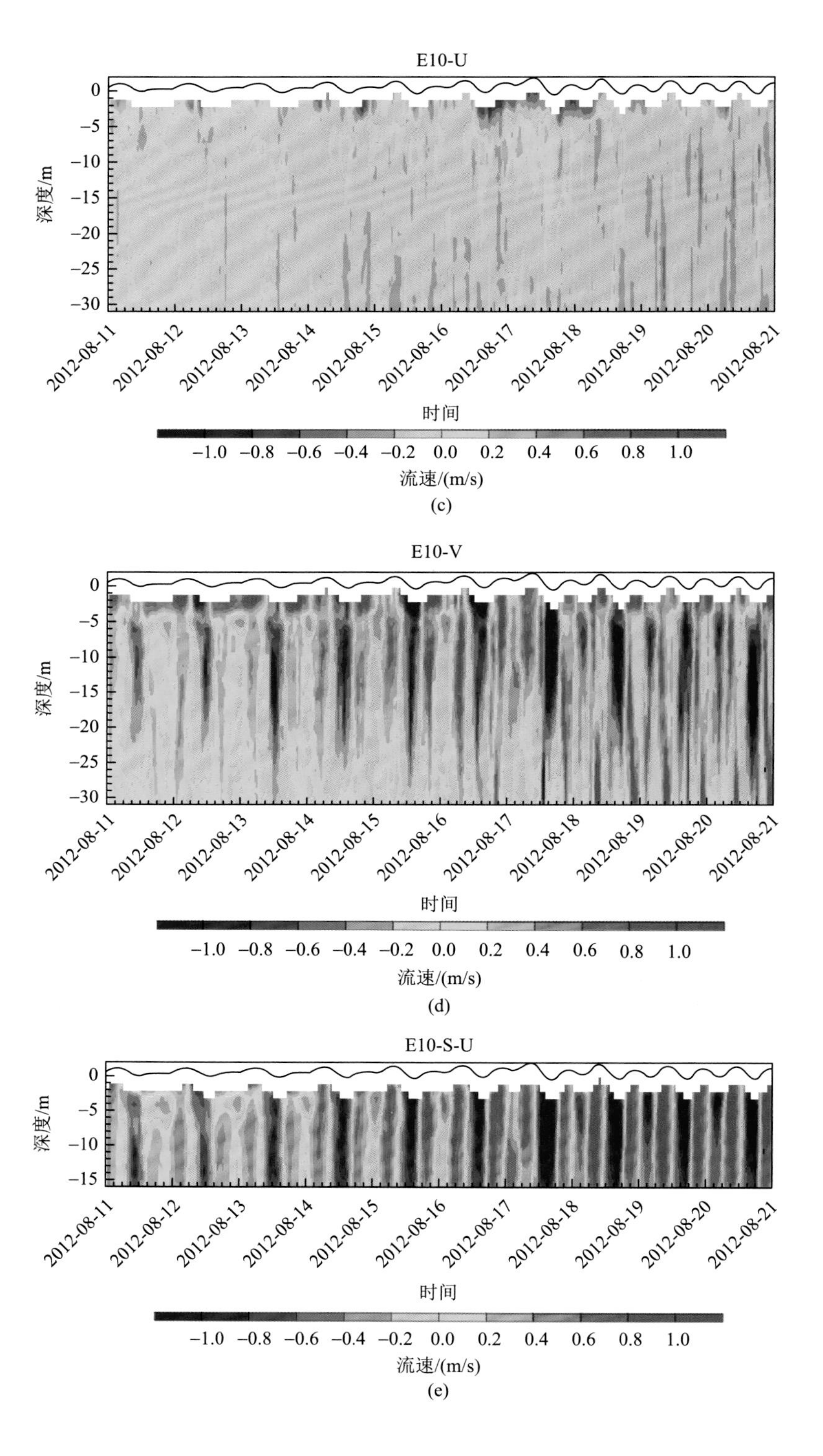
E10-U
0
−5
−10
−15
−20
−25
−30
深度/m
2012-08-11
2012-08-12
2012-08-13
2012-08-14
2012-08-15
2012-08-16
2012-08-17
2012-08-18
2012-08-19
2012-08-20
2012-08-21
时间
−1.0 −0.8 −0.6 −0.4 −0.2 0.0 0.2 0.4 0.6 0.8 1.0
流速/(m/s)
(c)

E10-V
0
−5
−10
−15
−20
−25
−30
深度/m
2012-08-11
2012-08-12
2012-08-13
2012-08-14
2012-08-15
2012-08-16
2012-08-17
2012-08-18
2012-08-19
2012-08-20
2012-08-21
时间
−1.0 −0.8 −0.6 −0.4 −0.2 0.0 0.2 0.4 0.6 0.8 1.0
流速/(m/s)
(d)

E10-S-U
0
−5
−10
−15
深度/m
2012-08-11
2012-08-12
2012-08-13
2012-08-14
2012-08-15
2012-08-16
2012-08-17
2012-08-18
2012-08-19
2012-08-20
2012-08-21
时间
−1.0 −0.8 −0.6 −0.4 −0.2 0.0 0.2 0.4 0.6 0.8 1.0
流速/(m/s)
(e)

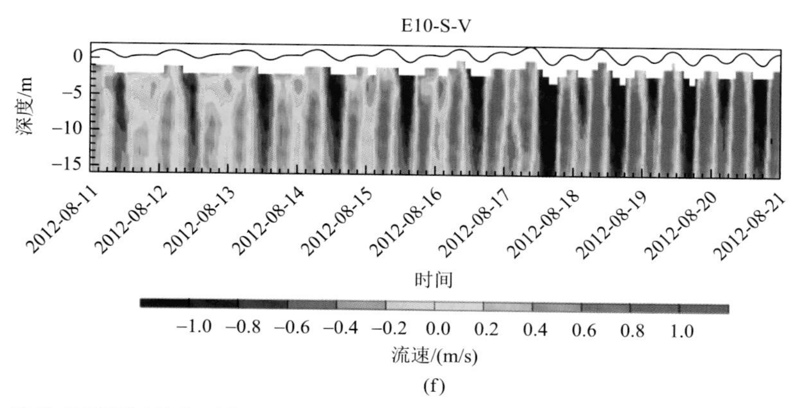

(f)

图 3-11　E10 管节观测期间的东西向（a）、（c）、（e）和南北向（b）、（d）、（f）流速的深度-时间剖面图

注：曲线为工程区潮位实测值

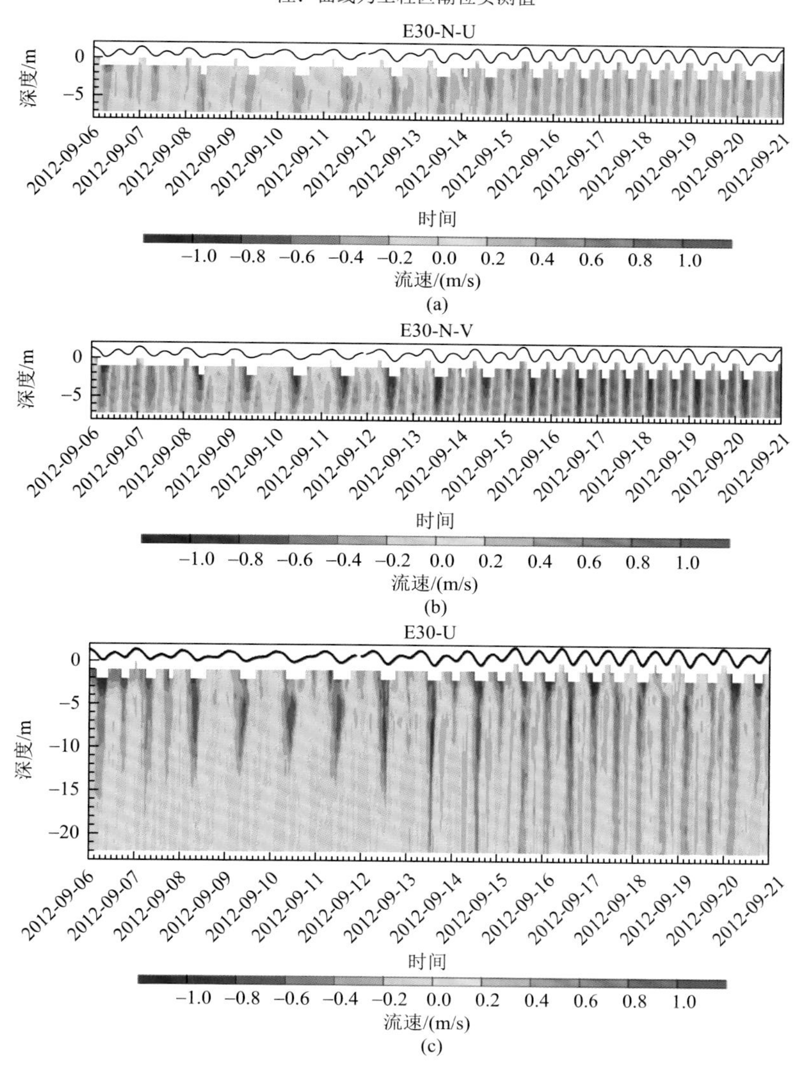

(c)

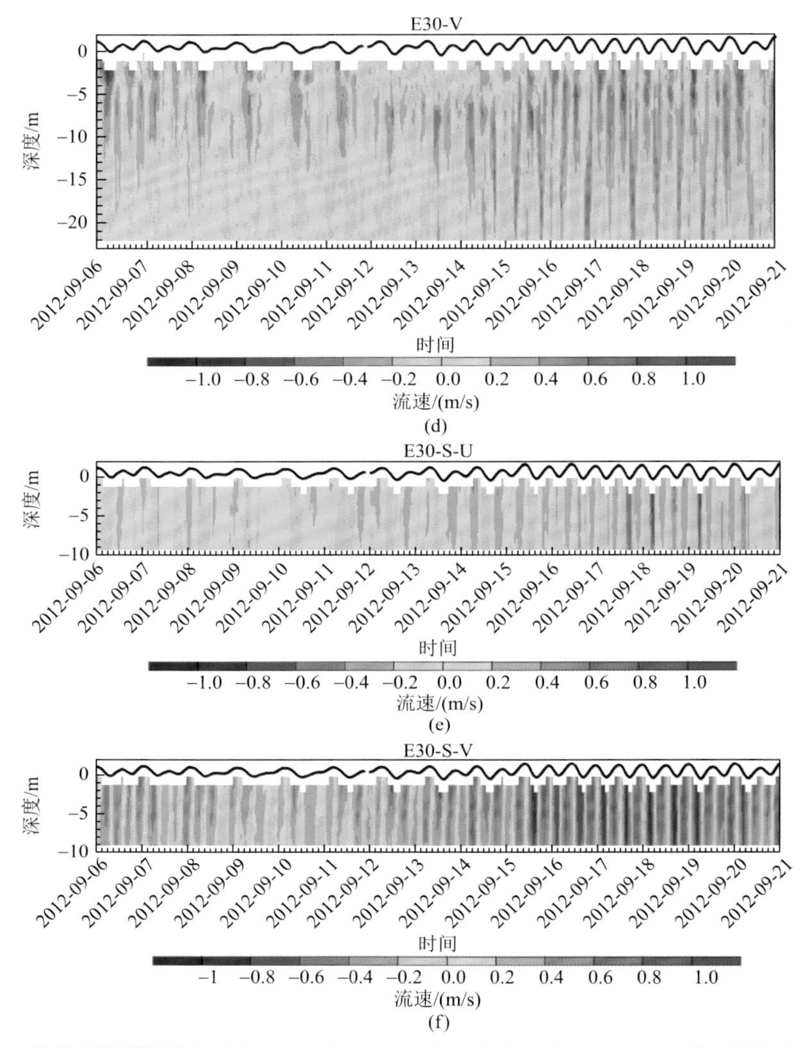

图 3-14　E30 管节观测期间的东西向（a）、（c）、（e）和南北向（b）、（d）、（f）流速的深度-时间剖面图

注：曲线为工程区潮位实测值

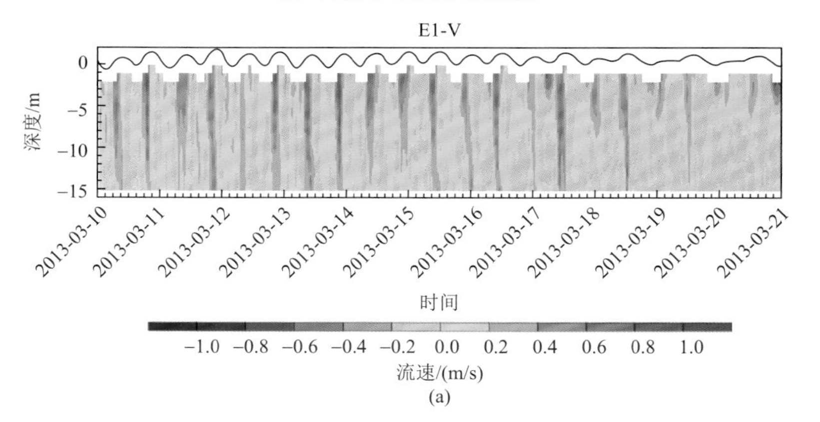

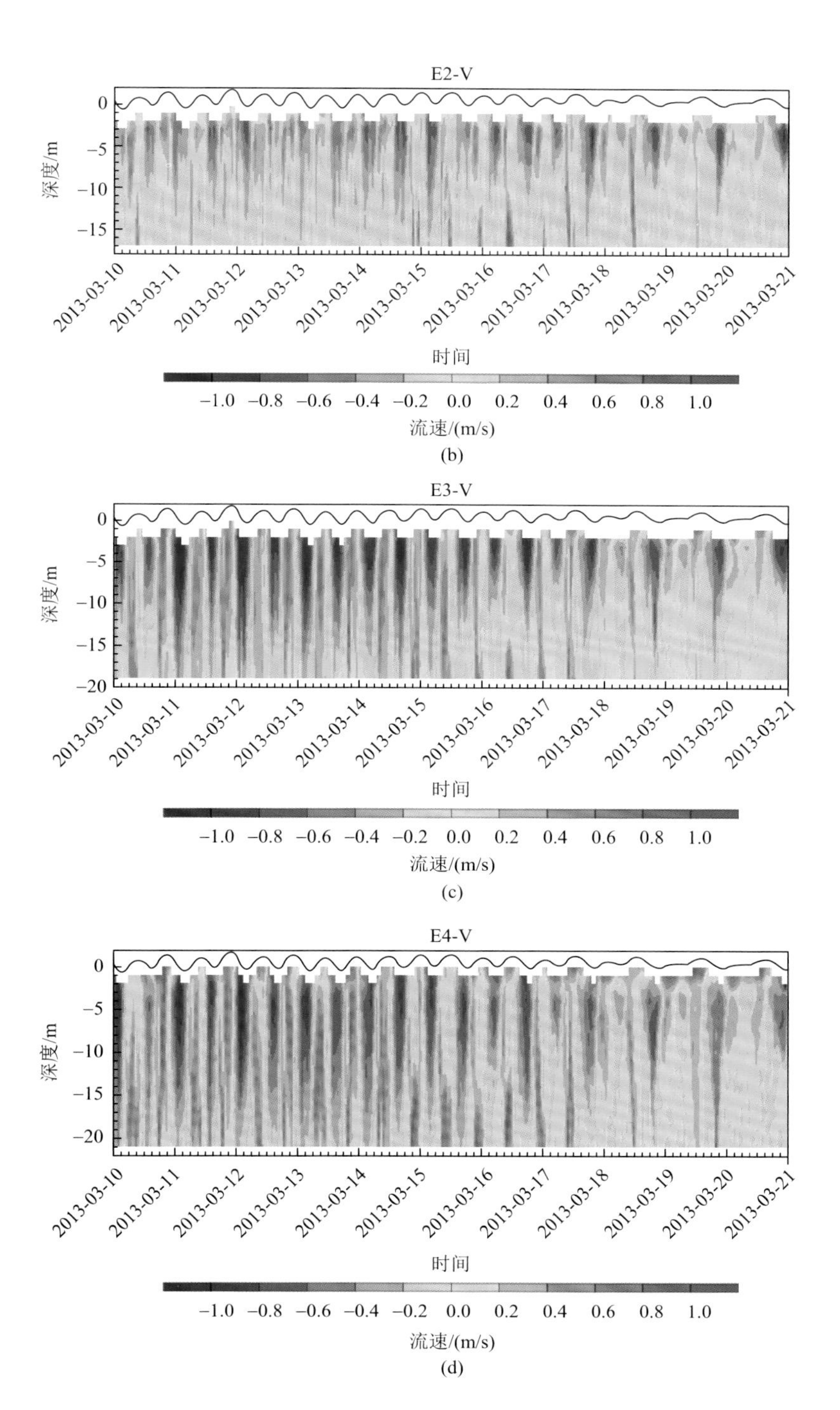
E2-V
0
−5
−10
−15
深度/m
2013-03-10
2013-03-11
2013-03-12
2013-03-13
2013-03-14
2013-03-15
2013-03-16
2013-03-17
2013-03-18
2013-03-19
2013-03-20
2013-03-21
时间
−1.0 −0.8 −0.6 −0.4 −0.2 0.0 0.2 0.4 0.6 0.8 1.0
流速/(m/s)

(b)

E3-V
0
−5
−10
−15
−20
深度/m
2013-03-10
2013-03-11
2013-03-12
2013-03-13
2013-03-14
2013-03-15
2013-03-16
2013-03-17
2013-03-18
2013-03-19
2013-03-20
2013-03-21
时间
−1.0 −0.8 −0.6 −0.4 −0.2 0.0 0.2 0.4 0.6 0.8 1.0
流速/(m/s)

(c)

E4-V
0
−5
−10
−15
−20
深度/m
2013-03-10
2013-03-11
2013-03-12
2013-03-13
2013-03-14
2013-03-15
2013-03-16
2013-03-17
2013-03-18
2013-03-19
2013-03-20
2013-03-21
时间
−1.0 −0.8 −0.6 −0.4 −0.2 0.0 0.2 0.4 0.6 0.8 1.0
流速/(m/s)

(d)

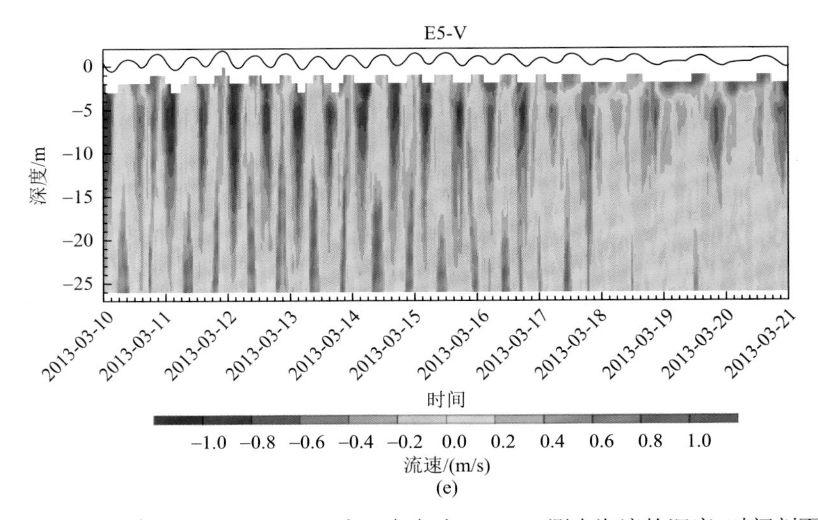

(e)

图 3-18　2013 年 3 月 10～21 日西人工岛岛头 E1～E5 测点海流的深度-时间剖面图

注：曲线为工程区潮位实测值

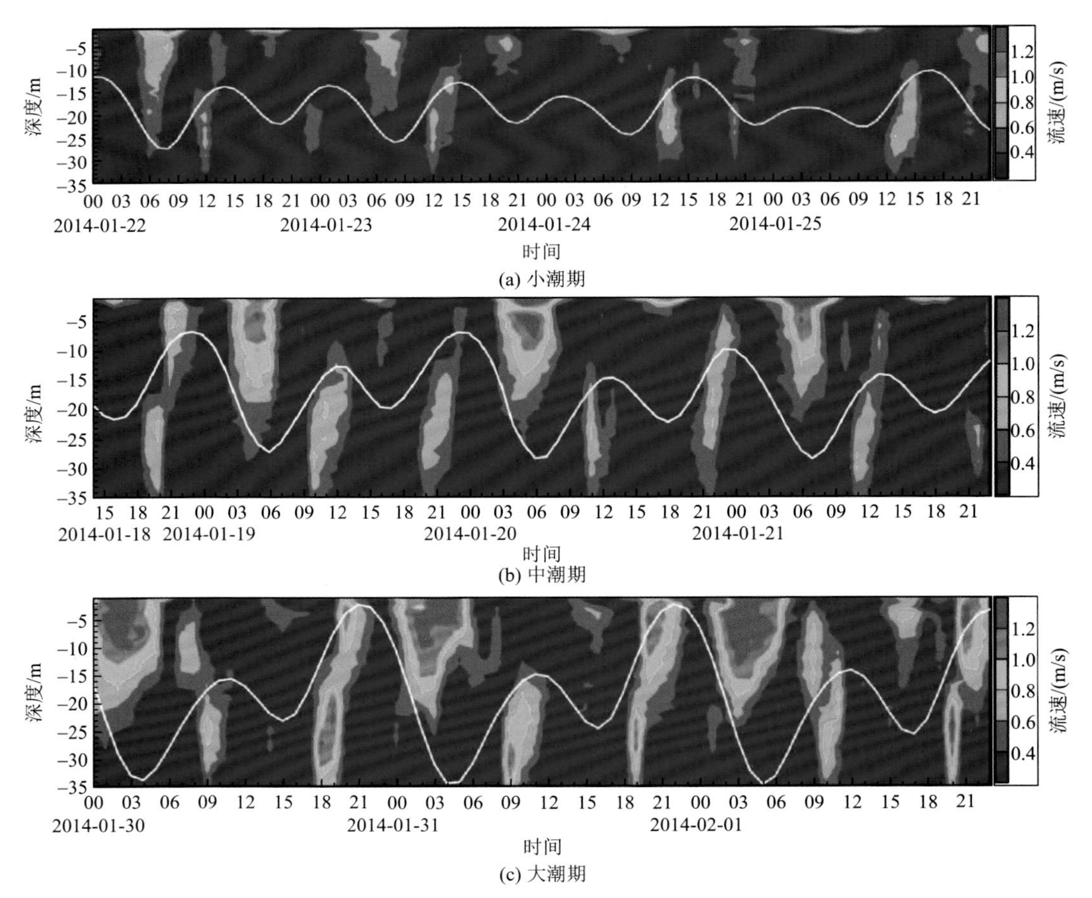

(a) 小潮期

(b) 中潮期

(c) 大潮期

图 3-19　E9 管节测点 2014 年 1 月 19 日～2 月 1 日水流的深度-时间剖面图

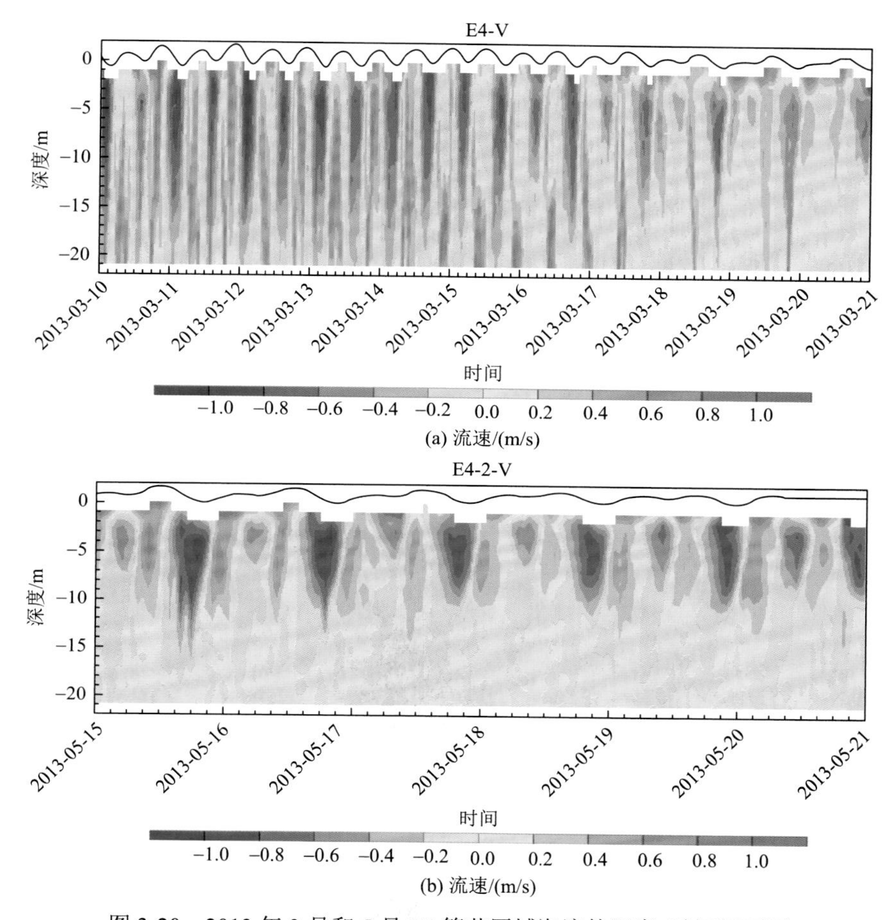

图 3-20　2013 年 3 月和 5 月 E4 管节区域海流的深度-时间剖面图

注：曲线为潮位实测值

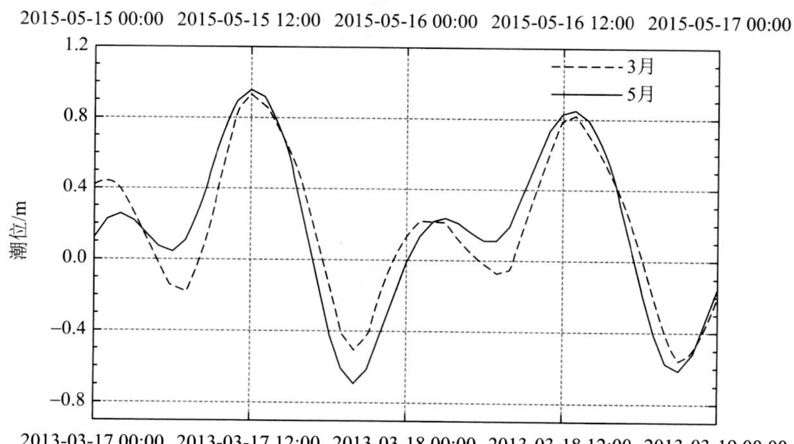

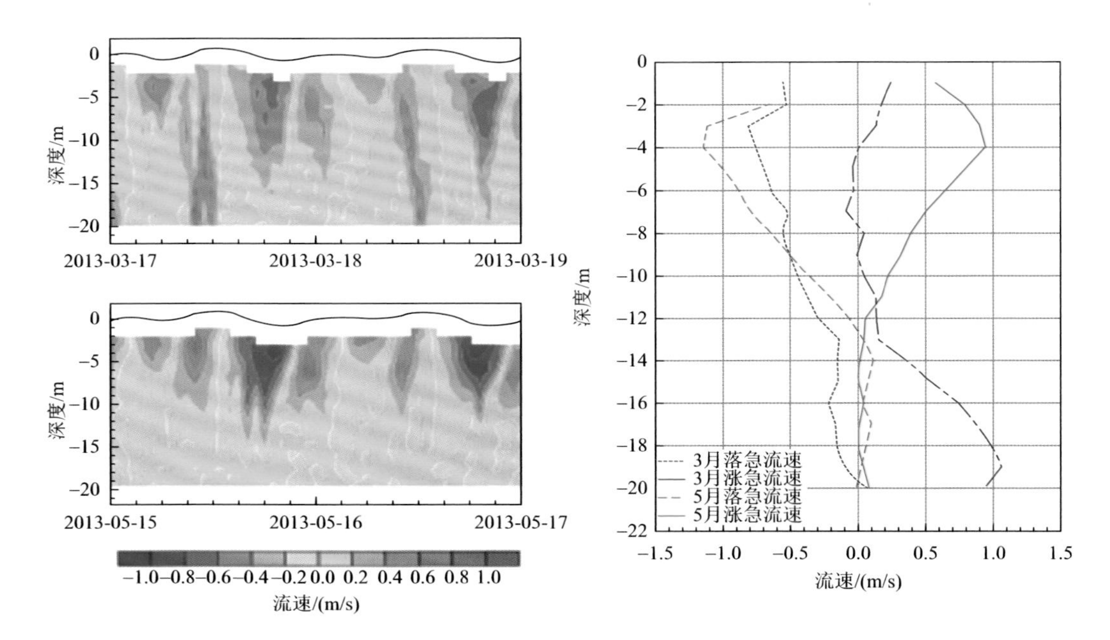

图 3-21 径流对外海深槽海流的影响

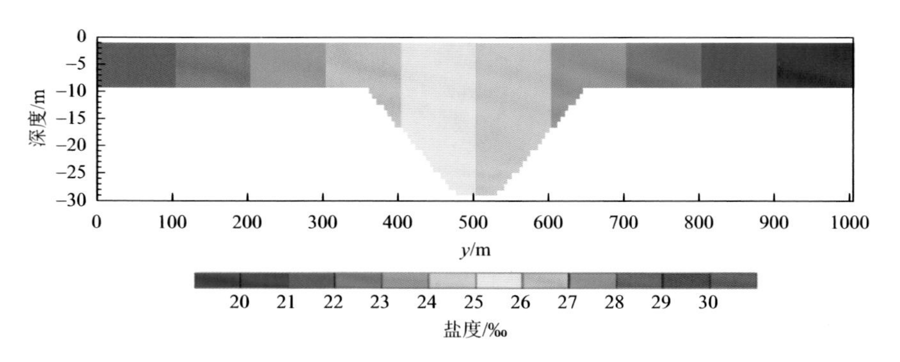

图 3-24 初始时刻的盐度分布

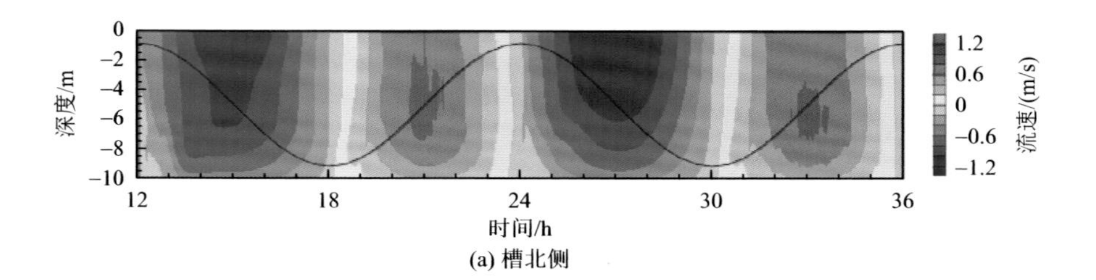

(a) 槽北侧

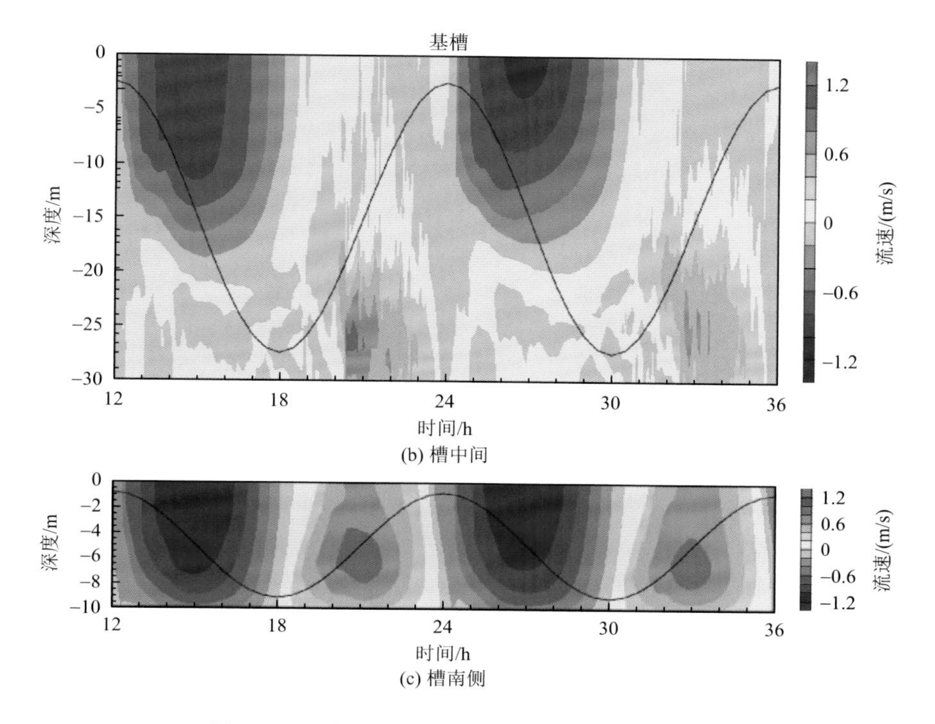

(b) 槽中间

(c) 槽南侧

图 3-26　深槽内外海流经向流速随深度-时间变化

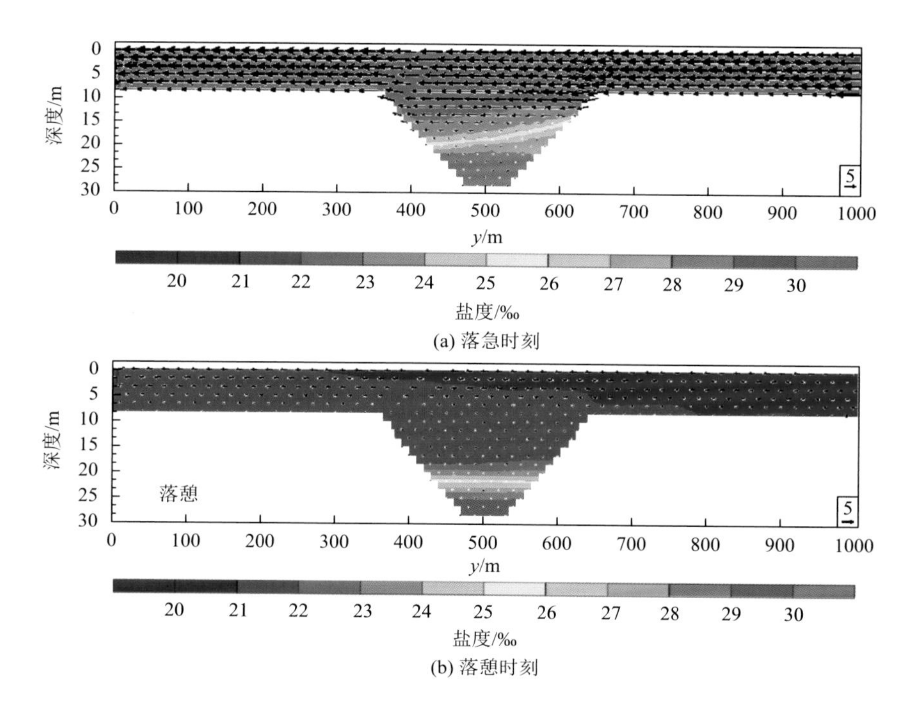

(a) 落急时刻

(b) 落憩时刻

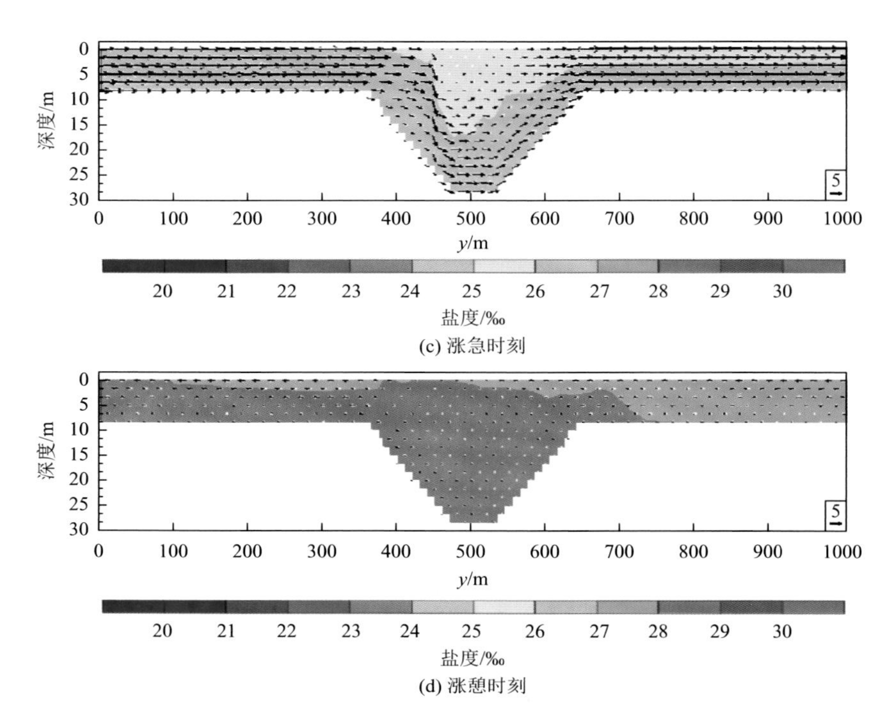

(c) 涨急时刻

(d) 涨憩时刻

图 3-28　落急、落憩、涨急和涨憩四个时刻盐度（填色图）和海流矢量

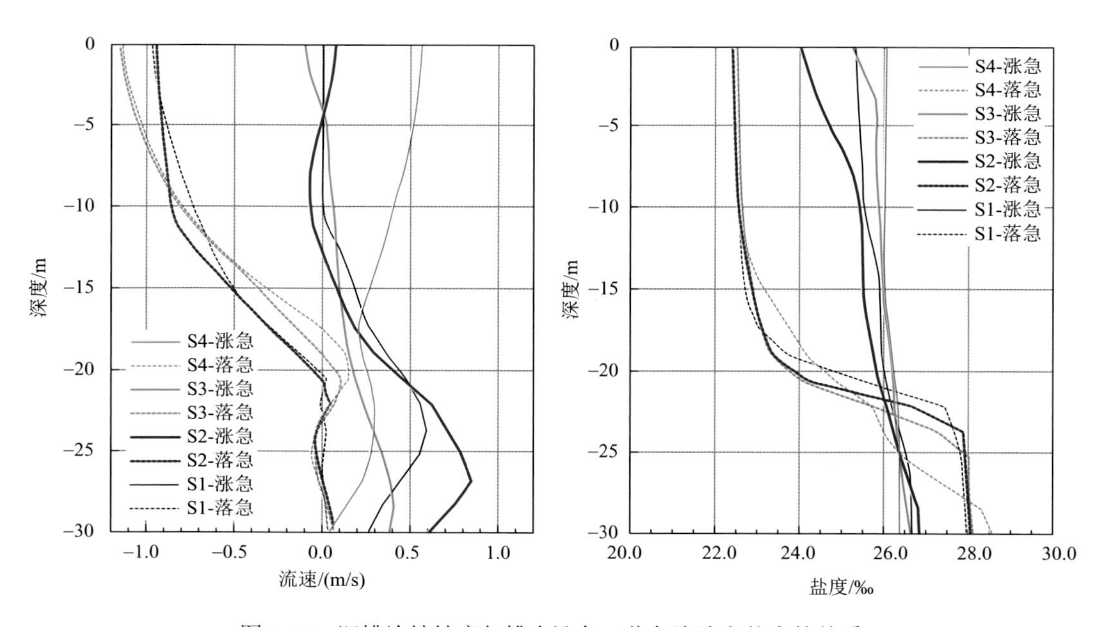

图 3-29　深槽边坡坡度与槽内涨急、落急流速和盐度的关系

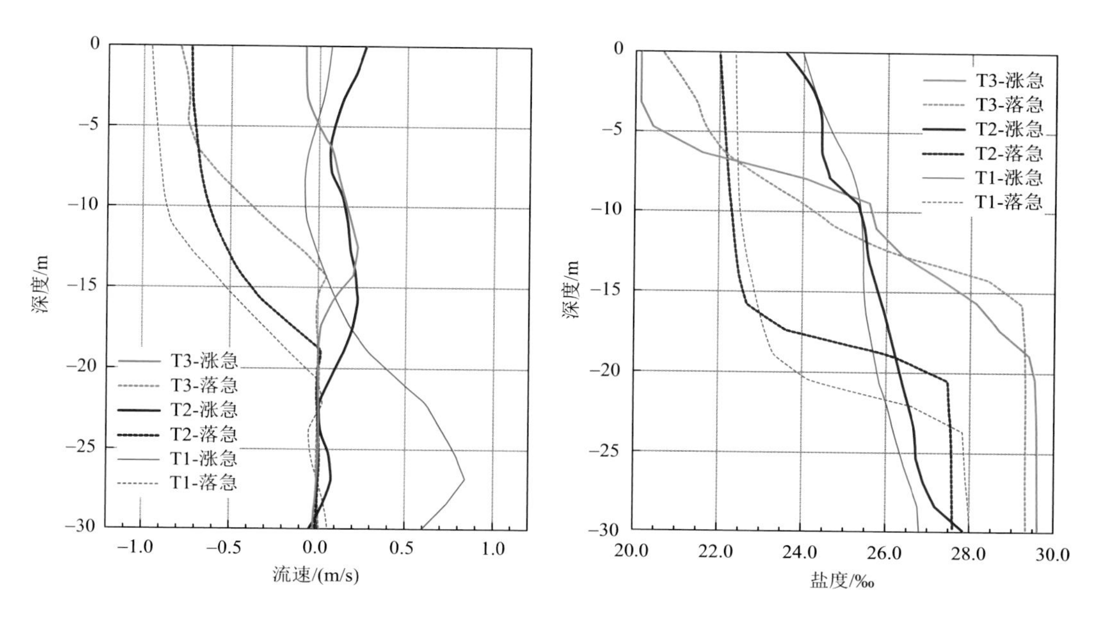

图 3-30　不同潮差条件下深槽内涨急、落急时刻流速和盐度关系

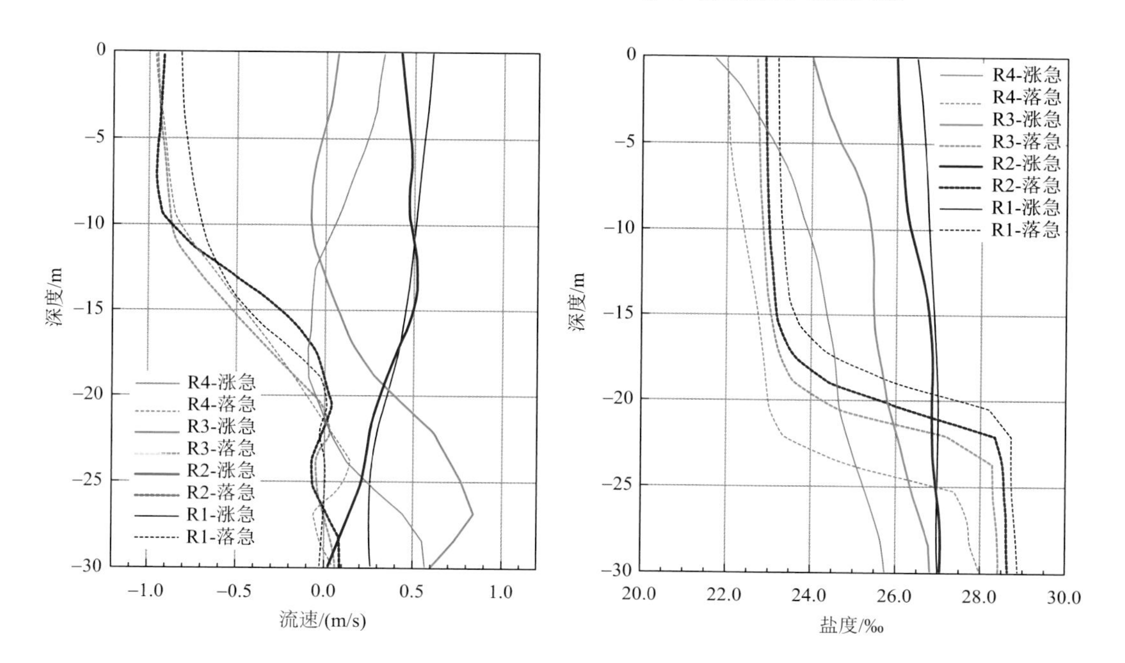

图 3-31　不同径流流速条件下深槽中点处涨急、落急时刻流速和盐度垂直分布

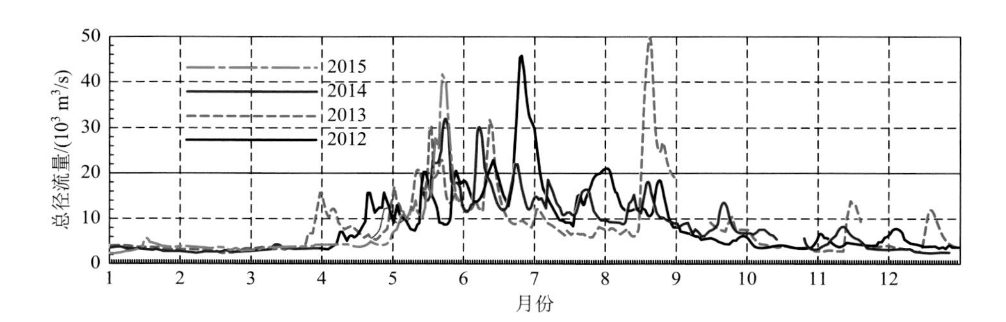

图 5-1　2012～2015 年珠江总径流量的逐日分布

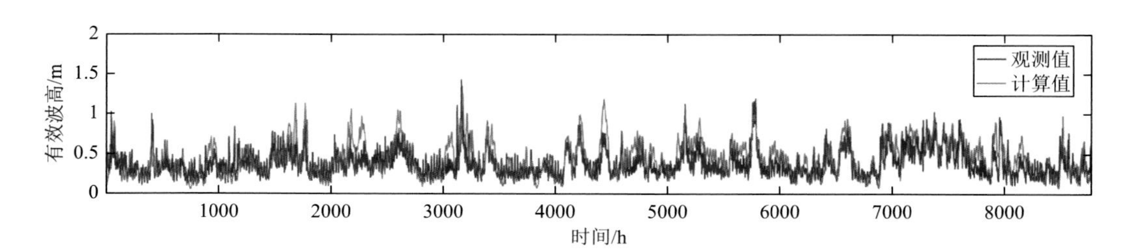

图 6-10　观测点处有效波高计算值和观测值的比较

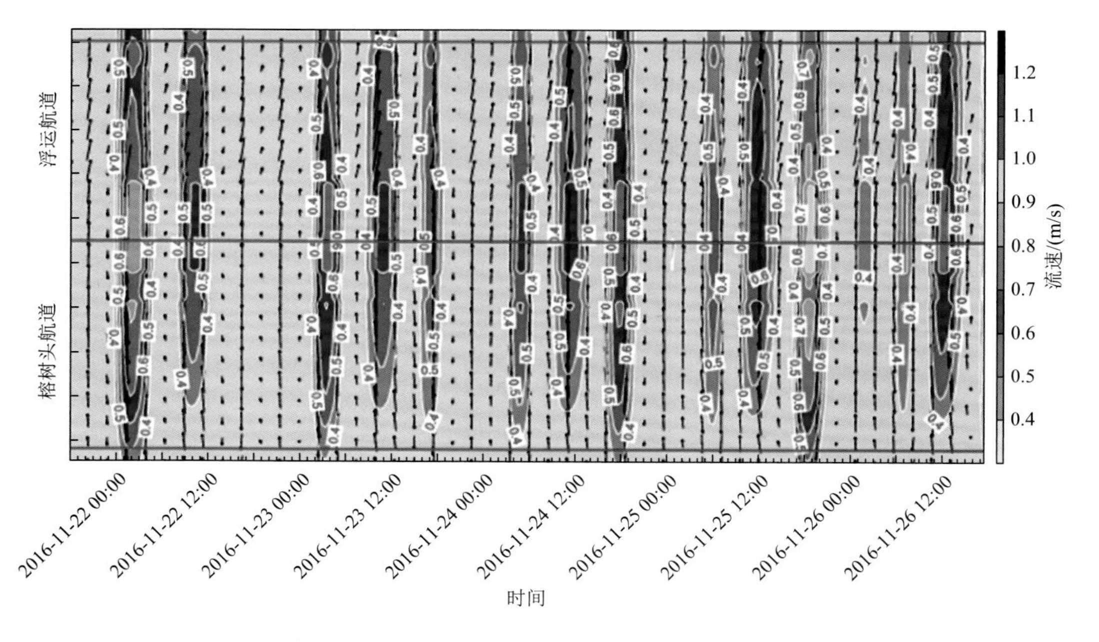

图 6-14　施工区浮运期间不同位置流速随时间变化

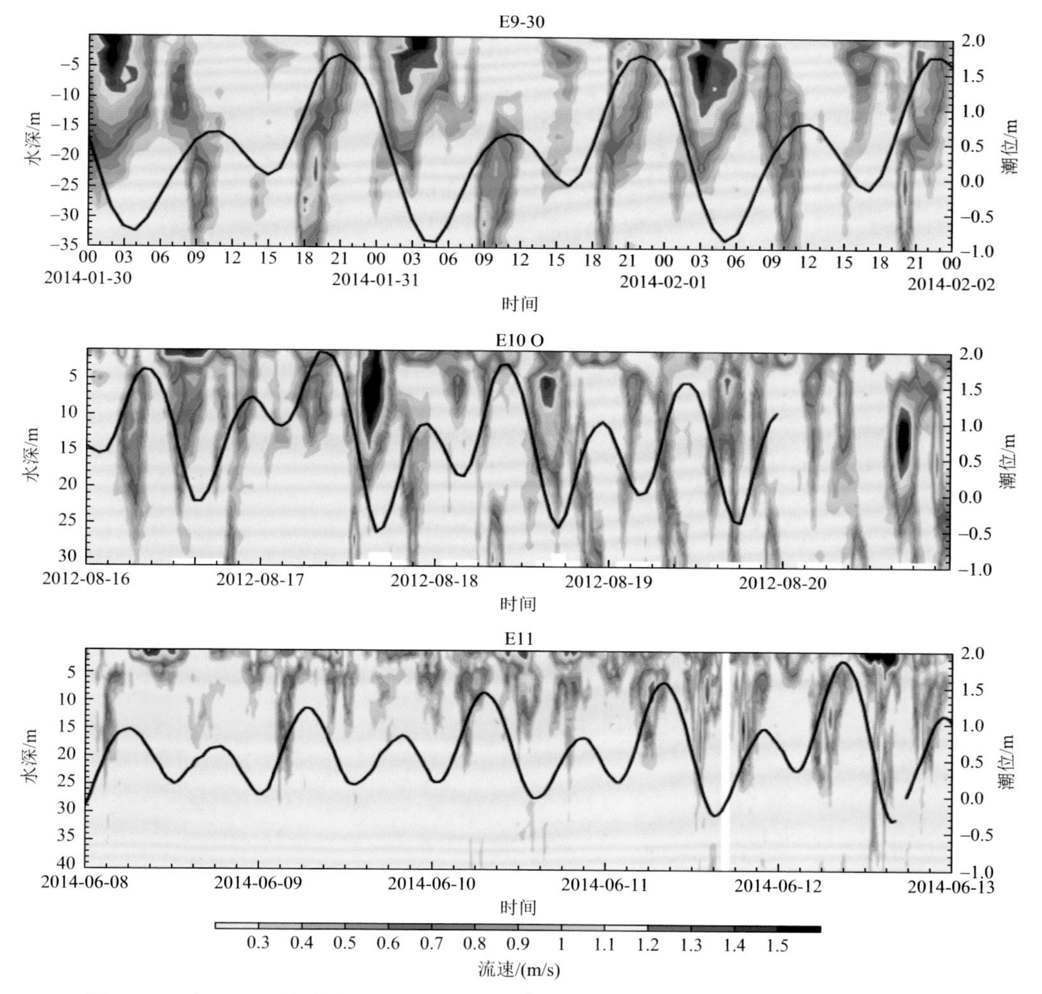

图 6-17　珠江口平均径流量分别为 2800 m^3/s、12 000 m^3/s、22 000 m^3/s 时海流变化

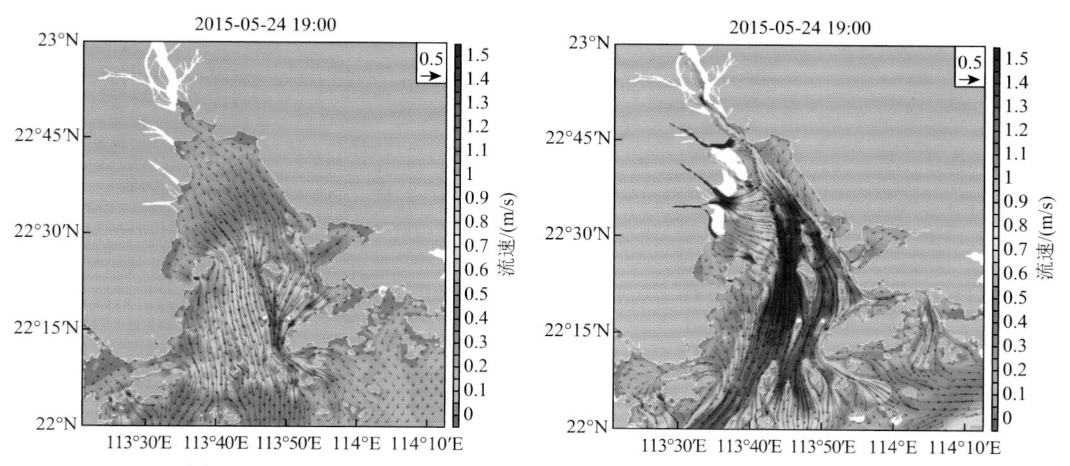

图 6-19　无径流量（左）和实际径流量（右）表层海流的数值模拟

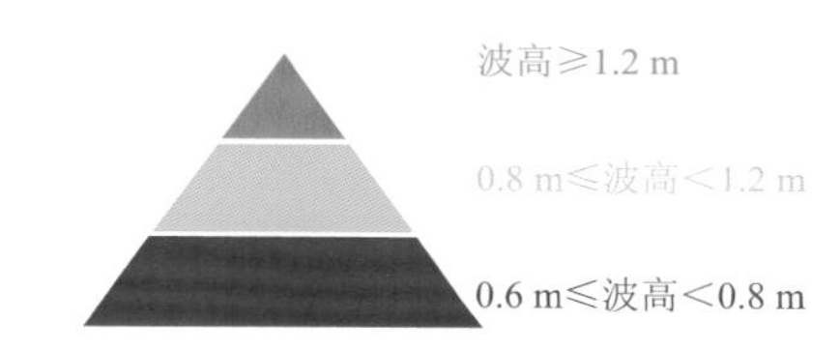

图 8-11　异常波预警级别划分

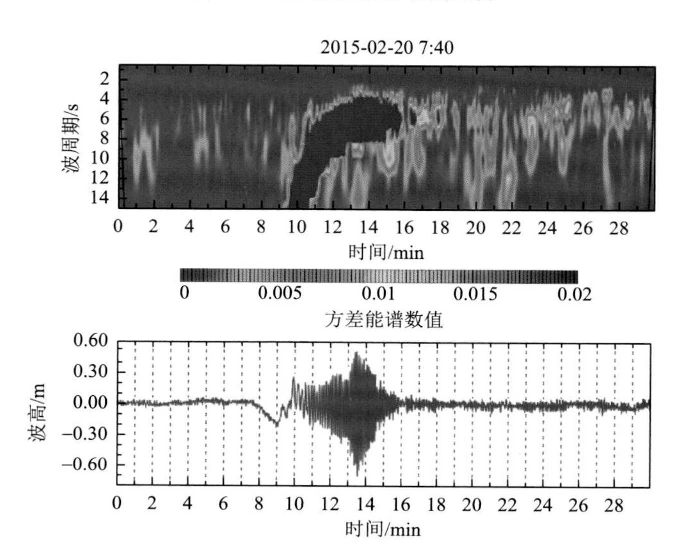

图 8-14　E22 管节浮运安装前的异常波监测情况

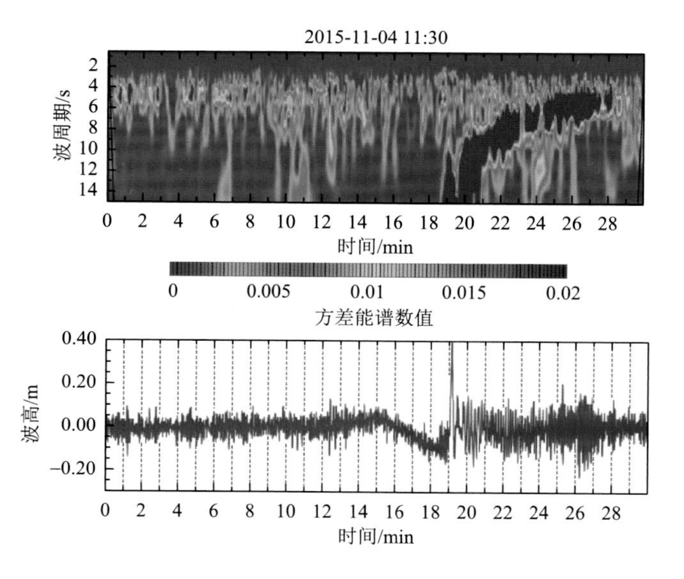

图 8-15　E22 管节浮运安装期间的异常波监测情况

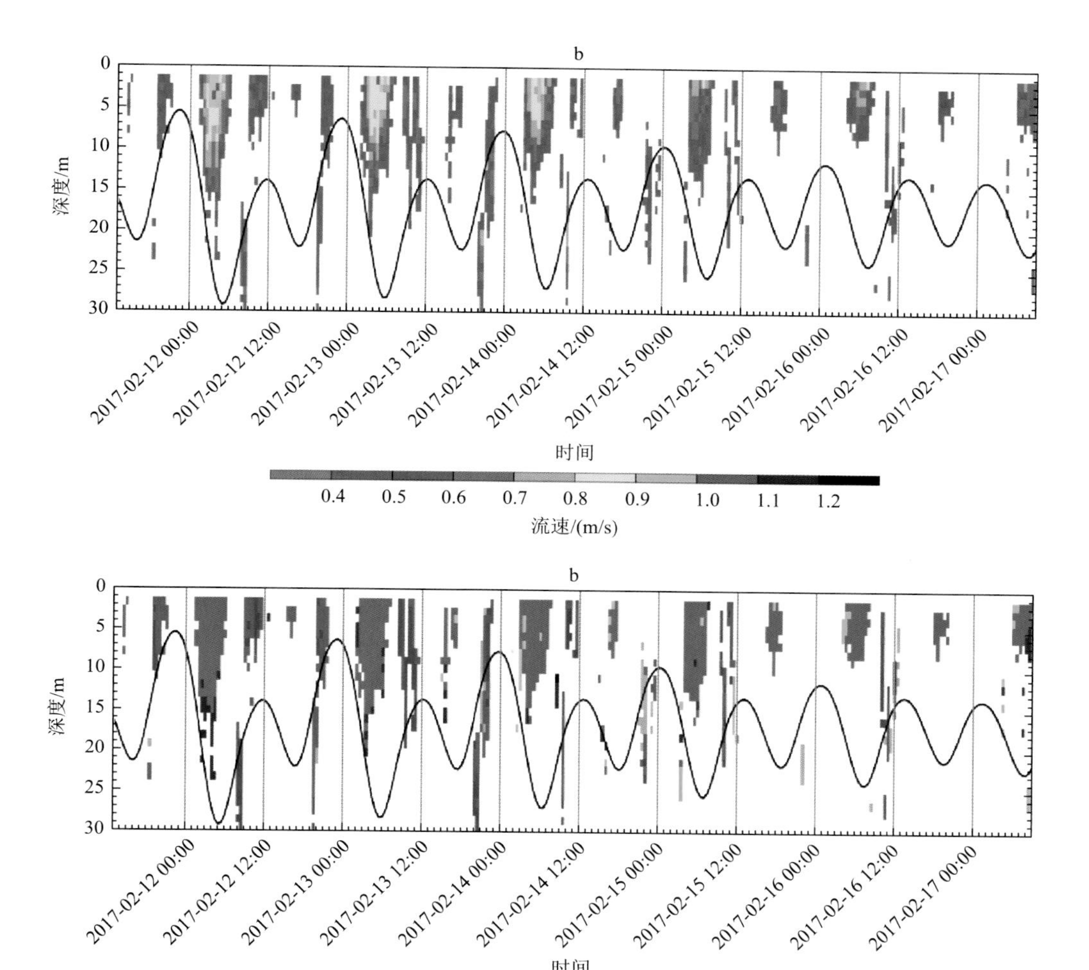

图 9-8　基槽内 E29 首端处（b 点）流速（上）、流向（下）深度-时间剖面

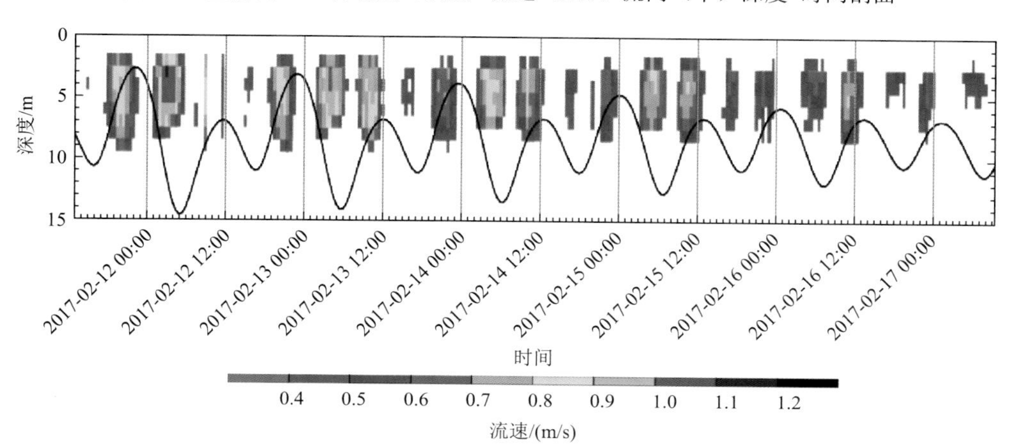

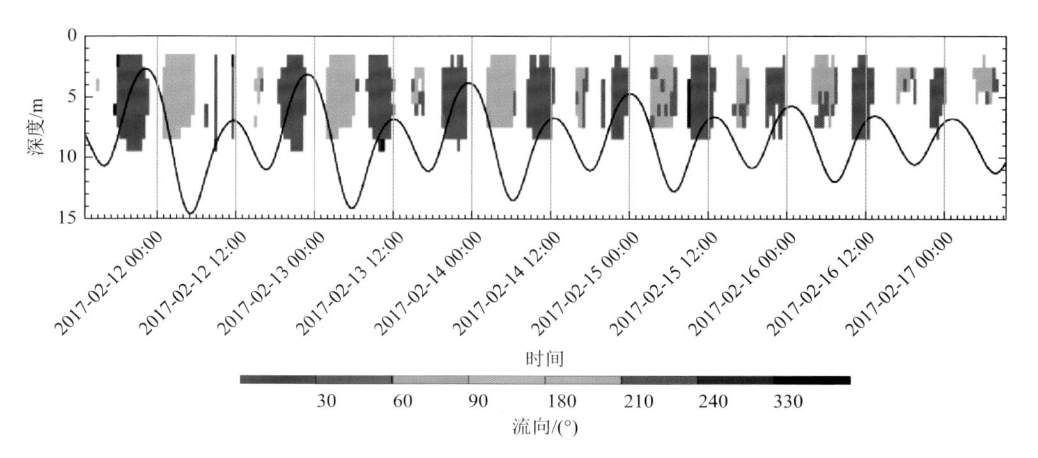

图 9-9　5 号浮标实测的流速（上）和流向（下）深度-时间剖面

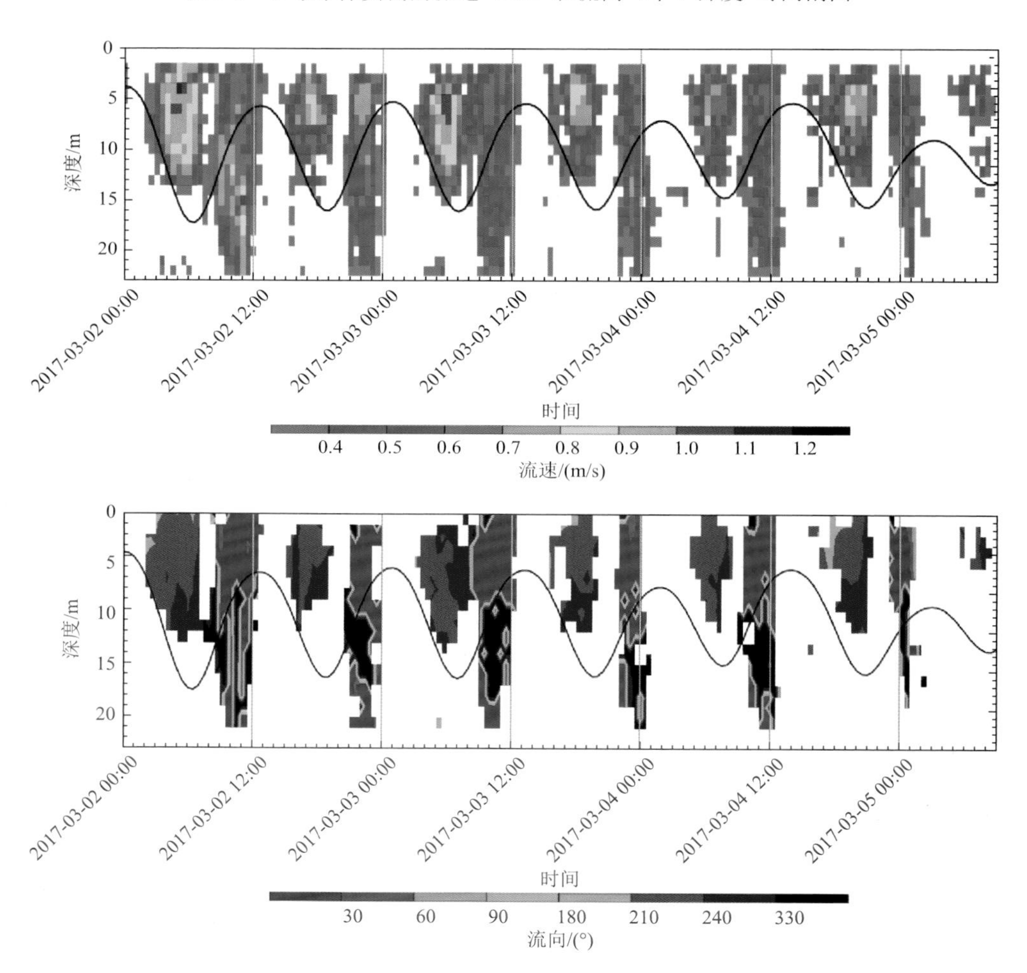

图 9-10　200 m 合拢口内流速（上）和流向（下）深度-时间剖面

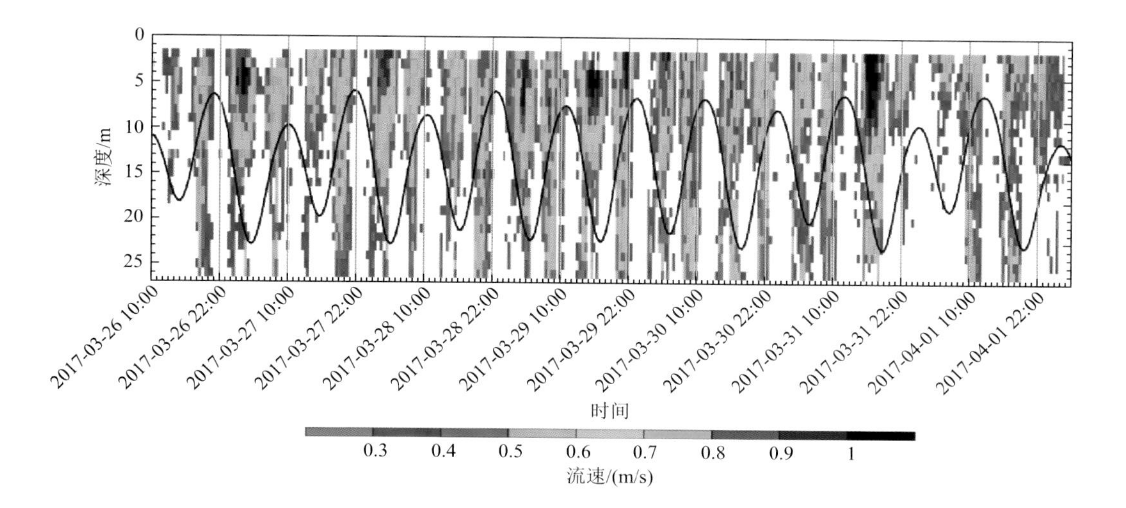

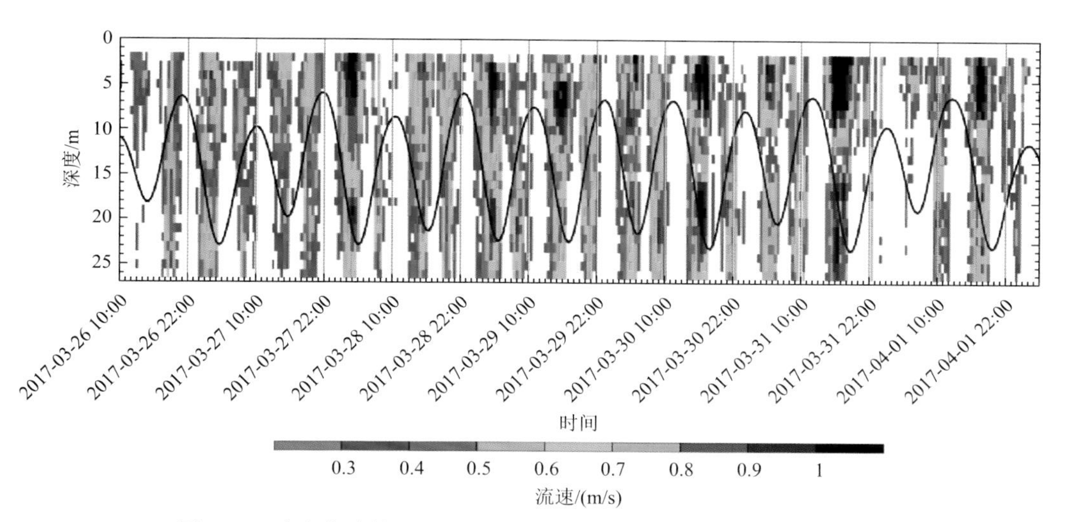

图 9-12　大潮期合拢口北侧（上）和南侧（下）流速深度-时间剖面

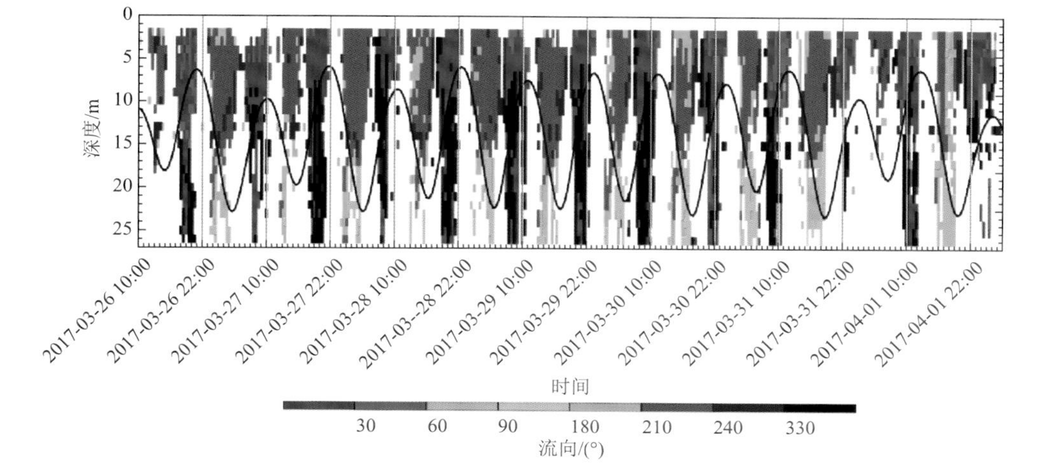

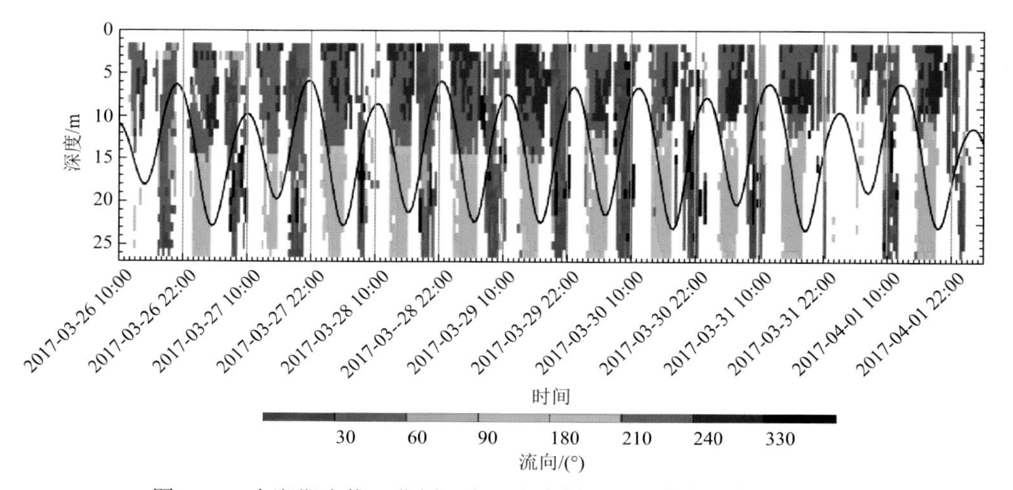

图 9-13　大潮期合拢口北侧（上）和南侧（下）流向深度-时间剖面

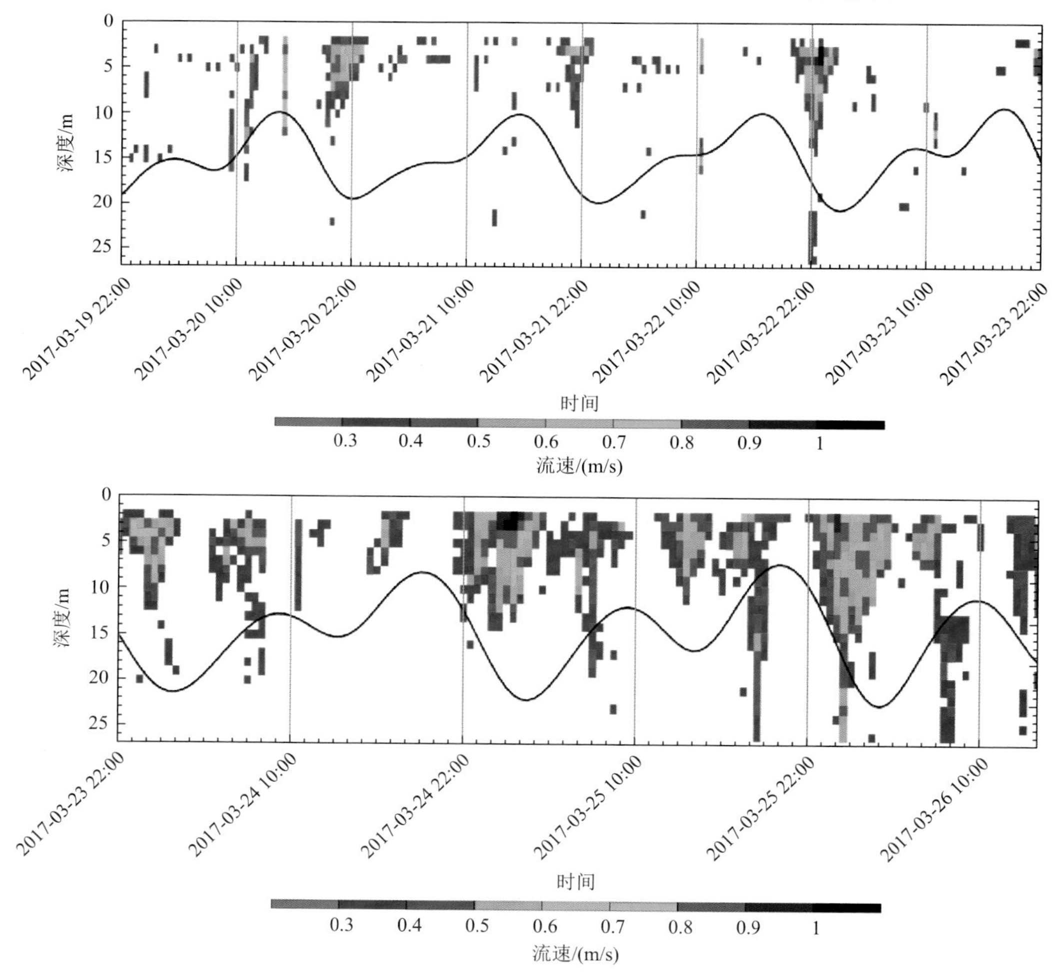

图 9-14　合拢口小潮期（上）和中潮期（下）流速深度-时间剖面

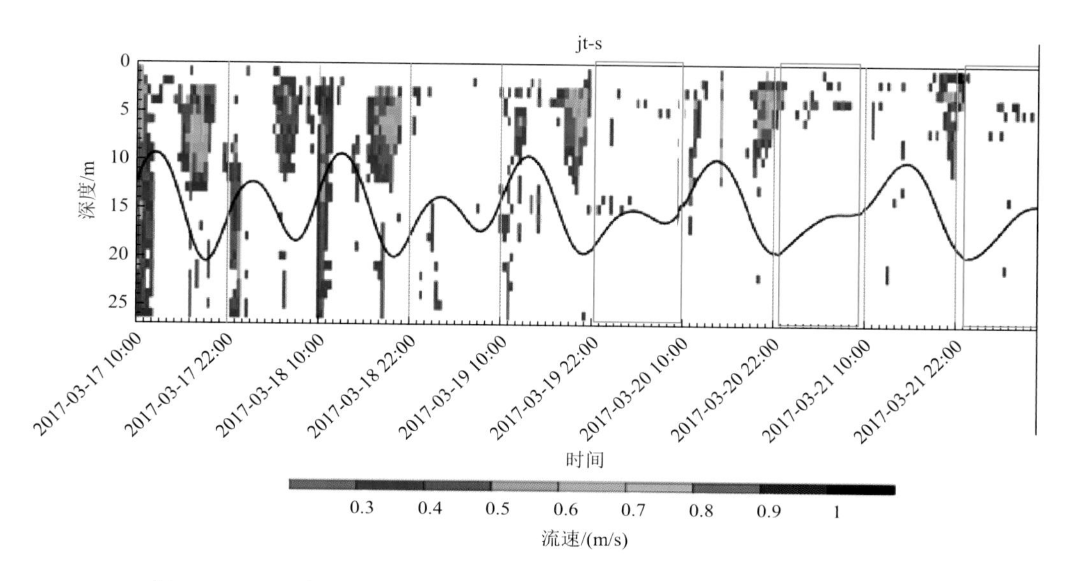

图 9-15　2017 年 3 月 17 日 10 时～22 日 10 时合拢口实测的流速垂直分布

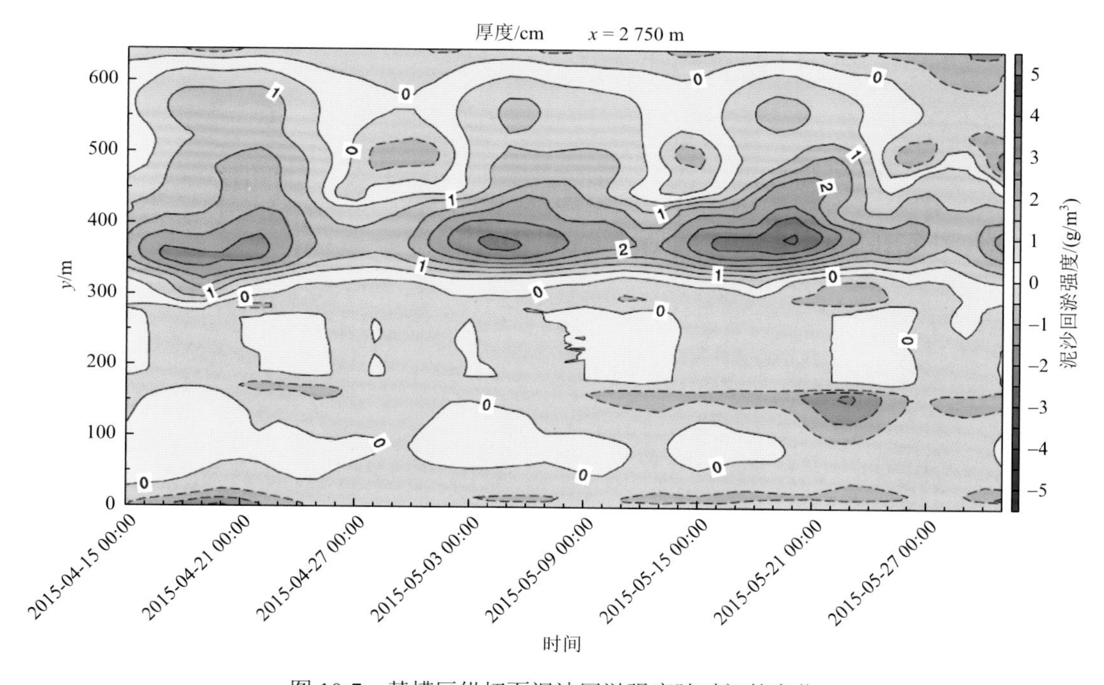

图 10-7　基槽区纵切面泥沙回淤强度随时间的变化

图 11-17　2015 年 1 月 8 日内伶仃岛附近的浑水

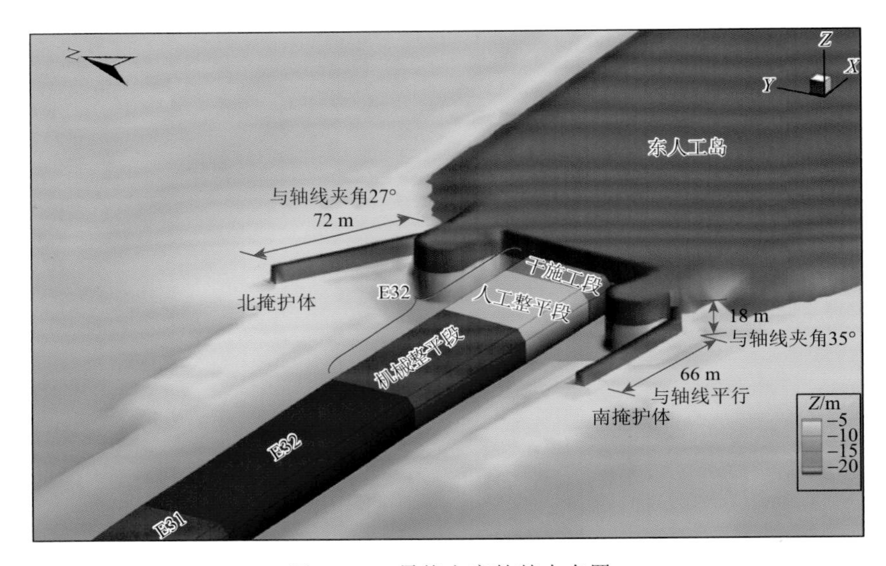

图 11-29　最终方案的基本布置

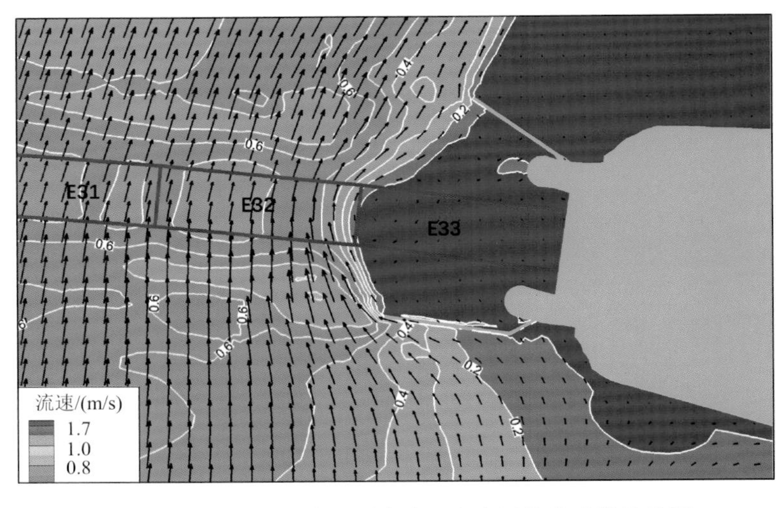

图 11-30　最终方案在洪季大潮涨急表层的流速等值线图

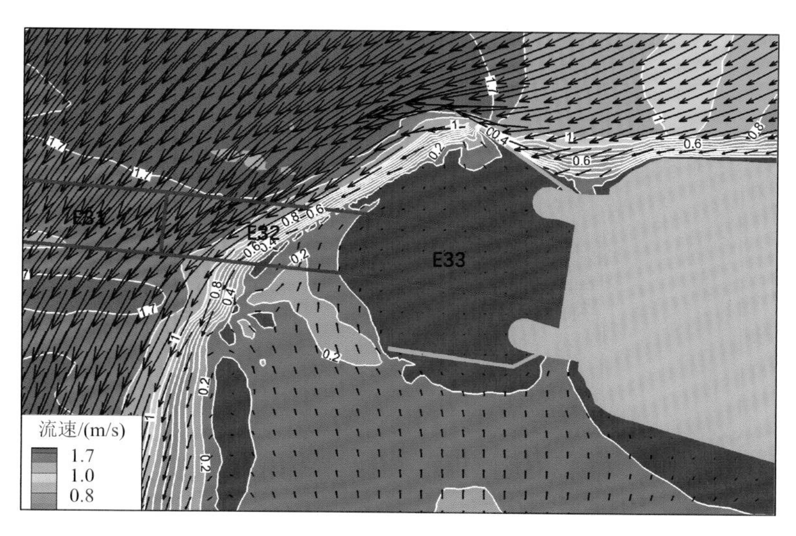

图 11-31　最终方案在洪季大潮落急表层的流速等值线图